2026 특수교사임용시험 대비   KORea Special Education Teacher

김남진
KORSET 특수교육
기출분석 ❸

I 영역별 마인드맵 수록
I 2009~2025년 기출문제 수록

JN367044

김남진 편저

Part 08
특수교육공학

Part 09
지체장애아교육

Part 10
건강장애아교육

모범답안 및 해설

박문각 임용   동영상강의 www.pmg.co.kr   박문각

이 책의 차례

Part 08
특수교육공학
4

Part 09
지체장애아교육
54

Part 10
건강장애아교육
115

김남진
KORSET 특수교육
기출분석 ❸

PART 08

특수교육공학

01
2009 중등1-35

정답) ④

해설)
제시된 내용은 보완대체 의사소통에 사용될 어휘 수집 방법에 관한 것이다.
① 스크립트 일과법: 스크립트를 이용한 전략은 구조화된 상황을 만들고, 그 안에서 실제로 상호작용하면서 필요한 어휘와 문장을 습득하도록 하는 접근법이다.
③ 언어경험 접근법: 아동의 경험과 관심을 중심으로 언어활동이 이루어지며 읽기 활동과 말하기, 듣기, 쓰기 등의 활동을 통합하여 프로그램이 구성된다.
④ 생태학적 목록: 학생들의 현재와 미래의 생활에서 기능을 발휘하기 위해 필요한 개별 기술들을 찾기 위한 조사표, 관찰지, 평가도구이다.
⑤ 일반사례교수법: 어떤 조건이나 상황에서도 목표행동을 할 수 있도록 여러 관련 자극과 반응 유형을 포함하는 충분한 예를 이용하여 교수하는 방법이다.

Check Point

생태학적 목록 작성 과정

단계	내용	설명
1	교육과정 영역 정하기	구체적인 기술들을 가르치고 삽입해야 할 상황, 맥락으로 사용될 교육과정 영역을 정함
2	각 영역에서 현재 환경과 미래 환경 확인하기	현재 주거환경은 일반 아파트나 주택일 수 있지만 미래 환경은 장애지원을 받는 아파트, 그룹홈 혹은 시설일 수 있음
3	하위 환경으로 나누기	각 학생들에게 필요한 활동을 파악하기 위해 그 활동이 일어날 수 있는 환경을 자세히 구분함
4	하위 환경의 활동 결정 및 활동 목록 만들기	• 무엇이 가장 적절한 활동인지 결정하기 전에 다양한 변인을 고려해야 함 • 학생의 생활방식에 대한 정보를 제공함
5	각 활동을 위해 필요한 기술 정하기	• 활동을 가르칠 수 있는 단위 수준이나 과제분석으로 나누는 일이 필요함 • 의사소통, 근육운동, 문제 해결력, 선택하기, 자기 관리와 같은 요소의 기술을 익힘

02
2009 중등1-37

정답) ②

해설)
ㄴ. 원형 훑기는 원의 형태로 배치된 항목들을 기기 자체가 자동으로 한 번에 한 항목씩 훑어주는 방식이다.
　• 항목들을 기기 자체가 좌우로 하나씩 훑어주며 제시하는 방식은 선형 훑기에 해당한다.
ㅁ. 항목을 제시하는 속도와 타이밍은 기기 제작 시 설정되어 있으나 사용자의 운동 반응 및 시각적 추적 능력 등에 따라 조절 가능하다.

Check Point

스캐닝을 위한 디스플레이 형태

선형 스캐닝	• 가장 기본적인 형태로 시간 간격을 둔 순차적 스캐닝 방법 • 스캐닝이 시작되면 화면이나 AAC 기기의 버튼/아이콘이 하나씩 시각적으로 반전되거나 청각적 소리를 내면서 순차적으로 이동. 이때 불빛이나 반전이 원하는 버튼/아이콘에 왔을 때 스위치를 눌러서 선택하는 방법
원형 스캐닝	• 시간 간격을 두고 순차적으로 이루어진다는 점에서는 선형 스캐닝과 동일 • 시곗바늘의 움직임과 같은 방향으로 원형 형태로 시각적 추적이 이루어진다는 점에서 학생이 보다 쉽게 이용할 수 있음
행렬 스캐닝	• 선택해야 할 버튼/아이콘의 수가 많을 때, 행과 열 단위로 먼저 선택한 후에 선택한 행과 열의 선형 스캐닝을 하는 것 • 선형 스캐닝 방법에 비해 빠르게 선택할 수 있다는 장점

03

2009 중등2B-4

모범답안 개요

8-1 원칙과 통합교육	① 동등한 사용: 설계는 모든 사용자가 공평하게 접근할 수 있도록 하며, 어느 누구도 차별을 받거나 낙인찍히지 않도록 한다는 원리이다. • 교육과정은 모든 학습자가 참여할 수 있도록 설계되어야 한다. ② 사용상의 융통성: 설계는 광범위한 개인적 선호도와 능력을 수용해야 한다는 원리이다. • 교육과정은 광범위한 개인의 능력과 선호도를 수용하기 위해서 융통성 있게 제시될 수 있도록 설계되어야 한다. ③ 정보 이용의 용이: 설계는 사용자의 지각 능력에 상관없이 다양한 양식을 통해 사용자에게 필요한 정보를 효과적으로 전달해야 한다는 원리이다. • 교육과정은 지각 능력, 이해도 등에 상관없이 학습자에게 가장 효과적으로 도달할 수 있는 방법으로 그를 가르치기 위해 다양한 표상 수단을 제공해야 한다.
8-2 보편적 학습설계	〈보편적 학습설계의 원리〉 ① 다양한 방식의 표상 수단 제공 ② 다양한 방식의 행동과 표현 수단 제공 ③ 다양한 방식의 참여 수단 제공
보조공학 기기	① 시각장애: 확대경, 망원경, 점자정보단말기, 옵타콘, 데이지 플레이어 등 ② 청각장애: 보청기, 골도전화기 등 ③ 지체장애: 전동/수동 휠체어, 키가드, 스위치, 크러치 등

Check Point

보편적 설계의 원리와 교육적 활용

물리적 원리	교육적 활용
[공평한 사용] 설계는 모든 사용자가 공평하게 접근할 수 있도록 하며, 어느 누구도 차별을 받거나 낙인찍히지 않도록 한다.	[공평한 교육과정] 교수는 매우 다양한 능력을 가진 학습자가 접근 가능한 단일 교육과정을 사용한다. 즉, 교육과정은 학습자를 불필요하게 차별하거나 '차이점'에 지나친 관심을 불러일으켜서는 안 된다. 교육과정은 모든 학습자가 참여할 수 있도록 설계한다.
[사용상의 융통성] 설계는 광범위한 개인적 선호도와 능력을 수용한다.	[융통성 있는 교육과정] 교육과정은 광범위한 개인의 능력과 선호도를 수용하기 위해서 융통성 있게 제시될 수 있도록 설계한다. 따라서 언어, 학습 수준, 표현의 복잡성이 조절될 수 있어야 하며, 필요한 경우 학습자의 진도는 목적과 교수방법이 재설정될 수 있도록 지속적으로 검토한다.
[단순하고 직관적인 사용] 설계는 이해하기 쉬워야 한다.	[간단하고 직감적인 교수] 교수는 간단해서 학습자가 가장 쉽게 접근 가능한 양식으로 제공한다. 언어, 학습 수준, 제시의 복잡성은 조정될 수 있다. 학습자의 진도는 필요한 경우 목적과 교수방법을 재설정하기 위해 계속적으로 모니터링된다.
[지각할 수 있는 정보] 설계는 사용자의 지각 능력에 상관없이 다양한 양식(그림의, 언어적, 촉각의)을 통해 사용자에게 필요한 정보를 효과적으로 전달한다.	[다양한 표상 수단들] 교육과정은 학습자의 지각 능력, 이해도, 주의집중도에 상관없이 가장 효과적인 방법으로 가르치기 위한 다양한 표상 수단을 제공한다.
[오류에 대한 관용] 설계는 우발적이거나 의도하지 않은 행동으로 인해 발생할 수 있는 위험과 부정적인 결과를 최소화한다.	[성공 지향적 교육과정] 교사는 참여에 대한 불필요한 장애를 제거함으로써 교육과정에 참여할 수 있도록 독려한다. 필요한 경우 교사는 효과적인 교육과정 설계의 원리를 적용한(예 대요 가르치기, 배경지식 제공하기, 교수를 비계하기 등) 계속적인 지원을 통해 지원적인 학습환경을 제공한다.
[낮은 신체적 수고] 설계는 효율적이고 편안하게 피로를 최소화하면서 사용되어야 한다.	[적절한 학습자의 노력 수준] 교실환경은 다양한 학습자의 반응수단을 수용함으로써 교육과정 교수자료에 대한 접근의 용이성을 제공하고, 편안함을 증진하며, 동기를 촉진하고, 학습자의 참여를 독려한다. 평가는 지속적으로 행해져야 하며, 수행을 측정한다. 교수는 평가결과에 근거해서 바꿀 수 있다.
[접근과 사용을 위한 크기와 공간] 사용자의 신체 크기, 자세 혹은 운동성에 상관없이 접근, 도달, 작동, 사용할 수 있는 적절한 크기와 공간을 제공한다.	[학습을 위한 적절한 환경] 교실환경에 교육과정 교수자료의 조직은 교수방법에 있어서의 변화뿐만 아니라 학습자에 의한 물리적·인지적 접근에 있어서의 변화를 허용한다. 교실환경은 다양한 학습자의 집단화를 허용한다. 교실 공간은 학습을 독려한다.

출처 ▶ 김남진 외(2017)

04   2010 유아1-2

정답 ④

해설

ㄹ. 화려하고 복잡한 그래픽이나 애니메이션 구성은 아동의 집중력에 방해가 된다. 화면 구성이 복잡해서는 안 되며, 문자, 그래픽, 애니메이션, 비디오가 적절하게 배치되고 그 수가 적절한지를 파악하여야 한다(김남진 외, 2017 : 214).

ㅂ. 아동의 특성이 고려되어 개발된 프로그램이기 때문에 제시된 과제에 상이한 반응시간이 주어져 있어야 한다. 문제제시 속도, 피드백 형태, 문제의 난이도, 연습시도 횟수 등과 같은 선택사항이 제공되어야 한다(김남진 외, 2017 : 226).

Check Point

효과적인 교수용 프로그램의 특징

좋은 프로그램	좋지 않은 프로그램	학습원리
학습기술에 관련된 응답을 많이 제공하는 프로그램	학습기술과 관련이 없는 활동을 많이 포함하거나 조작하는 데 많은 시간이 요구되는 프로그램	과제수행에 시간을 많이 들일수록 많이 배운다.
학습한 기술이나 개념을 지원하는 그래픽이나 애니메이션이 들어 있는 프로그램	수업목표에 관련 없이 그래픽이나 애니메이션이 포함된 프로그램	그래픽이나 애니메이션이 학생의 학습활동에 관심을 촉진시키는 반면, 주의가 산만하여 기능습득에 방해가 되거나 연습시간을 감소시킬 수도 있다.
강화가 집중적으로 이루어지며, 학급에서 이루어지는 강화형태와 유사한 점이 포함된 프로그램	강화용 그래픽을 제공하거나, 매번 옳았다는 응답이 있고 난 후에 활동이 이루어지는 프로그램	학생들의 맞는 답변에 대해 너무 빈번한 강화를 해주면, 웬만한 강화에는 별로 반응을 하지 않으며, 강화활동에 소비하는 시간으로 학습시간이 지연된다.
강화가 과제의 완성이나 유지와 관련된 프로그램	학생이 바르게 반응했을 때의 강화(미소 짓는 얼굴)보다 틀리게 반응했을 때 더 많은 강화(예 폭발)를 제공하는 프로그램	실제로 어떤 프로그램들은 학생들에게 고의로 틀린 답을 하게 하여 보다 자극적인 강화를 경험하게 하기도 한다.
학생들이 실수한 곳을 찾아 교정할 수 있도록 피드백을 제공하는 프로그램	질문에 대한 응답으로 "맞음", "틀림", "다시 하세요"만을 제시하는 프로그램	몇 번의 시도 후에 정답에 관한 피드백이 없으면 학생들을 좌절하게 만들거나 포기하게 만든다.
신중하게 계열화된 항목으로 작은 단위로 연습을 제공하는 프로그램	다양하고 넓은 영역에서 연습하도록 했거나, 잠정적 항목의 광대한 세트에서 마음대로 항목을 끌어내게 만든 프로그램	유사한 항목들 사이의 잠재적 혼동을 감소시키기 위해, 작은 단위의 신중하고 계열적으로 고려된 항목들이 주어졌을 때 더 빨리 정보를 숙달할 수 있다.
다양한 방법으로 연습을 제공하는 프로그램	항상 같은 방법 또는 항목 중에서 같은 단위로 연습을 제공하는 프로그램	다양하게 연습이 이루어지지 않는다면 새로운 상황이나 환경에서 일반화시키기가 힘들다.
누적된 사고를 할 수 있게 해주는 프로그램	누적된 사고를 할 필요가 없는 프로그램	자신이 배운 것을 잊지 않기 위해서는 선행지식 및 기술에 대한 반복이 필요하다.
추후에 교사가 학생들의 과제수행 기록을 확인할 수 있는 프로그램	기록기능이 포함되어 있지 않은 프로그램	교사는 학생들의 컴퓨터 과제수행을 통제하기가 어렵다. 따라서 학생의 수행기록에 교사가 접근할 수 있게 하여 그 프로그램이 학생에게 효과의 유무와 추가적인 서비스의 필요성의 여부를 결정한다.
문제제시 속도, 피드백 형태, 문제의 난이도, 연습시도 횟수 등과 같은 선택사항이 제공되는 프로그램	모든 학생들에게 동일한 학습내용과 학습 방법 등이 제시되는 프로그램	다양한 선택사항을 사용함으로써 비용이 감소되며, 교사로 하여금 적절한 개별화 수업을 제공할 수 있다.

출처 ▶ 김남진 외(2017 : 225-226)

05
2010 유아1-18

정답) ③

해설

ㄱ. 「장애인교육법(IDEA)」 규정에 의하면, 장치 혹은 서비스는 그것이 학습을 위한 필수 조건, 예를 들어 어떤 특별한 장치나 서비스를 사용하는 것을 제외하고는 과제를 완수할 수 있는 어떤 다른 방법이 없을 때 보조공학이라고 인정한다. 그러나 모든 UDL 원리가 학습을 위한 필수 조건이라고 할 수는 없다. 그 원리는 모든 학습자가 어떤 특별한 교육적 개념을 확실히 이해할 수 있도록 하기 위한 효과적인 수업, 필요한 비계, 변형된 예의 범주에 속할 수도 있다(CEC, 2006: 12-13). 따라서 준호와 영주가 일반아동과 동일한 방법으로 교수·학습에 접근하고 참여하는 데 제한이 없도록 보조공학의 사용 계획을 포함하는 것은 보편적 학습설계의 원리에 해당하지만, 실수에 즉각적으로 반응하는 보조공학 기구를 선택하여 제공하는 것은 모든 학습자의 특성을 고려해야 한다는 보편적 학습설계의 원리가 아닌 장애학생인 준호와 영주만을 위한 교육적 지원에 해당될 수 있기 때문에 적절하지 못하다. 모든 아동들에게 보조공학기기를 포함한 다양한 도구들을 선택하여 제공했을 때 보편적 학습설계의 원리가 적용되었다고 할 수 있다.

ㄴ. 보편적 학습실계는 융통성 있게 제시된 일반교육과정에 의존하는 것으로 좌석배치와는 무관하다.

ㄷ. 다양한 방식의 표상 수단 제공 원리에 해당한다.

ㄹ. 다양한 방식의 표상 수단 제공 원리에 해당한다.

Check Point

☑ 보편적 학습설계의 원리
① 다양한 방식의 표상 수단 제공
② 다양한 방식의 행동과 표현 수단 제공
③ 다양한 방식의 참여 수단 제공

06
2010 초등1-20

정답) ①

해설

② 우선적으로 기능적 어휘를 선정하여 준비한다.
- AAC 체계의 일차적 목적은 일상생활에서의 의사소통이다. 그러므로 학생의 AAC 체계에 포함된 모든 어휘나 문장은 학생의 의사소통 의도를 표현할 수 있고 기능적인 것이어야 한다(김영태, 2019: 474).
- 의사소통지도에 사용될 어휘는 보완·대체의사소통 사용자가 대화 상대방과의 만남을 통해 일상생활 중에서 사용될 어휘 목록을 수집한다. 가장 중요한 어휘 목록을 선정하되, 어휘 확장이 가능하도록 수집하며 생활 경험이나 교과학습과 관련된 어휘목록을 선정한다. 의사소통 수단은 아동의 특성에 따라 음성 제스처, 손짓 기호, 의사소통판, 의사소통 책, 컴퓨터 공학기구 등 다중 양식을 사용하되 메시지를 전달하는 데 효과적이며 가능한 한 빠르게 전달할 수 있고 수용 가능해야 한다(기본교육과정 중학교 국어 교사용 지도서, 2021: 59).

③ 신체 기능과 학생의 언어발달 수준을 모두 고려하여 다양한 AAC 체계를 준비한다.
- 대체로 복합의사소통장애 아동에게 1개의 AAC 체계를 선정하여 적용시키면 그것으로 만족하고 더 이상의 관심을 두지 않는 경우가 많다. AAC 사용 환경에 따라 AAC 도구가 달라져야 한다. 예를 들어, 발화기나 컴퓨터의 건전기가 다 닳아 소리를 내지 못하거나, 어두운 곳에서는 수화나 의사소통판을 사용하지 못할 수도 있다. 그러므로 가능하다면, 1개 이상의 AAC 도구를 사용하도록 가르치는 것이 중요하다(김영태, 2019: 475).
- 보완·대체의사소통 체계를 적용할 때에는 지도 대상자의 인지 기능, 언어 발달, 신체적 기능 등을 고려해야 한다. 의사소통 방법을 가르칠 때에는 한 가지 방법만 사용하지 말고, 의사소통판, 음성 출력기 등 여러 가지 보조도구를 사용하거나, 얼굴 표정, 몸짓 등 보조 도구를 사용하지 않는 방법을 병행해 다중의 의사소통 양식을 가지도록 해야 한다(기본교육과정 중학교 국어 교사용 지도서, 2021: 58).

④ AAC 체계에 적용하는 상징은 학생의 생활연령을 최우선으로 고려하여 준비한다.
- AAC 체계에 포함시킬 어휘나 문장은 아동의 정신연령보다는 생활연령에 맞는 것으로 선택하여야 한다(김영태, 2019: 474).

⑤ 타인과의 상호작용 가능성에 중점을 두어 계획한다.
- 의사소통의 목적은 사회적 결과에 중점을 둔 화용론에 초점을 둔다. 즉, 다른 사람들과의 상호작용 맥락에서 자신의 의도와 생각을 효과적으로 전달하는 기능을 가르치는 것을 중요하게 고려한다(박은혜 외, 2019 : 314-315).
- 의사소통은 일방적인 것이 아니라 상호적인 교류에 의하여 이루어지는 것인 만큼, 아동의 의도를 표현할 뿐 아니라 상대방의 표현에 대하여 반응을 할 수도 있어야 한다. 때로는 상대방도 아동의 대체 수단을 이용하여 아동이 상대방의 의도를 이해할 수 있도록 할 수 있어야 한다(김영태, 2019 : 474-475).

Check Point

보완대체의사소통 체계 선택 및 사용 시 고려사항

생활연령	AAC 체계에 포함시킬 어휘나 문장은 학생의 정신연령보다는 생활연령에 맞는 것으로 선택하여야 한다.
기능성	AAC 체계의 일차적인 목적은 일상생활에서의 의사소통이다. 그러므로 학생의 AAC 체계에 포함된 모든 어휘나 문장은 학생의 의사소통 의도(예 물건이나 행동 요구하기, 주의 끌기, 감정이나 상태 표현하기, 질문하기 등)를 표현할 수 있고 기능적인 것이어야 한다.
상호작용 가능성	• 의사소통은 일방적인 것이 아니라 상호적인 교류에 의하여 이루어지는 것인 만큼, 학생의 의도를 표현할 뿐 아니라 상대방의 표현에 대하여 반응을 할 수도 있어야 한다. • 때로는 상대방도 학생의 대체 수단을 사용하여 학생이 상대방의 의도를 이해할 수 있도록 할 수 있어야 한다.
1개 이상의 AAC 보조도구 사용	대체로 의사소통에 어려움이 있는 학생에게 1개의 AAC 체계를 선정하여 적용시키면 그것으로 만족하고 더 이상의 관심을 두지 않는 경우가 많다. AAC 사용 환경에 따라 AAC 보조도구가 달라져야 한다. 예 발화기나 컴퓨터의 건전지가 다 닳아 소리를 내지 못하거나, 어두운 곳에서는 수화나 의사소통판을 사용하지 못할 수도 있다. 그러므로 가능하다면, 1개 이상의 AAC 보조도구를 사용하도록 가르치는 것이 중요하다.
학생 자신의 선호도	• AAC 체계를 결정하거나 그 내용을 선택하는 과정에서 학생 자신이 좋아하는 것을 선택하도록 배려해야 한다. 적용된 AAC 체계가 학생에게 또 하나의 학습자료에 불과한 것이 되어서는 안 된다. • 학생이 애정을 가지고 기꺼이 사용하도록 하기 위해서는 학생이 그 형태와 내용을 선택하도록 하여야 한다. 그러기 위해서는 초기의 선택과정뿐 아니라, 학생이 체계를 확장해 나가는 과정에서도 학생의 의사가 반영되도록 해야 할 것이다.
중재 가능성	대체로 AAC 체계를 선택하거나 적용하는 기간에는 여러 가지 지원 프로그램이 제공되지만, 그 후 후속 중재 프로그램이 제공되지 않기 때문에 AAC 사용도 중단되는 경우가 많다. 그러므로 계속되는 중재가 가능한지를 고려한 지원 프로그램을 제공하여야 한다.
사회적 의미	대상자의 사회적 활동을 고려하여 그에 적절한 AAC 체계의 내용, 운반 방법 및 도움의 형태를 결정하여야 한다. 예 AAC 사용 학생의 사회활동 범위를 관찰하여 학교, 집, 종교기관 등 각 사회활동 장소에서 요구되는 조건들을 고려하여야 한다.
의사 소통을 위한 선수 기술	의사소통을 하기 위해서는 선행되어야 하는 기초적인 선수 기술들이 있다. 그러나 의사소통에 어려움이 있는 학생에게 AAC 체계를 적용할 때는 그러한 선수 기술들이 모두 습득될 때까지 기다릴 수 없는 경우가 많다. 그럴 경우, 우선 학생이 가지고 있는 최소한의 의사소통 능력을 분석하여 그에 적절한 AAC 체계를 사용하게 하고, 그 후에 그 체계를 사용하면서 좀 더 발전된 의사소통 능력을 길러 주는 것이 바람직하다.
자연 스러운 환경 에서의 중재	AAC 체계는 학생이 실생활에서 사용하지 못한다면 아무 의미가 없다. 그러므로 일반화가 어려운 학생에게는 실제 환경 속에서 직접적 또는 간접적 중재가 이루어져야 한다.
부모-중재자 간 협력관계	• 대체로 AAC 체계를 선택하는 과정에서는 부모나 중재자가 협력을 잘 하지만, 그 내용을 삽입하고 프로그래밍하는 과정에서는 부모가 배제되어 버리는 경우가 많다. • 특히 의사소통에 어려움이 있는 학생의 경우 가정과 학교 그리고 기타 접촉하는 사회(예 종교기관, 그룹홈 등)에서 유사한 반응이나 강화가 있어야만 기능적으로 사용하게 되기 때문에, 이러한 관련 기관 및 가정에서의 협력 관계가 중요하다.
AAC 체계의 특성	• AAC 체계는 우선 학생의 신체적 조건에 따라 적절하게 이동할 수 있는 체계여야 하며, 의사소통 대상자에게 쉽게 이해될 수 있는 체계여야 한다. • 또한 관리 및 유지가 용이하고, 학생의 적응 상태에 맞추어 어휘 및 언어의 범위나 수준을 확장할 수 있는 것이 좋다.
의사 소통을 위한 기초 기술	의사소통에 어려움이 있는 학생의 경우 아무리 좋은 AAC 보조도구가 주어진다고 해도 그것을 효율적으로 쓸 기초적인 기술을 배우지 못하면 의미가 없다.

07

2010 중등1-9

정답) ③

해설

ㄷ. 보편적 학습설계는 건축 분야의 보편적 설계에서 유래한 개념으로, 학습에서의 몇몇 인지적 도전 요소들이 여전히 유지되어야 하고 필요한 만큼의 지원을 제공하는 것이다.

• 보편적 설계 그리고 보편적 학습설계 모두 접근과 참여의 수단 측면에서 사전에 추가적인 조정의 필요 없이 설계되어야 한다는 점에서는 공통적이다. 그러나 활용 측면에서 보편적 설계는 남의 도움 없이 본인 스스로가 사용 가능하도록 하지만, 보편적 학습설계는 학생들 스스로가 접근 수단을 조정하되, 교사는 학생들의 학습 진도를 점검하고 어떤 속성들을 활성화할 수도 있다. 이는 곧 교육과정 설계는 학습자에게 자기 충족적이며 교사는 학습자의 공부를 지도하고, 촉진하며 평가하는 데 있어 적극적일 수 있음을 의미한다. 그리고 도전의 측면은 일반적인 보편적 설계에서는 모든 장벽을 제거하여 가장 손쉽게 접근할 수 있도록 하는 데 초점을 두고 있지만, 보편적 학습설계는 접근의 장벽은 제거하되 학습자의 분발을 위한 적절한 도전이 있도록 해야 한다는 차이가 있다 (김남진 외, 2017: 128 129).

Check Point

보편적 설계와 보편적 학습설계의 차이

구분	보편적 설계	보편적 학습설계
접근과 참여의 수단	생산물과 환경은 부가적인 조정의 필요 없이 모든 사람들에 의하여 사용될 수 있게 한다.	교육과정은 교사에 의한 추가적인 조정의 필요 없이 모든 학습자들에 의해 활용 가능해야 한다.
활용	사용자들이 모든 접근을 통제하며 다른 사람들의 도움이 없거나 거의 필요하지 않다.	학습자들이 접근 수단을 통제하지만 교사들은 교수와 촉진, 학습자들의 학습에 대한 평가를 계속한다.
도전	• 만약 제거할 수 없다면 최소화한다. • 접근에 대한 장애는 가능한 한 많이 없어진다. • 가장 좋은 설계는 가장 쉽고 광범위한 접근을 제공한다.	• 몇몇 인지적인 도전들이 여전히 유지되어야 한다. • 접근에 대한 장애들은 없어져야 하지만 적합하고 적당한 도전은 유지되어야 한다. • 만약 접근이 너무 없다면, 학습은 더 이상 일어나지 않을 것이다.

출처 ▶ 김남진 외(2017: 129)

08

2010 중등1-10

정답) ④

해설

ㄱ. 학습 효과를 높이기 위해서 반복적으로 연습을 할 수 있는 훈련·연습형으로 개발한다.: 행동주의 교수·학습이론

ㄹ. 애니메이션 등을 활용하여 반응에 따른 즉각적인 자극을 제공함으로써 학생이 올바른 반응을 형성할 수 있도록 한다.: 행동주의 교수·학습이론

Check Point

(1) 행동주의 교수·학습이론이 교수설계에 시사하는 점
① 행동목표를 명확하게 제시해야 한다.
② 외재적 동기를 강화해야 한다.
③ 수업내용은 쉬운 것에서부터 어려운 것으로 점진적으로 제시하고, 복잡하고 어려운 것은 단순한 것으로 세분화하여 제시해야 한다.
④ 수업목표에서 진술된 행동은 계속적으로 평가되어야 하며, 평가결과는 바람직한 행동을 유동할 때까지 지속적으로 피드백을 제공하여야 한다. 또한 평가를 위해서는 학습자에게 능동적 반응의 기회를 제공해야 한다.

(2) 인지주의 교수·학습이론이 교수설계에 시사하는 점
① 사고의 과정과 탐구 기능의 교육을 강조해야 한다.
② 학습자 스스로가 새로운 정보를 처리할 수 있도록 인지처리 전략을 가르쳐주거나 그것을 개발할 수 있는 교수방법이 모색되어야 한다.
③ 학습의 내재적 동기를 유발하기 위한 교수전략을 강조한다.
④ 학습자의 인지발달 수준에 맞춰 적절하게 학습내용을 조직하여 제시해야 한다.
⑤ 인지주의는 행동의 결과가 아닌 과정적 측면에 초점을 두는 만큼, 평가 대상 역시 기억력이 아닌 탐구력이어야 한다.

(3) 구성주의 교수·학습이론이 교수설계에 시사하는 점
① 수업목표는 학습 전에 수업설계자나 교사에 의해 미리 결정되는 것이 아니라, 학생이 과제를 해결하는 도중에 도출되며 학생 스스로 수립한다.
② 학습내용은 구조화되지 않은 자연적 상태로의 과제를 학습내용으로 하여, 학습자가 자신의 현 지식과 경험의 수준 및 관심에 따라 문제를 선택, 설정, 해결하도록 한다.
③ 협동학습을 통한 학습, 학습과정에의 적극적인 참여를 통해 학습자는 학습에 대한 흥미를 불러일으킬 수 있다.

④ 지식은 개인의 경험으로 구성되며 학습은 개인의 경험을 통해 이루어진다. 그러므로 지식은 교사에 의해 일방적으로 전달되는 것이 아니라 학습자가 능동적으로 구성하는 것이다. 따라서 교사는 학습자 개개인의 수준을 고려하여 그들 스스로에게 맞는 학습내용을 선정할 수 있도록 조언해 주는 조언자 혹은 조력자의 역할을 수행할 수 있어야 한다.
⑤ 수업평가는 최종적인 성취도 한 가지에만 국한되는 것이 아니라 과제의 수행과정에서 연속적으로 이루어지도록 해야 한다.

09 · 2010 중등1-28

정답 ②

해설

① 선화, 리버스 상징은 도구를 이용하는 상징체계에 해당한다.
  - 비도구적 상징체계(또는 도구를 이용하지 않는 상징)란 어떠한 외부적 기기도 필요로 하지 않는 얼굴 표정, 손짓 기호, 일반적인 구어와 발성을 포함한다. 반면 도구적 상징체계(또는 도구를 이용하는 상징)는 어떤 형태의 외부 원조를 요구하는 것으로 실제 사물, 흑백의 선, 사진, 그림, 그림의사소통상징, 리버스 상징, 블리스 심벌 등이 있다.
② 리버스 상징은 선화에 해당한다. 따라서 사진과 비교했을 때 리버스 상징은 사진보다 추상적이므로 배우기가 더 어렵다.
③ 사진이 선화보다 사실적이고 구체적이다. 따라서 사진과 선화를 비교할 때 사진을 의사소통 초기 단계에서 활용하는 것이 바람직하다.
④ 선화가 블리스 상징보다 구체적이다.
⑤ 블리스 상징은 리버스 상징보다 도상성이 낮으므로 배우기가 더 어렵다.

Check Point

(1) 상징체계

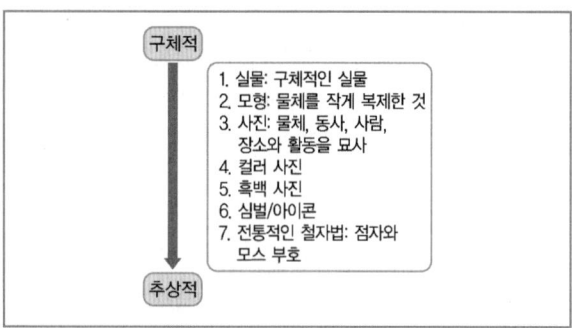

구체적 → 추상적
1. 실물: 구체적인 실물
2. 모형: 물체를 작게 복제한 것
3. 사진: 물체, 동사, 사람, 장소와 활동을 묘사
4. 컬러 사진
5. 흑백 사진
6. 심벌/아이콘
7. 전통적인 철자법: 점자와 모스 부호

(2) 상징의 종류 및 특징

그림 의사소통 상징	• PCS 중 대표적인 것이 선화를 기반으로 해서 광범위하게 사용되고 있는 보드메이커(Boardmaker) 프로그램이다. • PCS와 리버스 상징은 명사, 동사, 수식어에 있어 다른 것보다 명료하다.
리버스 심벌	• 비장애 유아들의 읽기교육을 위해 개발된 것이 AAC 상징체계로 확장되었으며, 시각적으로나 명목상으로 낱말 또는 음절을 나타내는 그림이다. • 리버스 심벌은 픽 심벌(Picsyms)과 함께 상징체계의 투명도가 높고 블리스 심벌과 비교해도 투명도나 학습 용이도가 높다.
픽 심벌 (Picsyms)	• 초기에 언어장애 유아를 대상으로 개발되었다. • 픽 심벌은 PCS나 리버스 심벌보다 투명도나 학습 용이성 면에서 더 쉽다.
픽토그램 (PIC)	• 흑백 상징으로 구성되어 전경과 배경 구분의 어려움을 줄여준다. • 픽토그램 상징이 PCS와 리버스 상징보다는 반투명도가 낮지만, 블리스 심벌보다는 반투명도가 더 높다.
블리스 심벌	• 원래 의사소통 장애인을 위해 만든 것이 아니고 국제적인 문자 의사소통의 보조언어로 개발하였다. • 블리스 심벌은 투명도가 가장 낮고 배우기 어려우며 기억하기도 어렵다.

10 2010 중등1-40

정답 ④

해설

해당 문항과 연관된 웹 접근성 지침은 2005년 제정된 한국형 웹 콘텐츠 접근성 지침 1.0을 기준으로 한다. 한국형 웹 콘텐츠 접근성 지침 2.0은 2010년 그리고 한국형 웹 콘텐츠 접근성 지침 2.1은 2015년에 각각 개정되었다.

ㄱ. 콘텐츠를 구성하는 프레임의 수는 최소한으로 하며, 프레임을 사용할 경우에는 프레임별로 제목을 붙여야 한다.: 운용의 용이성 / 프레임의 사용 제한
ㄴ. 시간에 따라 변화하는 영상매체는 해당 콘텐츠와 동기되는 대체 매체를 제공해야 한다.: 인식의 용이성 / 영상매체의 인식
ㄷ. 키보드(또는 키보드 인터페이스)만으로도 웹 콘텐츠가 제공하는 모든 기능을 수행할 수 있어야 한다.: 운용의 용이성 / 키보드로만 운용 가능
ㄹ. 콘텐츠는 스크린의 깜빡거림을 피할 수 있도록 구성되어야 한다.: 운용의 용이성 / 깜빡거리는 객체 사용 제한
  • 웹에서 변화하는 문자(글자를 깜빡이게 하거나 흐리게 하는 것)의 사용은 적어야 한다.
ㅁ. 콘텐츠가 제공하는 모든 정보는 색상을 배제하더라도 인지할 수 있도록 구성되어야 한다.: 인식의 용이성 / 색상에 무관한 인식

Check Point

한국형 웹 콘텐츠 접근성 지침 1.0(KWCAG 1.0)

원칙	관련 지침
1. 인식의 용이성	1.1 텍스트 아닌 콘텐츠(non-text contents)의 인식 1.2 영상매체의 인식 1.3 색상에 무관한 인식
2. 운용의 용이성	2.1 이미지 맵 기법 사용 제한 2.2 프레임의 사용 제한 2.3 깜박거리는 객체 사용 제한 2.4 키보드로만 운용 가능 2.5 반복 내비게이션 링크 2.6 반응시간의 조절 가능
3. 이해의 용이성	3.1 데이터 테이블 구성 3.2 논리적 구성 3.3 온라인 서식 구성
4. 기술적 진보성	4.1 신기술의 사용 4.2 별도 웹사이트 제공

11 2010 중등2A-2

모범답안 개요

1) 다음 중 각각 택 3

장점	• 맥락적 학습기회 제공 • 학습의 장려 • 학습활동에 활발한 참여 • 지식의 사회적 구성 • 지식의 전이
단점	• 교사와 학생들의 역할 변화에 따른 교사의 거부감 • 수업 단원 개발에 필요한 시간이 많이 소요 • 장애학생의 접근성이 보장된 자료 부족 • 집단아동들과 개별아동의 수행평가를 위한 전략 부족

2) 다음 중 각각 택 3

시각	• 앵커 시청: 망원경 • 자료 조사: 확대경, 데이지플레이어, 확대독서기(CCTV), 광학문자인식시스템(OCR) • 토론: 점자정보단말기
청각	• 앵커 시청: 자막 프로그램 • 자료 조사: 음성-문자 변환 시스템 • 토론: 보청기, FM 시스템 • 의사소통: 촉각진동장치, FM 시스템

12 2011 초등1-2

정답 ②

해설

ㄴ. 리버스 상징이 블리스 상징보다 이해하기가 더 쉽다. 블리스 상징은 투명도가 가장 낮고 배우기가 어려우며 기억하기도 어렵다.
ㅁ. • 뇌성마비 경직형 아동의 경우 독립 보행에 어려움이 있을 수는 있으나, 모든 아동이 독립 보행을 할 수 없는 것은 아니다.
  • 전동 휠체어의 사용 시기와 관련해서는 합의된 바가 없다. 즉, 가능하면 조기에 사용법을 지도함으로써 이동권을 보장할 수 있도록 해야 한다는 주장이 있는가 하면 인지적 요소, 위험요소 등을 고려했을 때 어린 나이에 전동 휠체어 조작법을 배우는 것은 다소 위험할 수 있다는 주장이 공존한다.

Check Point

(1) 리버스 심벌과 블리스 심벌

리버스 심벌	북미 지역에서 비장애 유아들의 읽기교육을 위해 개발된 것이 AAC 상징체계로 확장되었으며, 시각적으로나 명목상으로 낱말 또는 음절을 나타내는 그림이다. 리버스 심벌은 픽 심벌(Picsyms)과 함께 상징체계의 투명도가 높고 블리스 심벌과 비교해도 투명도나 학습용이도가 높다.
블리스 심벌	원래 의사소통 장애인을 위해 만든 것이 아니라 국제적인 문자 의사소통의 보조언어로 개발하였다. 약 100개의 기본적인 상징을 독자적으로 사용하거나 다른 상징과 결합하여 사용할 수 있고, 최근에는 3,000개 이상의 상징들로 확장되었다. 블리스 심벌은 음성에 기초를 두지 않고 의미에 기초를 둔 체계이므로 그림보다 조직적이고 글자보다 간편하여 읽기 능력이 꼭 필요하지는 않다. 사용자가 간단하고 구체적인 사물을 확인하고 요구할 수 있을 뿐만 아니라 생각하고 질문하여 의사표현을 할 수 있어 국제적으로 많은 지체장애인이 사용하게 되었다. 상징을 결합하는 원리를 따르고 전략을 활용하면 의사소통판에 없는 생각을 표현할 수 있고, 읽기와 쓰기를 포함한 다른 기법과 함께 사용할 수 있기 때문에 여전히 AAC 분야에서 널리 사용되고 있다. 그러나 블리스 심벌은 투명도가 가장 낮고 배우기 어려우며 기억하기도 어렵다.

(2) 지체장애 아동을 위한 식사 방법 및 도구의 수정

① 스스로 식사하기를 시도조차 하지 않는 아동은 손을 이용하여 음식을 먹는 행동을 지도한다. 손으로 먹기를 지도하는 것은 식사도구를 바르게 사용하기 위한 전 단계이며, 반드시 적절한 시기에 도구 사용 방법을 중재해야 한다.

② 컵 사용과 관련한 중재 방법은 다음과 같다.
  ㉠ 컵을 사용하여 음료 마시기를 지도할 때는 컵의 가장자리를 아동의 아랫입술에 놓아서 깨무는 자극을 줄인다. 음료가 입 안으로 잘 들어가도록 충분히 기울이되, 아동의 윗입술이 음료에 닿을 수 있도록 한다.
  ㉡ 컵 안의 음료가 보이도록 컵 윗부분을 잘라낸 컵은 목이 뒤로 젖혀지는 것을 막아 주고 음료가 코에 닿지 않게 한다.
  ㉢ 컵을 사용하여 음료 마시기를 지도할 때 유의해야 할 사항을 추가적으로 살펴보면 다음과 같다.
    • 처음에는 물이나 맑은 음료보다는 걸쭉한 상태의 음료를 이용하여 지도한다. 이후 보통의 음료 농도에 가깝게 조금씩 묽게 한다.
    • 처음에는 컵을 아동의 얼굴에 가까이 접근시킨 후 숟가락을 사용하여 음료를 떠서 먹게 한다. 이것이 습관화된 후 숟가락으로 음료를 입에 넣을 때 동시에 컵이 입술에 닿게 지도한다.
  ㉣ 위의 과정이 익숙해지면 컵에 입을 대고 천천히 마시게 한다.
    • 컵에 음료를 조금만 담아준 뒤 컵을 쥐는 방법을 가르친다.
    • 음료를 마시기 위해 고개를 들었을 때 몸의 균형을 잃는 아동의 경우에는 컵의 윗부분이 대각선으로 잘라진 형태의 컵을 사용한다.

③ 숟가락 사용과 관련한 중재 방법은 다음과 같다.
  ㉠ 숟가락을 사용하기 위해서는 식사행동에 대한 정확한 과제 분석이 필요하다. 과제 분석 단계에 따라 수정된 식사도구를 이용하면 좀 더 쉽게 지도할 수 있다.
  ㉡ 입 부위의 감각이 예민하거나 강직성 씹기반사를 가진 아동의 경우 금속 재질의 숟가락은 적당하지 않다. 자극을 최소화하기 위해서는 플라스틱이나 실리콘 소재가 좋다. 그러나 부러지기 쉬운 일회용 플라스틱 숟가락은 적절하지 않다.

(3) 수동 휠체어와 전동 휠체어의 선택

① 전동 휠체어는 전동을 이용하므로 학생이 힘을 들이지 않고 자유롭게 이동할 수 있다는 게 가장 큰 이점이다. 따라서 중증장애 학생에게 이동의 편의를 제공할 수 있다.

② 반면 아동, 특히 취학 전 아동에게 전동 휠체어의 사용을 권장할 것인지에 대해서는 의견이 엇갈리고 있다. 예를 들어 구본권(2007)은 전동 휠체어는 그 무게와 속도로 인해 특별한 훈련이 필요한 만큼 아동에게는 권고하지 않는다는 입장인 데 반해, Angelo(1997)는 18개월 정도의 유아는 전동 휠체어를 이해하고 사용할 수 있는 능력이 있는 만큼 이동기기를 안전하고 독립적으로 조종할 수 있을 때까지 감독이 필요하기는 하지만 이후에는 전동 휠체어의 사용을 권장해야 하며 이를 통해 많은 이점을 얻을 수 있음을 강조한다.

③ 연령에 따른 전동 휠체어의 사용 여부와는 달리 우리나라의 경우 전동 휠체어는 턱이나 계단이 많은 도시 건축구조나 전통적인 주택 양식으로 인해 사용하기가 불편하기 때문에 일부 전문가들 사이에서는 이의 사용을 만류하고 있다(김남진 외, 2017: 320).

13
2011 중등1-3

정답) ⑤

해설

지문 돋보기

내용	관련 법률
ㄴ. 일반학교의 장은 특수교육대상자를 배치받은 경우 학습보조기기의 지원을 포함한 통합교육계획을 수립·시행하여야 한다.	법 제21조 제2항
ㄷ. 각급학교의 장은 학교에서 제공하는 각종 정보를 특수교육대상자에게 제공하는 경우 특수교육대상자의 장애유형에 적합한 방식으로 제공하여야 한다.	법 제28조 제8항
ㄹ. 특수교육대상자에게 보조공학기기지원, 학습보조기기지원, 통학지원 및 정보접근지원이 필요한 경우 개별화교육계획에 그 내용과 방법이 포함되어야 한다.	• 법 제2조 제2호 • 시행규칙 제4조 제3항

ㄱ. • 각급학교의 장은 특수교육대상자의 교육을 위하여 필요한 장애인용 각종 교구, 각종 학습보조기, 보조공학기기 등의 설비를 제공하여야 한다(「장애인 등에 대한 특수교육법」 제28조 제4항).
• 교육감은 법 제28조 제4항에 따라 각급학교의 장이 각종 교구·학습보조기·보조공학기기를 제공할 수 있도록 특수교육지원센터에 필요한 기구를 갖추어 두어야 한다(「장애인 등에 대한 특수교육법 시행령」 제26조).
• 대학의 장은 대학의 장애학생 지원을 위한 계획, 심사청구 사건에 대한 심사·결정, 그 밖에 장애학생 지원을 위하여 대통령령으로 정하는 사항을 심의·결정하기 위하여 특별지원위원회를 설치·운영하여야 한다(「장애인 등에 대한 특수교육법」 제29조 제1항).

Check Point

(1) 「장애인 등에 대한 특수교육법」 제21조

제21조(통합교육)
① 각급학교의 장은 교육에 관한 각종 시책을 시행함에 있어서 통합교육의 이념을 실현하기 위하여 노력하여야 한다.
② 제17조에 따라 특수교육대상자를 배치받은 일반학교의 장은 교육과정의 조정, 보조인력의 지원, 학습보조기기의 지원, 교원연수 등을 포함한 통합교육계획을 수립·시행하여야 한다.
③ 일반학교의 장은 제2항에 따라 통합교육을 실시하는 경우에는 제27조의 기준에 따라 특수학급을 설치·운영하고, 대통령령으로 정하는 시설·설비 및 교재·교구를 갖추어야 한다.

(2) 「장애인 등에 대한 특수교육법」 제28조

제28조(특수교육 관련서비스)
① 교육감은 특수교육대상자와 그 가족에 대하여 가족상담, 부모교육 등 가족지원을 제공하여야 한다.
② 교육감은 특수교육대상자가 필요로 하는 경우에는 물리치료, 작업치료 등 치료지원을 제공하여야 한다.
③ 각급학교의 장은 특수교육대상자를 위하여 보조인력을 제공하여야 한다.
④ 각급학교의 장은 특수교육대상자의 교육을 위하여 필요한 장애인용 각종 교구, 각종 학습보조기, 보조공학기기 등의 설비를 제공하여야 한다.
⑤ 각급학교의 장은 특수교육대상자의 취학 편의를 위하여 통학차량 지원, 통학비 지원, 통학 보조인력의 지원 등 통학 지원 대책을 마련하여야 한다.
⑥ 각급학교의 장은 특수교육대상자의 생활지도 및 보호를 위하여 기숙사를 설치·운영할 수 있다. 기숙사를 설치·운영하는 특수학교에는 특수교육대상자의 생활지도 및 보호를 위하여 교육부령으로 정하는 자격이 있는 생활지도원을 두는 외에 간호사 또는 간호조무사를 두어야 한다.
⑦ 제6항의 생활지도원과 간호사 또는 간호조무사의 배치기준은 국립학교의 경우 교육부령으로, 공립 및 사립 학교의 경우에는 시·도 교육규칙으로 각각 정한다.
⑧ 각급학교의 장은 각급학교에서 제공하는 각종 정보(교육기관에서 운영하는 인터넷 홈페이지를 포함한다)를 특수교육대상자에게 제공하는 경우 특수교육대상자의 장애유형에 적합한 방식으로 제공하여야 한다.
⑨ 제1항부터 제8항까지의 규정에 따른 특수교육 관련서비스의 제공을 위하여 필요한 사항은 대통령령으로 정한다.

(3) 「장애인 등에 대한 특수교육법」 제29조

제29조(특별지원위원회)
① 대학의 장은 다음 각 호의 사항을 심의·결정하기 위하여 특별지원위원회를 설치·운영하여야 한다.
  1. 대학의 장애학생 지원을 위한 계획
  2. 심사청구 사건에 대한 심사·결정
  3. 그 밖에 장애학생 지원을 위하여 대통령령으로 정하는 사항
② 특별지원위원회의 설치·운영 등에 관하여 필요한 사항은 대통령령으로 정한다.

(4) 「장애인 등에 대한 특수교육법 시행령」 제26조, 제27조

제26조(각종 교구 및 학습보조기 등 지원)
교육감은 법 제28조 제4항에 따라 각급학교의 장이 각종 교구·학습보조기·보조공학기기를 제공할 수 있도록 특수교육지원센터에 필요한 기구를 갖추어 두어야 한다.

제27조(통학 지원)
① 교육감은 각급학교의 장이 법 제28조 제5항에 따른 통학 지원을 원활하게 할 수 있도록 통학차량을 각급학교에 제공하거나 통학 지원이 필요한 특수교육대상자 및 보호자에게 통학비를 지급하여야 한다.
② 각급학교의 장은 특수교육대상자가 현장체험학습, 수련회 등 학교밖 활동에 참여할 수 있도록 조치를 취하여야 한다.

(5) 「장애인 등에 대한 특수교육법 시행령」 제30조

제30조(특별지원위원회의 설치·운영)
① 대학의 장은 그 대학에 장애학생이 10명 이상 재학하는 경우에는 법 제29조에 따른 특별지원위원회(이하 "특별지원위원회"라 한다)를 설치·운영하여야 한다.
② 장애학생이 10명 미만인 대학의 장은 법 제30조 제2항에 따른 장애학생 지원부서 또는 전담직원이 법 제29조 제1항 제1호 및 제3호에 관한 특별지원위원회의 기능을 수행할 수 있도록 할 수 있다.
③ 특별지원위원회의 위원 자격, 구성 및 회의 개최 시기 등은 해당 대학의 장이 정한다.

주) 법률 제18637호(일부개정 2021. 12. 28), 대통령령 제32722호(일부개정 2022. 6. 28)의 내용임

14

2011 중등1-13

정답 ④

해설
(가) 음성산출도구의 터치스크린을 이용해서 자신이 원하는 상징을 정확하게 지적할 수 있는지 평가하는 것은 AAC 사용자의 능력을 파악하는 것이므로 접근장벽 평가에 해당하는 설명이다.
(다) 특별한 장소나 사람, 취미와 관련된 어휘는 부수어휘에 해당한다.

Check Point

(1) 기회장벽과 접근장벽

기회 장벽	정책	• AAC 사용자의 상황을 좌우하는 법률이나 규정을 말한다. • 학교, 직장, 거주시설, 병원, 재활센터, 요양소 등에는 주로 그 시설의 관리 규약을 담은 문서에 관련 정책이 요약되어 있으나 AAC 관련 내용 언급이 없다.
	실제	• 가정, 학교 또는 직장에서 이루어지고 있는 일반적인 절차나 관습을 말한다. • 가정, 학교, 직장에서 실제 정책이 아닌데도 일상적으로 된 장벽, 예를 들면, 많은 학교가 교육청의 기금으로 마련한 AAC 도구를 학교 안에서만 사용하도록 제한하고 있는데, 이는 교육청의 공식적인 정책이 아니다.
	기술	• 도움을 제공하는 사람들이 AAC 기법이나 전략을 사용하는 기술이 부족하여 실제로 이행하는 데 어려움이 발생한다. • AAC 기술이나 전략에 대한 실제적인 적용 방법을 몰라서 어려움을 겪는다. • AAC 중재 계획을 책임지고 있는 개인들이 기술수준을 진단하는 것도 중요하다.
	지식	AAC 중재 옵션, 테크놀로지, 교수전략 등 AAC 사용에 대한 정보 부족
	태도	• 개인의 태도와 신념이 참여의 장벽이 된다. • AAC 팀원의 부정적이고 제한적인 태도들은 참여의 범위를 제한시킨다. • 장애 학생에 대한 기대치를 낮추게 되고 이것은 기회에 대한 참여를 제한시킨다.
접근 장벽		• 사회나 지원체계의 제한이 아닌 AAC 사용자의 능력, 태도 및 지원의 제한, 개인의 잠재적인 능력의 제한을 포함한다. • 접근 장벽의 부족은 이동성 부족, 사물 조작과 관리의 어려움, 인지적 기능과 의사결정의 문제, 읽고 쓰기의 결함, 감각-지각적 손상(즉, 시각장애나 청각장애) 등과도 관련될 수 있다. • 개인의 현재 의사소통, 말 사용 또는 말 사용 능력 증가의 잠재성, 환경 조정의 잠재성 등을 모두 평가해야 한다.

(2) 핵심어휘와 부수어휘
① 핵심어휘
  ㉠ 핵심어휘는 여러 사람들에 의해 자주 사용되는 낱말과 메시지를 말한다.
  ㉡ AAC 팀은 특정인을 위한 핵심어휘 파악을 위해 주로 다음과 같은 세 가지 자료를 활용해 왔다.
    • AAC 체계를 통해 성공적으로 의사소통하는 사람들의 어휘 사용 패턴에 기초한 낱말 목록 · 특정인의 어휘 사용 패턴에 기초한 낱말 목록
    • 유사한 상황에서 일반인이 사용하는 말과 글 수행에 기초한 낱말 목록
② 부수어휘
  ㉠ 개인이 필요로 하는 구체적인 낱말과 메시지들을 부수어휘라고 한다. 사람, 장소, 활동 등의 구체적인 이름과 선호하는 표현들을 예로 들 수 있다.
    • 부수어휘의 한 유형은 AAC 의존자의 취미와 관련이 있다.
  ㉡ AAC 체계에 포함된 어휘의 개별화와 핵심어휘 목록에 나타나지 않는 아이디어 및 메시지의 표현을 가능하게 한다.
  ㉢ 부수어휘 항목은 그 속성상 AAC 의존자 자신이나 이들과 이들의 의사소통 상황을 잘 알고 있는 정보 제공자들에 의해 추천되어야 할 것이다. 물론 가장 중요한 정보 제공자는 AAC 체계에 의존할 본인 자신이다.

출처 ▶ Beukelman et al.(2017 : 61-64)

15   2011 중등1-22

정답 ④

해설

ㄴ. 교실에서 휠체어를 탄 장애학생이 지나갈 수 있도록 책상 사이의 간격을 넓혀 주는 것은 무공학(no-technology)의 적용이라고 할 수 있다.

ㄷ. 하이니크(Heinich), 몰렌다(Molenda), Russell(러셀), 스말디노(Smaldino)는 공학을 하드 테크놀로지와 소프트 테크놀로지로 구분하여 설명하였다. 하드 테크놀로지란 컴퓨터나 TV 등 하드웨어를 의미하고, 소프트 테크놀로지는 학습의 심리사회적 틀이 되는 교수학습 기법을 말한다. 소프트 테크놀로지를 다른 말로 하면 '과정(process)'이나 '문제에 대해 생각하는 방식'을 의미하며, '과정 테크놀로지'라고도 부른다. 이 소프트 테크놀로지 또는 과정 테크놀로지가 교육공학의 핵심이라 할 수 있다(백영균 외, 2010 : 26-27).

ㄹ. Blackhurst가 제안한 보조공학의 연속성에 대한 설명이다.

Check Point

☑ 보조공학의 연속성

① 보조공학은 기기에 적용된 기술력의 정도에 따라 하이테크놀로지-미드테크놀로지-로우테크놀로지로 구분할 수 있으며, 여기에 체계적인 교수의 제공과 관련 서비스를 제공하는 노테크놀로지에 이르기까지 연속적으로 구성되어 있다.

② Blackhurst(1997)가 제안한 보조공학의 연속적 구성을 살펴보면 다음과 같다.

하이테크놀로지 (high-technology)	• 컴퓨터, 상호작용 멀티미디어 시스템 등의 정교한 장치이다. • 일반적으로 전자적이며 전력 장치가 연결되어 있는 경우도 있다. • 화면 확대기, 전동 휠체어, 텍스트 변환 음성산출도구 등이 이에 속한다.
미드테크놀로지 (medium-technology, light technology)	• 비디오 장치, 휠체어 등의 덜 복잡한 전기장치 혹은 기계장치이다. • 사용하려면 훈련이 약간 필요할 수도 있다. • 단일 메시지나 몇 가지 복잡한 메시지를 녹음하여 사용할 수 있는 음성산출도구, 스위치, 변형 장난감 등이 이에 속한다.
로우테크놀로지 (low-technology)	• 적은 비용으로 구입·변형하여 사용할 수 있는 비전자적 도구를 의미한다. • 의사소통판이나 하루 스케줄판, 변형 숟가락 등이 이에 속한다.

노테크놀로지 (no-technology)	• 어떤 공학적 도구도 사용하지 않으면서 장애인의 기능적 역량을 증진해 주는 것을 말한다. • 그림 상징이 배열된 의사소통 책이나 의사소통 앨범, 의사소통 지갑 등이 이에 속한다.

16 2011 중등1-36

정답 ①

해설

① 음성합성기란 문자, 숫자, 구두점 형태의 텍스트 정보를 음성으로 들려주는 장치를 말한다.

⑤ 단어 예측 프로그램(또는 단어 예견 프로그램, word prediction program)이란 사용자가 화면상에 나타난 단어 목록에서 원하는 단어를 선택하여 문장을 완성할 수 있게 하는 프로그램으로, 일반적으로 워드프로세서 프로그램에서 많이 채용하고 있다. 이와 같은 단어 예측 프로그램은 인터넷 웹 브라우저에서도 확인할 수 있는데, 인터넷 주소를 쓰는 부분에 웹 사이트 주소를 쓸 경우, 예전에 입력한 주소인 경우는 첫 자만 입력하면 그와 유사한 사이트 주소를 보여 준다. 이뿐만 아니라 각 포털 사이트(portal site)에서 제공하고 있는 검색어 서제스트(search word suggest) 기능 역시 이에 해당한다 (김남진 외, 2017: 330-331).

Check Point

⑴ 고정키

① 고정키는 운동 조절 능력이 부족한 장애인이 컴퓨터의 명령키와 같은 특수키를 이용할 수 있게 해주는 방식이다.

② <Ctrl+Alt+Del>와 같이 일반적으로 동시에 눌러야 하는 기능키를 실험시킬 때 순차적으로 키를 눌러도 작동하도록 해줌으로써, 그리고 같은 바로가기 키를 한 번에 입력하도록 해줌으로써, 한 손만 사용할 수 있는 장애인이 멀티키 기능을 수행할 수 있게 한다.

⑵ 필터키

탄력키	• 빠른 속도로 계속해서 두 번 누르는 것, 즉 실수로 키를 여러 번 눌렀을 경우 일정 시간이 지나기 전에는 반복해서 누른 키를 수용하지 않는다. • 만약 평상시와 같은 시간적 간격을 두고 같은 키를 두 번 누른다면, 탄력키는 입력을 받아들인다. • 발작 증세를 보이는 사람과 파킨스병이 있는 사람을 포함한 손떨림이 있는 이들이 보다 수월하게 키보드를 조작할 수 있도록 지원한다.
느린키	• 신중히 그리고 보다 강한 압력에 의해 자판을 누르는 경우에 한해 컴퓨터가 이를 인식하고 실행하도록 한다. • 느린키는 자판을 사용자가 제한한 시간 제한에 따라 짧게 (가볍게) 누른 키를 무시하는데, 사용자가 의도하지 않은 것으로 우연히 자판을 친 것으로 가정한다. • 사지마비 혹은 발작을 일으키는 이들은 물론 뇌성마비 장애를 가진 이들에게 그들이 누르고자 하는 바를 정확하게 할 수 있도록 한다.

⑶ 토글키

토글키는 <Caps Lock>, <Num Lock> 또는 <Scroll Lock> 키를 누를 때 청각적 신호를 제공함으로써 컴퓨터에 대한 시각장애인의 접근성을 향상시킨다.

⑷ 시각장애 아동을 위한 보조공학기기

음성합성 장치	• 문자, 숫자, 구두점 형태의 텍스트 정보를 음성으로 들려주는 기기(하드웨어) • 음성합성장치에 있어 중요한 요소: 사운드 카드와 스피커 등
스크린 리더	• 음성합성장치와 연계하여 제어 버튼, 메뉴, 텍스트, 구두점 등 화면의 모든 것을 음성으로 표현해 주는 소프트웨어(통 화면 읽기 프로그램) • 화면을 검색한 후 정보를 변환하여 음성합성장치를 통해 소리가 나오게 하는 소프트웨어 프로그램
화면 확대 시스템	• 저시력인을 위해 문자를 크게 해 주는 하드웨어와 소프트웨어 • 하드웨어: 화면 확대기 / 소프트웨어: 줌 텍스트, 돋보기, 매직 등
점자정보 단말기	점자용지 위에 점자판이나 아연판을 덧대거나 점자 프린터기 등을 이용해 양각에 의한 전통적 입력 방식이 아닌 6점 또는 8점의 점자 키보드를 이용한 입력과 점자 표시장치 또는 음성을 통한 출력이 이루어지도록 고안된 컴퓨터 시스템이 내장된 휴대용 정보통신 장비
확대 독서기	• 저시력인들의 읽기와 쓰기에 활용되는 공학기기 • 장시간 읽기 활동에 가장 많이 활용됨

17
2011 중등1-40

정답 ②

해설

제시문의 '전략적 시스템'을 단서로 보편적 학습설계의 원리 중 다양한 방식의 행동과 표현 수단 제공임을 알 수 있다. 표상 수단은 교사가 제공하는 것이며 행동과 표현 수단은 학생들의 다양한 방식을 허용해 주는 입장이다. 다양한 방식의 행동과 표현 수단 제공 원리는 지필고사 방식의 천편일률적인 학업 성취도 및 평가 방식에서 벗어나 학생들의 다양한 행동과 표현 방식을 수용하는 평가가 이루어져야 한다는 근거를 제공한다.

ㄱ. 다양한 방식의 표상 수단을 제공한다.
ㄴ. 다양한 방식의 행동과 표현 수단 제공 원리 중 신체적 표현 방식에 따른 다양한 선택 제공 지침과 관련된다.
ㄷ. 다양한 방식의 참여 수단을 제공한다.
ㄹ. 다양한 방식의 행동과 표현 수단 제공 원리 중 표현과 의사소통을 위한 다양한 선택 제공 지침과 관련된다.
ㅁ. 다양한 방식의 표상 수단을 제공한다.

Check Point

(1) 뇌의 신경 네트워크

인지적 네트워크	• 정보 수집 기능을 담당하며 학습에 있어 무엇(what)을 배우는가와 관련 • 뇌의 뒷부분에 위치해 있는 두정엽, 후두엽, 측두엽으로 시각·청각·미각·촉각적인 것을 구분하고 형태를 해석할 수 있도록 함
전략적 네트워크	• 수집된 정보를 조직화하고 생각을 표현하고 실제 수행하는 기능을 담당하며, 학습에 있어서는 어떻게(how) 학습하는가 혹은 어떻게 문제를 해결하는가와 관련 • 뇌의 중심구 앞부분인 전두엽을 지칭하며, 전두엽은 주의, 계획, 사고 기능을 담당
정서적 네트워크	• 학습에 대한 동기와 관심에 따른 차이를 설명해 주는 것으로 왜(why) 배우는가와 관련 • 주로 뇌의 중심에 위치해 있으며 정서적 반응을 탐지하고 이를 표현하는 데 관여하는 변연계와 관련

(2) 뇌의 신경 네트워크와 보편적 학습설계의 원리

네트워크	UDL 원리	교육 방법
인지적 네트워크	표상	• 다양한 사례 제공 • 핵심적인 특징 강조 • 다양한 매체와 형태로 제공 • 배경 맥락 제공
전략적 네트워크	행동과 표현	• 융통성 있고 고도로 숙련된 수행모델 제공 • 지원과 함께 연습 기회 제공 • 지속적이고 적절한 피드백 제공 • 기능을 시범 보일 수 있는 융통성 있는 기회 제공
정서적 네트워크	참여	• 내용과 도구에 관한 선택권 제공 • 조절 가능한 도전 수준 제공 • 보상에 관한 선택권 제공 • 학습 맥락에 관한 선택권 제공

18
2012 초등1-3

정답 ③

해설

다양한 방식의 표상 수단 제공은 교사의 입장에서 다양한 방식으로 정보를 제시하는 것이다.

ㄱ. 다양한 방식의 표상 수단 제공 / 이해를 돕기 위한 다양한 선택 제공
ㄴ. 다양한 방식의 행동과 표현 수단 제공
ㄷ. 다양한 방식의 표상 수단 제공 / 이해를 돕기 위한 다양한 선택 제공
ㄹ. 다양한 방식의 참여 수단 제공
ㅁ. 다양한 방식의 표상 수단 제공 / 인지 방법의 다양한 선택 제공

19
2012 중등1-4

정답 ④

해설

(가) AAC 도구가 어떤 활동에 필요한 어휘를 저장할 만큼 충분한 용량을 갖고 있지 않을 때 발생할 수 있다. : 개인의 능력이나 의사소통 체계의 제한으로 인해 주로 나타나는 장벽을 의미하는 접근장벽에 해당한다.
(나) 기회 장벽은 복합적인 의사소통 요구를 지닌 당사자를 제외한 다른 사람에 의해 강제되는 장벽이며, 기회 장벽 중 지식 장벽은 AAC 중재 옵션, 테크놀로지, 교수전략 등 AAC 사용에 대한 정보 부족을 의미한다.

20
2012 중등1-20

정답 ①

해설

웹 접근성 지침의 기준이 명확히 제시되어 있지 않다. 2004년 12월 제정된 한국형 웹 콘텐츠 접근성 지침 1.0에 근거하여 관련 내용이 포함된 항목을 살펴보면 다음과 같다.

ㄱ. (반복 내비게이션 링크) 웹 콘텐츠는 반복적인 내비게이션 링크를 뛰어넘어 페이지의 핵심 부분으로 직접 이동할 수 있도록 구성하여야 한다.

ㄴ. 요약 정보가 아닌 동등한 정보를 제공해야 한다.
  - (텍스트 아닌 콘텐츠의 인식) 텍스트 아닌 콘텐츠 중에서 글로 표현될 수 있는 모든 콘텐츠는 해당 콘텐츠가 가지는 의미나 기능을 동일하게 갖추고 있는 텍스트로도 표시되어야 한다.

ㄷ. 주변 상황에 관계없이 링크 텍스트를 제공하는 것이 아니라 URL에 대한 정보에 이어 링크 텍스트를 제공하는 것이 바람직하다.

ㄹ. (색상에 무관한 인식) 콘텐츠가 제공하는 모든 정보는 색상을 배제하더라도 인지할 수 있도록 구성되어야 한다.

ㅁ. 왼쪽에서 오른쪽으로 이동할 수 있도록 하는 것이 논리적이다.
  - (온라인 서식 구성) 온라인 서식을 포함하는 콘텐츠는 서식 작성에 필요한 정보, 서식 구성 요소, 필요한 기능, 작성 후 제출 과정 등 서식과 관련한 모든 정보를 제공해야 한다. 탭(tab)키를 이용하여 서식 제어 요소 간을 이동할 경우에 그 순서가 왼쪽 위에서 오른쪽 아래 부분으로 순차적인 이동이 가능하여야 한다.

Check Point

한국형 웹 콘텐츠 접근성 지침 2.1의 원리

① 인식의 용이성: 사용자가 장애 유무 등에 관계없이 웹 사이트에서 제공하는 모든 콘텐츠를 동등하게 인식할 수 있도록 콘텐츠를 제공하는 것
  - 인식의 용이성은 대체 텍스트, 멀티미디어 대체 수단, 명료성 등의 3가지 지침으로 구성되어 있다.

② 운용의 용이성: 사용자가 장애 유무 등에 관계없이 웹 사이트에서 제공하는 모든 기능들을 운용할 수 있게 제공하는 것
  - 운용의 용이성은 입력장치 접근성, 충분한 시간 제공, 광과민성 발작 예방, 쉬운 내비게이션 등의 4가지 지침으로 구성되어 있다.

③ 이해의 용이성: 사용자가 장애 유무 등에 관계없이 웹 사이트에서 제공하는 콘텐츠를 이해할 수 있도록 제공하는 것
  - 이해의 용이성은 가독성, 예측 가능성, 콘텐츠의 논리성, 입력 도움 등의 4가지 지침으로 구성되어 있다.

④ 견고성: 사용자가 기술에 관계없이 웹 사이트에서 제공하는 콘텐츠를 이용할 수 있도록 제공하는 것
  - 견고성은 문법 준수, 웹 애플리케이션 접근성 등의 2가지 지침으로 구성되어 있다.

21
2012 중등1-40

정답 ④

해설

지문 돋보기
- 이 문항은 보조공학 서비스 전달체계를 적용하는 과정에 인간 활동 보조공학 모델(HAAT 모델)을 활용하는 경우를 예로 제시한 것임
- (가) 단계에서는 초기평가, (나) 단계에서는 장기 사후지도가 이루어짐

ㄴ. 손의 움직임 곤란으로 타이핑이 어려운 장애학생에게 소근육 운동을 시켜서 타이핑을 할 수 있도록 하는 것은 재활 모델에 대한 설명이다.
  - 손의 움직임 곤란으로 타이핑이 어려운 장애학생에게 관련 보조공학기기를 지원하여 타이핑을 할 수 있도록 하는 것을 적절한 보조공학 활용 사례로 제시할 수 있다.

ㄹ. (가) 단계에서 사용자의 감각, 신체, 인지, 언어 능력을 평가하는 것은 기술평가를 의미한다.

Check Point

(1) 보조공학 전달체계

의뢰 및 접수	• 이용자 혹은 이용자의 보호자는 보조공학 중재의 필요성을 파악하게 되고, 의뢰를 위해 해당 분야의 보조공학 전문가에게 도움을 요청한다. • 서비스 제공자는 기본적인 정보를 수집하고 자신이 제공하는 서비스 유형과 파악된 소비자의 요구 간에 대응이 있을지를 판단한다. • 요구사항 및 비용 등 서비스 지원이 가능하다고 판단되면 다음 단계인 초기 평가가 시작된다.
초기 평가	• 이용자의 보조공학에 대한 요구사항을 좀 더 구체화하는 요구파악에서부터 시작된다. • 이용자의 요구사항을 철저히 파악한 이후 그의 감각적 · 신체적 · 중추적 처리기술도 파악된다. 이뿐만 아니라 이용자의 요구와 이에 부합하는 공학기기가 파악되고 이에 대한 시험적인 평가도 이루어진다.

추천 및 보고서 작성	• 초기 평가의 결과를 요약하고 관계자들 간의 합의를 기초로 보조공학기기에 대한 추천이 이루어진다. • 이상의 내용들은 다시 서면화된 보고서로 요약되는데, 이는 보조공학기기 및 서비스를 구매하는 데 필요한 기금 마련의 타당성을 확보하는 데 이용된다.
실행	• 추천된 기기가 주문되거나 개조 혹은 제작된다. 또한 이용자가 사용할 수 있도록 기기가 설치되거나 전달된다. • 기기의 기본 조작법에 관한 기본적인 훈련과 효과적인 사용 방법에 대한 지속적인 훈련도 이 단계에서 이루어진다.
단기 사후지도	• 단기 사후지도는 시스템이 전체적으로 효율성 있게 기능하는지를 파악해야 될 필요성에 의해 실시된다. • 따라서 이용자의 시스템 만족도, 설정된 목표의 충족 여부 등을 파악하게 된다.
장기 사후지도	• 장기 사후지도 단계는 일종의 서비스 순환고리로 연결함으로써 추가적인 보조공학서비스의 필요성이 시사될 때마다 이용자와의 정규적인 상호작용이 이루어질 수 있는 장치를 마련하는 것이다. 이를 통해 이용자는 필요할 때마다 다시 처음의 의뢰 및 접수 단계로 환류하게 되며, 이후의 과정이 전체적으로든 부분적으로든 반복되게 된다. • 서비스 전달과정에 이와 같은 장기 사후지도 단계를 둠으로써 이용자의 요구가 평생에 걸쳐 고려되는 것이 확실히게 기능헤긴다.

(2) 인간 활동 보조공학 모델
① 기본적으로는 인간수행 모델을 기반으로 하되, 인간 활동에 영향을 미치는 두 가지 측면, 즉 환경적 요인에 물리적 상황뿐 아니라 사회·문화적 측면을 포함시켰으며, 다른 하나는 다른 변인들과 보조공학이 구체적으로 관계한다는 것을 포함시켰다.
② 모델을 구성하고 있는 인간, 활동, 보조공학, 맥락의 네 가지 요소는 다음과 같은 각각의 하위요소를 포함한다.

인간	신체적, 인지적, 정서적, 숙련정도 관련 요소
활동	자기보호, 노동, 학업, 여가 등과 같은 실천적 측면
보조공학	공학적 인터페이스, 수행 결과, 환경적 인터페이스 등의 외재적 가능성
맥락	물리적, 사회적, 문화적, 제도적 요소

③ HAAT 모델은 보조공학 전문가들이 각각의 변수들이 역동적이고 복잡한 상호작용을 하고 있음을 알고 이해함으로써 보조공학적 접근을 수행해야 한다는 것을 강조한다. 특히, 장애인과 노인 등 신체적 불편을 겪고 있는 대상자에게 적용할 경우 당연히 보다 세밀하고 정확하게 보조공학적 변인을 고려해야 한다.

22 _ 2013 중등1-40

정답) ③

해설

지문 돋보기

가. ㉠을 위해 팀을 구성할 때는 장애 특성에 대한 지식이나 교과 지도 경험이 있는 전문가로 구성
나. 내부평가란 학급 단위로 수업 및 학급 구성원 개개인을 위해 전문가가 실시하여 미시적인 평가 정보를 제공하는 평가로, 수업과 관련된 일반적인 사항, 교육의 적절성, 공학기기의 적합성에 대해 고려해야 함
라. 수업과 직접적인 연관이 있는 학습자와 교수자의 특성이 모두 반영되어야 함. 따라서 교수-학습 장면에 적합하고, 학습 방법 및 전개 방식이 교사의 수업 유형과 조화를 이루어야 할 뿐만 아니라 학습자의 학습 특성 및 독특한 요구에도 부합해야 함
마. 학습 방법 및 전개 방식이 교사의 수업 유형과 조화를 이루어야 함

Check Point

(1) 교육용 프로그램 평가를 위한 초학문적 팀의 구성과 역할

구성원	역할
특수교사	• 교육과정에 기초한 기능적 어휘 선정 • 학습자의 학업 특성 정보 제공
일반교사 (원적학급 교사)	• 원적학급 교육내용에 대한 정보 제공 • 일반학생 소프트웨어 교육내용 제공
학부모	• 학생의 가정생활환경 정보 제공 • 가정에서의 기능적 어휘 관련 정보 제공
공학 관련 전문가	• 소프트웨어 프로그램 수행 관련 정보 • 장애학생의 공학매체 활용에 관한 교육방법 의견 교환

(2) 외부평가
① '외부평가'란 외부 전문가로 구성된 팀에 의해서 종합적이고 거시적인 평가 정보를 제공하는 평가를 의미한다.
② 외부평가자의 자질
  ㉠ 평가자는 소프트웨어가 적용되는 대상자에 대한 전문적인 지식과 경험을 가져야 한다.
  ㉡ 평가자는 교과 지도 경험이나 교과 관련 전문 지식을 가져야 한다.
  ㉢ 평가자는 특수교육 현장의 고유한 특성과 컴퓨터 및 디지털 관련 공학 간의 상호관계를 이해하여야 한다.

(3) 내부평가
'내부평가'란 학급 단위로 학급 구성원 개개인을 위해 실시하여 미시적인 평가 정보를 제공하는 평가로, 수업과 관련된 일반적인 사항, 교육의 적절성, 공학기기의 적합성에 대해 고려해야 한다.

23 · 2013추시 중등B-1

모범답안

| 3) | 다음 중 택 1
• 마우스 포인터(또는 마우스 스틱)
• 헤드 포인터(또는 헤드 스틱) |

해설

3) 일반 키보드를 사용하도록 하기 위한 것이기 때문에 선택/포인팅 장치를 사용하도록 하는 것이 타당하다. 헤드 포인팅 시스템 혹은 아이 게이즈 시스템은 마우스 포인터 조정을 위해 사용하는 것인 만큼 일반 키보드가 필요 없다.

24 · 2013추시 중등B-3

모범답안

| 2) | 다양한 방식의 행동과 표현 수단 제공 |

25 · 2013추시 중등B-5

모범답안

1)	• 구성 전략 : 환경/활동 중심의 구성 • 이유 : 학생의 활동 참여와 어휘 습득을 증진시킬 수 있기 때문이다.
2)	ⓒ 요구-모델 ⓒ 시간 지연하기(또는 기대의 시간 지연)
3)	• 목적 : 다음 중 택 1 - 대화 상대자가 중도·중복장애 학생의 의사소통 발달 원리를 이해하고 발달을 촉진하기 위한 촉매자로서의 역할을 충실하게 수행할 수 있도록 지원한다. - 중도·중복장애 학생 현재의 의사소통 수준 및 의사소통을 위해 사용하는 특정 전략, 특정 문제에 대하여 인식시킨다. - 언어 및 의사소통 발달 순서와 과정에 대한 정보를 제공한다. - 중도·중복장애 학생을 위한 반응적이고 성공적인 상호작용을 보조할 수 있는 의사소통 양식을 개발하도록 지원한다. - 매일의 활동과 규칙적인 일과를 수정하여 의사소통 능력의 발달을 촉진하는 새로운 활동을 개발하고, 중도·중복장애 학생과 긍정적인 관계를 형성할 수 있도록 돕는다.

해설

지문 돋보기

ⓒ • 처음에는 시범을 보이지 않고 영미의 관심에 주의를 기울이면서 : 공동관심 형성
• 요구하기, 그림상징을 선택하여 답하기의 순서로 의사표현하기 기술을 지도함 : 교사의 요구하기에 대해 영미가 그림상징을 선택하여 답하기의 순서로 기술을 지도함
• 긍정적 반응에는 강화를 제공하고 오반응이나 무반응에는 올바른 반응을 보여 주어 따라하도록 함 : 교사의 요구하기에 대해 영미가 긍정적으로 반응하면 강화를 제공하고, 오반응이나 무반응에는 시범을 보여 주어 따라하도록 함

1) 학교 식당이라는 특정 환경에 필요한 어휘들을 모아서 구성해 주면 여러 단어들을 연결하여 사용할 수 있기 때문에 참여를 촉진시키고 기능적 언어발달을 촉진시키는 기능을 할 수 있다.
• 환경/활동 중심의 구성은 초기 의사소통 방법을 지도하기에 용이한 구성 방법이다. 하나의 환경이나 활동에 필요한 어휘들을 의사소통판에 모아서 구성해 주는 방법이다. 의사소통판에 특정 활동에 참여할 수 있는 다양한 어휘 목록을 담을 수 있기 때문에 여러 단어를 연결하여 사용하는 등 언어 발달을 촉진하는 기능도 할 수 있으며, 발달적인 관점에서는 이러한 구성이 초기의 언어 사용을 가장 잘 증진시킨다는 보고도 있다. 일반적인 어휘 또는 이상적으로 사용하는 어휘로 구성된 의사소통판 외에 여러 개의 활동별 의사소통판이 마련되어 있는 경우 학생의 활동 참여와 어휘 습득을 증진시킬 수 있다(박은혜 외, 2019 : 343).
2) 보완대체의사소통 지도 전략은 의사소통을 촉진하는 일반적인 전략과 동일하다(박은혜 외, 2019 : 343).
• 요구-모델 전략은 초기 의사소통 단계에서 기능적인 사용을 촉진하기 위해 사용하는 방법이다. 시간지연 전략과 마찬가지로 학생의 관심과 흥미에 주의를 기울이고 공동관심을 형성한 후 학생의 관심과 관련된 언어적 요구를 제시한다. 이때 학생이 정반응을 보이면 즉각적인 칭찬과 언어적 확장을 제공하고 학생이 오반응 혹은 무반응을 보이면 다시 요구하거나 모델 절차를 다시 제공하여 촉진한다(박은혜 외, 2019 : 302).
• 요구-모델 절차에서는 학생에게 흥미 있는 물건을 제공하고 학생은 이 물건에 강한 흥미를 느끼게 된다. 교사는 학생에게 원하는 물건을 요구하도록 요구한다. 이것은 모델링 절차와 차이가 있는데, 요구-모델 절차에서는 교사가 질문 형식에 언어적 촉구를 제공하는 것이다. 예를 들면 다음과 같다(Best et al., 2018 : 296).

1. 학생은 공을 바라보고 교사는 공동관심을 형성한다.
2. 교사는 "무엇을 원하니?"라고 말한다.
3-1. 만약 학생이 공 그림을 지적하면 교사는 "여기 빨간 공이야"라고 말하고 학생에게 공을 준다.
3-2. 만약 학생이 그림을 지적하지 않으면 요구를 반복한다(또는 모델링을 제공). 만약 두 번째에도 잘못된 응답을 보인다면 교정적 피드백을 제공한다.

Check Point

(1) 보완대체의사소통을 위한 교수 접근법
다음은 다양한 화용론적 기능을 위한 도구적 상징과 비도구적 상징을 가르치기 위해 활용할 수 있는 우발적 교수 절차를 요약한 것이다(Beukelman et al., 2017 : 391).

절차	설명
요구 모델	CCN(복합적인 의사소통 요구)을 지닌 사람이 선호하는 항목이나 활동에 접근하거나 관여할 경우, 촉진자는 질문을 한다(예 "뭘 원해?, 저것은 뭘까?"). 반응이 없거나 확장된 반응을 제공하고자 한다면, 촉진자는 해당 반응을 시범한다. 예를 들어, 아동이 인형을 갖고 놀고 있다면 부모는 인형을 가리키면서 "그게 뭐야?"라고 물은 후에, 아동이 반응을 하지 않거나 부정확하게 반응을 한다면 부모는 '인형'에 대한 수화를 시범한다.
기대의 시간 지연	촉진자는 질문을 하거나 상징을 시범하거나 원하는 항목을 보이는 곳에 놓아둔 다음 기대의 얼굴 표정을 하고 눈을 맞추면서 기다린다(즉, 멈춘다). 예를 들면, 부모는 이야기 책에 있는 그림을 지적하면서, "이게 누구야?"라고 묻고 난 뒤에 CCN을 지닌 자녀가 수화를 제시하거나 상징을 지적할 수 있는 기회를 제공하기 위해 기대를 하면서 기다린다.
빠뜨리기/ 닿지 않는 곳에 물건 놓아두기	활동에 필요한 항목을 빠뜨린다. 예를 들면, 저녁 식사를 준비하면서 샐러드 재료만 늘어놓고 샐러드 그릇을 주지 않거나 손이 닿지 않는 선반에 놓아 두어 CCN을 지닌 아동이 그릇을 요구하도록 만든다.
불완전 제시	처음에 요구한 항목을 불완전하게 제시한다. 예를 들어, CCN을 지닌 성인이 잼 바른 토스트를 요구했다면, 잼이나 버터를 빼고 빵만 제공하여 이들 각 항목을 따로따로 요구하도록 만든다.
행동연쇄 간섭	진행 중인 활동을 중단시켜 요구할 기회를 만든다. 예를 들어, CCN을 지닌 성인이 식당에서 줄을 서서 음식을 받는다면, 다음 음식 항목을 받으러 움직이기 전 음식 제공자에게 특정 음식을 먼저 요구해야 한다.
다른 항목 제공하기	요구한 것과 다른 항목을 제공한다. 예를 들어, CCN을 지닌 성인이 차를 요구했다면 커피를 제공함으로써 자신의 요구를 분명히 하고자 수정 전략을 사용하도록 만든다.

(2) AAC 대화상대자 훈련의 목표
AAC 대화상대자 훈련의 목표는 다음과 같다.
① 중도·중복장애 학생 현재의 의사소통 수준 및 의사소통을 위해 사용하는 특정 전략, 특정 문제에 대하여 인식시킨다.
② 언어 및 의사소통 발달 순서와 과정에 대한 정보를 제공한다.
③ 중도·중복장애 학생을 위한 반응적이고 성공적인 상호작용을 보조할 수 있는 의사소통 양식을 개발하도록 지원한다.
④ 매일의 활동과 규칙적인 일과를 수정하여 의사소통능력의 발달을 촉진하는 새로운 활동을 개발하고, 중도·중복장애 학생과 긍정적인 관계를 형성할 수 있도록 돕는다.

즉, AAC 대화상대자 훈련 프로그램은 대화상대자가 중도·중복장애 학생의 의사소통 발달 원리를 이해하고 발달을 촉진하기 위한 촉매자로서의 역할을 충분하게 실행할 수 있도록 지원하는 데 초점을 둔다(한경근 외, 2013 : 199).

26
2014 유아A-1

모범답안

1)	• 기법 1: 직접선택 • 기법 2: 간접선택(또는 훑기, 스캐닝)
2)	수정된 활동 목표: 움직임 카드에 제시된 낙엽의 다양한 움직임을 또래들과의 적극적인 상호작용을 통해 신체적으로 표현할 수 있다.
3)	• 다양한 방식의 행동과 표현 수단 제공 • 다양한 방식의 참여 수단 제공

해설

2) 현구의 현재 특성(시각적 단서에 강함, 친구들에게 관심만 보임, 빙빙도는 행동)과 ⓒ의 제시 방법(다양한 시각적 카드, 다양한 방법으로 낙엽의 움직임 나타내기)을 고려할 때 단순히 활동에 참여하여 또래와 상호작용한다는 활동목표보다는 시각적 단서로 정보는 얻는 특성을 이용하면서 또래들과 보다 적극적으로 상호작용하기, 다양한 신체 표현 활동하기 등과 같이 단점을 보완한 활동이 강조되는 활동목표가 더 바람직하다.
   • 단기목표를 작성할 때는 세 가지 조건 즉, 행동 발생의 조건, 행동의 성취 기준, 성취해야 할 행동이 모두 포함되도록 작성한다(2014 유아B-1 기출).

3) 활동목표 중 하나는 낙엽의 다양한 움직임을 알고 신체적으로 표현하는 것이며, 이를 위해 동영상, PPT 자료, 움직임 카드, 낙엽 그림카드 등의 다양한 방식으로 정보를 제시하였다. 따라서 활동 자료를 통해 다양한 방식의 표상 수단 제공 원리는 충족되었다고 할 수 있다(※ 활동 목표 달성을 위해 이와 같은 자료들을 준비하였음이 강조되었다면 다양한 방식의 표상 수단 제공과 관련된다). ⓒ에서 강조하는 바는 움직임 카드에 따라 약속된 움직임을 표현하는 것과 카드의 수를 늘려가며 움직임을 연결하여 표현하는 데 있다.
   • 움직임 카드에 따라 움직임을 표현하기 위한 방법은 약속한 움직임대로 낙엽이 움직이는 모습을 표현하는 것이다. 이와 같은 표현 방법이 어려운 경우 유아는 카드를 보고 몸짓 또는 손짓으로 낙엽의 움직임을 나타낼 수 있다. 또는 낙엽 그림카드를 가리키거나 드는 방법으로 낙엽의 움직임을 나타낼 수도 있다. 이는 곧 다양한 방식으로 낙엽의 움직임을 표현할 수 있음을 의미한다.: 다양한 방식의 행동과 표현 수단 제공 원리를 실행하였다.
   • 카드의 수를 늘려가며 움직임을 연결하여 표현하도록 함으로써 도전과 지원을 조절하였으며, 모둠별 활동을 통해 자신이 좋아하는 빙글빙글 도는 행위를 할 수 있도록 하는 등 현구의 흥미를 유발하고 있다.: 다양한 방식의 참여 수단 제공 원리를 실행하였다.

Check Point

◪ AAC 체계

보완대체의사소통 체계란 개인의 의사소통에 사용되는 상징(symbol), 보조도구(aids), 전략(strategies), 기법(techniques) 등을 총체적으로 통합한 것이다.

상징	• 몸짓이나 손짓 기호, 그림, 낱말 등을 말하는 것 • 도구를 이용하지 않는 상징, 도구를 이용하는 상징으로 구분
보조도구	• 메시지를 주고받는 데 사용되는 물리적 도구 • 의사소통판이나 음성산출도구 포함
전략	• 의사소통을 강화하는 상징이나 효과적인 기술을 사용하는 특별한 방법 • 역할 놀이, 점진적인 촉구 방법 등
기법	• 메시지를 전하는 방법 • 직접선택과 훑기(scanning)로 대표되는 간접선택 방법 등

27
2014 유아A-7

모범답안

3)	운동 능력, 감각 능력, 인지 능력

해설

3) 보완대체의사소통 기초 능력 평가는 「파라다이스 보완대체 의사소통 기초 능력평가」의 평가 영역을 토대로 운동 능력(자세 및 이동 능력, 신체 기능), 감각 능력, 인지 능력, 언어 능력을 포함한다(박은혜, 2019: 329-330).
   • 참여 모델 중 능력 평가는 운동조절, 인지, 언어, 문해 등 AAC 중재와 관련된 주요 영역에서 개인이 보이는 수행 수준을 파악하는 과정으로 사용자 평가에 해당한다. 구체적인 평가영역에는 자세와 착석, 직접선택 및/또는 스캐닝을 위한 운동 능력, 인지/언어 능력, 문해 기술, 감각/지각 기술 등이 포함된다.

28 2014 초등B-4

모범답안

3) 화면이나 (대체)입력기기를 직접 접촉하거나 누르고 있을 동안에는 선택되지 않지만, 선택하고자 하는 해당 항목에 커서가 도달했을 때 접촉하고 있던 것을 떼게 되면 그 항목이 선택되는 방법이다.

29 2014 중등A-12

모범답안

| ㉠ | 탄력키 |
| ㉡ | 자동 스캐닝 |

해설

㉠ 슬로우키(Slow Key)는 너무 많은 문자가 연속적으로 타이핑되거나 오타를 교정할 때 의도와는 달리 너무 많은 문자가 시워셔서 나시 타이핑하는 일을 감소시키기 때문에 특히 생산성을 증진시키는 데 유용하다(Dell et al., 2011 : 181). 그러나 실질적으로 환경 설정에서 느린 키 켜기를 설정하는 과정 중 '반복하는 키 입력 모두 무시' 옵션을 선택하지 않을 경우 문제의 대화 내용에 언급된 문제점(즉 'ㅎ'의 반복입력)은 해결할 수 없다. 따라서 느린키는 사용자가 설정한 시간 제한에 따라 짧게 누른 키를 무시하는 기능에 초점을 맞추는 것이 적절하다. 반면 탄력키는 동일한 키의 반복 입력을 무시해 주므로 문제를 해결할 수 있다.

㉡ 선택 조절 기법 중 자동 스캐닝은 보완대체의사소통 기기가 훑기를 계속해 가는 도중, 사용자가 원하는 상징에 도달하였을 때 스위치를 누르면 선택된 상징이 작동하는 방식이다.

30 2015 초등A-6

모범답안

| 4) | 참여 모델 |
| 5) | 환경/활동 중심의 구성 |

해설

5) 마을 조사 시 궁금한 내용을 질문할 때 필요하거나 사용할 가능성이 높은 상징들을 중심으로 구성하였음을 알 수 있다.

Check Point

(1) 참여 모델

① 장애가 없는 또래의 기능적 참여 요구 사항을 기반으로 평가와 개입을 해서 보완대체의사소통을 적용하는 과정을 체계화하는 장애아 평가·중재 모델이다.

② 현재의 의사소통을 평가해 자연적 구어 능력 가능성과 AAC 활용 가능성을 체계적으로 평가하는 접근 장벽에 대한 평가와, AAC 사용을 제한하는 정책이나 태도적 장벽, 촉진자의 지식이나 기술 수준 등을 파악하는 기회 장벽에 대한 평가를 종합적으로 고려하여 개별 장애아의 현재와 미래를 위한 종합적인 중재 계획을 수립하도록 한다.

기회 장벽	정책	• AAC 사용자의 상황을 좌우하는 법률이나 규정이다. • 학교, 직장, 거주시설, 병원, 재활센터, 요양소 등에는 주로 그 시설의 관리 규약을 담은 문서에 관련 정책이 요약되어 있으나 AAC 관련 내용 언급이 없다.
	실제	• 가정, 학교 또는 직장에서 이루어지고 있는 일반적인 절차나 관습을 말한다. • 가정, 학교, 직장에서 실제 정책이 아닌데도 일상적으로 된 장벽. 예를 들면, 많은 학교가 교육청의 기금으로 마련한 AAC 도구를 학교 안에서만 사용하도록 제한하고 있는데, 이는 교육청의 공식적인 정책이 아니다.
	기술	• 도움을 제공하는 사람들이 AAC 기법이나 전략을 사용하는 기술이 부족하여 실제로 이행하는 데 어려움이 발생한다. • AAC 기술이나 전략에 대한 실제적인 적용 방법을 몰라서 어려움을 겪는다. • AAC 중재 계획을 책임지고 있는 개인들이 기술수준을 진단하는 것도 중요하다.
	지식	AAC 중재 옵션, 테크놀로지, 교수전략 등 AAC 사용에 대한 정보 부족을 말한다.
	태도	• 개인의 태도와 신념이 참여의 장벽이 된다. • AAC 팀원의 부정적이고 제한적인 태도들은 참여의 범위를 제한시킨다. • 장애 학생에 대한 기대치를 낮추게 되고 이것은 기회에 대한 참여를 제한시킨다.

접근 장벽	• 사회나 지원체계의 제한이 아닌 AAC 사용자의 능력, 태도 및 지원의 제한, 개인의 잠재적인 능력의 제한을 포함한다. • 접근 장벽의 부족은 이동성 부족, 사물 조작과 관리의 어려움, 인지적 기능과 의사결정의 문제, 읽고 쓰기의 결함, 감각-지각적 손상(즉, 시각장애나 청각장애) 등과도 관련될 수 있다. • 개인의 현재 의사소통, 말 사용 또는 말 사용 능력 증가의 잠재성, 환경 조정의 잠재성 등을 모두 평가해야 한다.

(2) 어휘 목록 구성 전략

어휘 목록 구성 전략	방법
문법적 범주의 구성	• 언어습득을 촉진하고자 하는 목적으로 전통적으로 가장 많이 사용되어 온 방법은 구어의 어순대로 배열하는 것 • 영어는 왼쪽에서 오른쪽으로 사람, 행위, 수식어, 명사, 부사의 순서로 나열하고, 의사소통판의 위나 아래쪽에 자주 사용되는 글자나 구절을 배열하여 왼쪽에서 오른쪽으로 단어를 연결하여 문자를 구성하는 방식
의미론적 범주의 구성	사람, 장소, 활동 등과 같이 상위의 의미론적 범주에 따라 상징을 배열하는 방법
환경/활동 중심의 구성	• 하나의 환경이나 활동에 필요한 어휘들을 의사소통판에 모아서 구성해 주는 방법 • 초기 의사소통 방법을 지도하기에 용이한 구성 방법 • 의사소통판에 특정 활동에 참여할 수 있는 다양한 어휘 목록을 담을 수 있기 때문에 여러 단어를 연결하여 사용하는 등 언어 발달 촉진 기능 있음

31   2015 초등B-5

모범답안

4) ㉣ 다양한 방식의 참여 수단 제공
   ㉤ 다양한 방식의 행동과 표현 수단 제공

해설

㉣ 지침 중 흥미 유발을 위한 다양한 선택 제공과 관련된 내용이다. 따라서 다양한 방식의 행동과 표현 수단 제공 원리를 적용한 것이다.

㉤ 지침 중 표현과 의사소통을 위한 다양한 선택 제공과 관련된 내용이다. 따라서 다양한 방식의 행동과 표현 수단 제공 원리가 적용된 것이다.

Check Point

✎ UDL 가이드라인 2.2

	다양한 방식의 표상 수단 제공 인지적 네트워크 "무엇을" 학습하는가	다양한 방식의 행동과 표현 수단 제공 전략적 네트워크 "어떻게" 학습하는가	다양한 방식의 참여 수단 제공 정서적 네트워크 "왜" 학습하는가
접근성	인지 방법의 다양한 선택 제공 (1) • 정보의 제시 방식을 학습자에게 맞게 설정하는 방법 제공하기 (1.1) • 청각 정보의 대안 제공하기 (1.2) • 시각 정보의 대안 제공하기 (1.3)	신체적 표현 방식에 따른 다양한 선택 제공 (4) • 응답과 자료 탐색 방식 다양화하기 (4.1) • 다양한 도구들과 보조공학기기 이용 최적화하기 (4.2)	흥미 유발을 위한 다양한 선택 제공 (7) • 개인의 선택과 자율성 최적화하기 (7.1) • 학습자와의 관련성, 가치, 현실성 최적화하기 (7.2) • 위협이나 주의를 분산시킬 만한 요소 최소화하기 (7.3)
형성	언어 & 기호의 다양한 선택 제공 (2) • 어휘와 기호의 뜻을 명료하게 하기 (2.1) • 글의 짜임새와 구조를 명료하게 하기 (2.2) • 문자, 수식, 기호의 해독 지원하기 (2.3) • 범언어적인 이해 증진시키기 (2.4) • 다양한 매체들을 통해 의미 보여주기 (2.5)	표현과 의사소통을 위한 다양한 선택 제공 (5) • 의사소통을 위한 여러 가지 매체 사용하기 (5.1) • 작품의 구성과 제작을 위한 여러 가지 도구들 사용하기 (5.2) • 연습과 수행을 위한 지원을 점차 줄이면서 유창성 키우기 (5.3)	지속적인 노력과 끈기를 돕는 선택 제공 (8) • 목표나 목적을 뚜렷하게 부각시키기 (8.1) • 난이도를 최적화하기 위한 요구와 자료 다양화하기 (8.2) • 협력과 동료 집단 육성하기 (8.3) • 성취 지향적 피드백 증진시키기 (8.4)

	이해를 돕기 위한 다양한 선택 제공 (3)	실행기능을 위한 다양한 선택 제공 (6)	자기조절 능력을 키우기 위한 선택 제공 (9)
내면화	• 배경지식을 제공하거나 활성화시키기 (3.1) • 패턴, 핵심 부분, 주요아이디어 및 관계 강조하기 (3.2) • 정보 처리, 시각화, 이용 과정 안내하기 (3.3) • 정보 전이와 일반화 극대화하기 (3.4)	• 적절한 목표 설정에 대해 안내하기 (6.1) • 계획과 전략 개발 지원하기 (6.2) • 정보와 자료 관리를 용이하게 돕기 (6.3) • 학습 진행 상황을 모니터하는 능력 증진시키기 (6.4)	• 학습 동기를 최적화하는 기대와 믿음 증진시키기 (9.1) • 극복하는 기술과 전략 촉진시키기 (9.2) • 자기평가와 성찰 발전시키기 (9.3)
목적	학습 전문가		
	학습자원이 풍부한 & 지식을 활용할 수 있는	전략적인 & 목표 지향적인	목적의식 & 학습 동기가 뚜렷한

32 2016 유아A-3

모범답안

1) ① 다음 중 택 2
   • 반복연습형
   • 개인교수형
   • 시뮬레이션형
   • 문제해결형
   • 발견학습형

   ② 다음 중 택 2(단, ①에서 제시한 유형과 중복되지 않도록 할 것)
   • 반복연습형
   • 개인교수형
   • 시뮬레이션형
   • 문제해결형
   • 발견학습형

2) 웹 접근성

3) ① 기호와 이유: ㉢, 콘텐츠는 색에 관계없이 인식할 수 있도록 해야 하기 때문이다.
   ② 기호와 이유: ㉤, 사용자의 의도하지 않은 기능(새 창, 초점에 의한 맥락 변화 등)은 실행되지 않아야 하기 때문이다.

해설

2) 웹 접근성: 웹 콘텐츠에 접근하려는 모든 사람들이 어떤 컴퓨터나 운영체제 또는 웹 브라우저를 사용하든지 또는 어떤 환경에 처해 있든지 구애받지 않고 웹 사이트에서 제공하는 모든 정보에 접근하고 이용할 수 있도록 보장하는 것[인터넷 웹 접근성 지침(KCS.OT-10.0003)]

3) ㉢ 한국형 웹 콘텐츠 접근성 지침 1.0의 지침 1(인식의 용이성) 중 항목 1.3(색상에 무관한 인식)에 의하면 콘텐츠가 제공하는 모든 정보는 색상을 배제하더라도 인지할 수 있도록 구성되어야 한다.
   • 한국형 웹 콘텐츠 접근성 지침 2.1 기준: 인식의 용이성 [원칙] 중 명료성 [지침]에도 위배된다.

   ㉤ 한국형 웹 콘텐츠 접근성 지침 1.0의 지침 2(운용의 용이성) 중 항목 2.6(반응시간의 조절기능)에 의하면 실시간 이벤트나 제한된 시간에 수행하여야 하는 활동 등은 사용자가 시간에 구애받지 않고 읽거나, 상호작용을 하거나 응답할 수 있어야 한다.
   • 한국형 웹 콘텐츠 접근성 지침 2.1 기준: 이해의 용이성 [원칙] 중 예측 가능성 [지침]에도 위배된다.

   ㉧ 한국형 웹 콘텐츠 접근성 지침 1.0의 지침 2(운용의 용이성)와 관련된다. 대화 내용과 관련된 항목 2.2의 구체적인 내용은 다음과 같다.

> 항목 2.2 (프레임의 사용 제한) 콘텐츠를 구성하는 프레임의 수는 최소한으로 하며, 프레임을 사용할 경우에는 프레임별로 제목을 붙여야 한다.
>
> 가. 용어 정리: 없음
> 나. 요구조건
>   (1) 웹 콘텐츠에는 가급적 프레임을 사용하지 않아야 한다. 만일 프레임을 사용하는 경우에도 사용하는 프레임의 수를 최소한으로 줄여야 한다.
>   (2) 프레임을 사용할 경우에는 프레임 별로 서로 독특한 (중복되지 않는) 제목을 부여하여 프레임을 식별할 수 있어야 한다.
>
> 출처 ▶ 한국정보통신기술협회(2004)

Check Point

📝 컴퓨터 보조수업의 유형

컴퓨터 보조수업은 수업 방법과 학습내용의 구성 요소에 따라 다음의 여섯 가지 유형으로 나눌 수 있다.

유형	설명
반복연습형	새로운 지식이나 기술을 습득한 후, 학습한 내용을 정착시키고 숙련도를 높이기 위해 사용한다. 도입 → 문항 선정 → 문항제시와 반응 결과 제시 ← 피드백 ← 반응 판단 [반복연습형의 기본 구조]
개인교수형	새로운 지식이나 기술을 가르치고자 할 때 제공되는 컴퓨터 보조수업 형태의 프로그램이다. 먼저 학습목표를 제시하고, 학습할 내용을 컴퓨터 화면을 통해 작은 단위로 제시하고, 학습자의 학습결과를 확인하기 위한 연습이나 문제를 제시하며, 학습결과에 대한 피드백을 제공한다. 도입 → 정보제시 → 질문과 응답 학습결과 제시 ← 학습종료 결정 ← 피드백과 교정 [개인교수형의 기본 구조]
시뮬레이션형	비용이나 위험부담이 높은 학습과제의 경우, 컴퓨터를 이용하여 최대한 유사한 환경을 개발하여 제공하는 형태에 해당한다. 도입 → 가상적 상황 제시 → 학습자 반응 결과 제시 ← 모의실험 종료 결정 ← 반응 판단과 피드백 [시뮬레이션형의 기본 구조]
게임형	교육용 소프트웨어에 경쟁, 도전, 흥미 요소를 포함시켜 학습자가 능동적으로 학습에 참여하도록 함으로써 원하는 학습목표에 도달하도록 하는 형태로, 학습자는 게임에 몰입하는 동안 자연스럽게 학습목표에 도달하게 된다. 효과적인 게임을 개발하기 위해서는 그래픽과 영상, 음향효과가 고품질이어야 하며, 학습자에게 적합한 수준의 난이도를 유지함으로써 도전감을 줄 수 있어야 한다.
문제해결형	학습자가 주어진 복잡한 문제를 해결해 나가도록 만든 형태다. 학습자는 도전적인 문제를 해결하기 위해 주어진 정보와 데이터를 수집하고, 문제를 분명하게 진술하며, 가설을 세우고, 실험을 하고, 해결안을 도출한다.
발견학습형	귀납적 방법을 사용하는 학습행동을 가리키는 일반적인 용어로 학습자에게 제시된 문제를 시행착오나 체계적 접근법을 통하여 해결한다. 학습자가 가설을 세운 다음 데이터 베이스에 질문을 던지면서 귀납적으로 접근한 후 시행착오를 통해 가설을 검증하게 된다.

33   2016 초등A-6

모범답안

3) 학습 활동 순서를 컬러 사진으로 제시한다.

해설

3) 흑백 선화보다 도상성 수준이 높은 경우는 모두 모범답안의 예로 가능하다.

Check Point

📝 상징체계

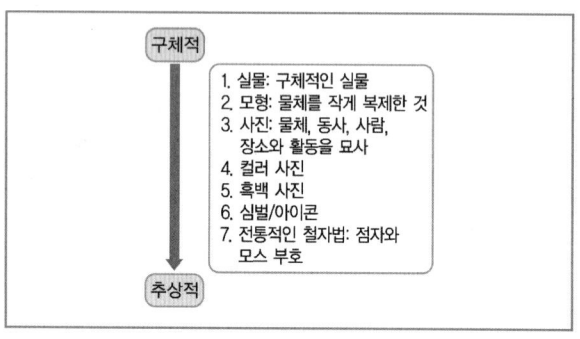

34
2016 초등B-4

모범답안

4) "양달은 따뜻해요. 잘했어요."

해설

4) • 음성출력 의사소통기기와 스위치를 은지의 휠체어용 책상에 배치하기, 음성출력 의사소통기기에서 양달 상징에 불빛이 들어왔을 때, 은지의 스위치를 눌러 '양달은 따뜻해요.'라는 음성이 산출되도록 하기 : 적절한 자세 취하기와 AAC의 배치, 의사소통의 동기를 부여할 수 있는 활동 제공하기 등 환경의 구조화에 해당한다.
• 그런 다음 은지가 스위치를 누르는 것을 기다려준다.: 의사소통을 할 때, 학생이 메시지를 표현하는 동안 대화 상대자는 충분히 기다려 준다.
• 은지가 음성출력 의사소통기기에서 양달 상징에 불빛이 들어왔을 때, 스위치를 눌러 '양달은 따뜻해요.'라는 음성이 산출 : 학생이 의사소통 보조기기 혹은 의사소통판의 그림이나 상징을 지적하면 대화 상대자는 학생이 지적한 항목을 크게 말해주는 청각적 피드백을 제공한다. 구어를 사용하여 의사소통하지 못하는 학생은 대화 상대자의 표정이나 반응에 따라 의사표현을 재시도하기도 하고 좌절하여 포기하기도 하므로 학생의 의사소통 지도에 긍정적인 반응을 보이고 정확한 문장으로 확인해 주어야 한다. 학생이 실수를 했을 때 부정적인 반응을 보이면 학생은 어떠한 시도도 하지 않게 되며 상호작용에서도 소극적인 참여를 조장한다. 그러므로 학생의 반응에 대한 즉각적인 반응을 보여 주고 반응의 결과에 관계없이 표현한 것에 대한 강화와 정확한 표현 방법을 알려주는 체계적인 교수절차가 필요하다(박은혜 외, 2019 : 345).

Check Point

사용자의 기술 습득을 지원할 수 있는 촉진 전략 교수하기

환경의 구조화	• 의사소통 촉진 전략의 우선 과제는 의사표현과 상호작용의 동기를 유발할 수 있도록 환경을 구조화하는 것이다. • 적절한 자세 취하기와 AAC 기기의 배치, 의사소통의 동기를 부여할 수 있는 활동 제공하기 등으로 환경을 조정한다.
메시지 확인하기	• 메시지 확인하기는 학생이 시도한 것에 대해 반응을 보이고 표현한 것에 대해 확인해 주는 전략으로, 학생의 의사소통 능력을 신장시킬 수 있다. • 의사소통을 할 때, 학생이 메시지를 표현하는 동안 대화 상대자는 충분히 기다려 주고 학생이 의사소통 보조기기 혹은 의사소통판의 그림이나 상징을 지적하여 표현하면 대화 상대자는 학생이 지적한 항목을 크게 말해 주는 청각적 피드백을 제공한다. • 구어를 사용하여 의사소통하지 못하는 학생은 대화 상대자의 표정이나 반응에 따라 의사 표현을 재시도하기도 하고 좌절하여 포기하기도 하므로 학생의 의사소통 시도에 긍정적인 반응을 보이고 정확한 문장으로 확인해주어야 한다. 학생이 실수를 했을 때 부정적인 반응을 보이면 학생은 어떠한 시도도 하지 않게 되며 상호작용에서도 소극적인 참여를 조장한다. 그러므로 학생의 반응에 대한 즉각적인 반응을 보여 주고 반응의 결과에 관계없이 표현한 것에 대한 강화와 정확한 표현 방법을 알려주는 체계적인 교수 절차가 필요하다.
시작과 끝을 알리는 명확한 신호 확립하기	• 의사소통을 하는 상호과정에서 의사소통 기회를 방해받지 않도록 의사소통 단위의 시작과 끝을 알리는 명확한 신호를 정하여 사용한다. • 대화의 시작과 끝을 나타낼 수 있는 신호를 정하여 사용하는 것은 보다 적극적인 의사소통자로서의 역할을 부여한다.
시간 지연하기	• 시간 지연은 학생의 의사표현을 촉진하기 전에 자발적으로 의사표현을 할 수 있도록 일정 시간을 기다려 주는 전략이다. • 시간 지연 전략은 의사소통 상황에서 학생이 기대하는 반응을 나타내기 전에 어떠한 촉진도 주지 않고 일정 시간을 기다려 목표 기술을 자발적으로 사용할 수 있는 기회를 제공하는 전략으로, 많은 연구를 통해 효과가 입증되었다. • 기대하는 반응을 나타낼 때까지 시간 지연을 하는 방법은 학생에게 스스로 수행할 기회를 제공하기 때문에 자연적 환경에서 의사소통할 기회를 거의 갖지 못하는 학생에게 사용하기 적절한 방법이다.
지적하기 촉진	• 시간 지연 방법으로도 의사소통할 기회를 갖지 못하는 경우 지적하기(point) 촉진을 사용하는 것이 적절하다. • 지적하기 촉진 전략은 시각적 촉진을 제공하는 방법으로 언어적 촉진과는 달리 대화의 흐름 중에 최소한으로 개입하여 대화 도중 흐름을 방해하거나 산만하게 하지 않는다.

35   2016 중등A-7

모범답안

명칭	시간 활성화 전략
기호와 이유	⑩, 스크린 리더는 대체 입력 프로그램이 아니라 대체 출력장치이기 때문이다.

해설

지문 돋보기

- ㉠ 근긴장도가 높은 상황에서 트랙볼을 사용하여 마우스 포인터를 이동시키고 있기 때문에 이에 따른 초점 이동 정도를 고려하여 마우스 포인터의 움직임 속도를 조정하는 것이 바람직함
- ㉡ 숫자 키패드 켜기를 설정하지 않으면 키보드 개별키의 크기를 확대할 수 있으므로 소근육 운동 기능이 떨어지는 영수의 가리키기 정확도를 높여 줄 수 있음
- ㉢ 키보드 또는 마우스를 통한 글자 입력이 어려우므로 이와 같은 어려움을 경감시켜 줄 수 있는 방안으로 화상 키보드를 사용하게 하면 컴퓨터를 이용한 글쓰기가 가능함
- ㉣ 빛에 민감하여 눈의 피로도가 높은 점을 고려한 것

활성화 전략 명칭) 직접선택 기법의 시간 활성화 전략은 사용자가 어떠한 방법으로든 화면의 항목을 확인하는 것이 필요하고, 장치에 의한 선택이 인식되기 위해서는 일정한 시간 동안 접촉을 유지시키는 것이 필요한 방법이다.

㉤ 스크린 리더는 대체 출력장치에 포함된다. 대체 입력장치에는 트랙볼, 조이스틱, 터치스크린, 헤드 포인팅 시스템, 아이 게이즈 시스템 등이 있다.

Check Point

(1) 직접선택 기법의 활성화 전략

활성화 전략	작동 원리
시간 활성화 전략	사용자가 어떠한 방법으로든 화면의 항목을 확인하는 것이 필요하고, 장치에 의한 선택이 인식되어지기 위해서는 일정한 시간 동안 접촉을 유지시키는 것이 필요한 방법(통 시간이 설정된 활성화)
해제 활성화 전략	화면이나 (대체)입력기기를 직접 접촉하거나 누르고 있을 동안에는 선택되지 않지만, 선택하고자 하는 해당 항목에 커서가 도달했을 때 접촉하고 있던 것을 떼게 되면 그 항목이 선택되는 방법
평균 활성화 전략	광선이나 광학 포인터의 움직임을 단시간 내에 평균화해서, 가장 오랫동안 가리킨 항목을 작동시키는 방법(통 여과 활성화 전략)

(2) 대체 입력장치와 대체 출력장치

대체 입력장치	대체 출력장치
• 트랙볼 • 조이스틱 • 터치스크린 • 헤드 포인팅 시스템 • 아이 게이즈 시스템 • 대체키보드 • 스위치 • 음성인식	• 화면 확대 • 스크린 리더

36   2016 중등A-10

모범답안

- ㉠ 상징, 보조도구, 기법, 전략

Check Point

보완대체의사소통 체계

상징	• 몸짓이나 손짓 기호, 그림, 낱말 등을 말하는 것 • 도구를 이용하지 않는 상징, 도구를 이용하는 상징으로 구분
보조도구	• 메시지를 주고받는 데 사용되는 물리적 도구 • 의사소통판이나 음성산출도구 포함
전략	• 의사소통을 강화하는 상징이나 효과적인 기술을 사용하는 특별한 방법 • 역할 놀이, 점진적인 촉구 방법 등
기법	• 메시지를 전하는 방법 • 직접선택과 훑기(scanning)로 대표되는 간접선택 방법 등

37   2017 유아A-1

모범답안

2)	① 상징 - 필요한 어휘를 미니어처(실물모형)로 제시 ② 기법 - 자신이 원하는 것을 만져서 표현
3)	상징의 도상성이 높다.

Check Point

📝 도상성

① 상징은 사실성, 도상성(iconicity), 모호성, 복잡성, 전경과 배경 차이, 지각적 현저성, 수용 가능성, 효율성, 색깔 및 크기 등 다양한 특성으로 기술될 수 있다. 이러한 특성 중에서 도상성은 연구자와 임상가들에게 가장 주목을 받아왔다.

② 도상성이라는 용어는 "사람들이 상징과 그 지시 대상에 대해 품고 있는 어떤 연상"을 의미한다.

③ 도상성은 하나의 연속체로 언급될 수 있다.

   ⊙ 연속체의 한 극단은 투명 상징들이 차지한다. 투명 상징은 "지시 대상이 없어도 그 상징의 의미를 추측할 수 있을 정도로 지시 대상의 형태, 움직임, 기능 등이 예상되는 것들"이다.

   ⓒ 다른 한 극단은 불투명 상징들이 차지한다. 불투명 상징은 "그 의미가 제시될 경우에도 상징과 지시 대상 간의 관계가 이해되지 않는 것들"이다. 예를 들면, 구두의 컬러 사진은 투명한 반면 구두(shoe)라는 글자는 불투명하다.

   ⓒ 양 극단 사이에는 반투명 상징들이 존재한다. 반투명 상징은 "지시 대상의 의미가 명확할 수도 있고 불명확할 수도 있다. 그러나 일단 그 의미가 제공되면 상징과 지시 대상 간의 관계가 이해될 수 있는 것들"이다. 예를 들면, 북아메리카에서 주로 사용되는 '멈춰(stop)'라는 제스처는 종종 곤란한 표정과 함께 편 손이나 손가락으로 목을 가로질러 재빨리 움직이는 것을 포함한다. 사람들은 '목을 자르는' 이러한 제스처가 할리우드 영화산업현장에서는 '컷'(cut, 또한 '멈춰'를 의미하는)을 표현하는 것임을 이해해야 한다. 반투명 상징들은 종종 상징과 그 지시 대상 간의 지각된 관계 정도를 수적으로 평가하여 정의된다.

출처 ▶ Beukelman et al.(2017 : 70-71)

38   2017 유아B-4

모범답안

2)	ⓒ 다양한 방식의 행동과 표현 수단 제공 ⓒ 다양한 방식의 표상 수단 제공

해설

2) ⓒ 낯선 사람이 내 몸을 만지려 할 때, 어떻게 해야 할지 동화 내용을 회상하여 여러 가지 유형의 접촉에 대해 이야기를 나누고 일반유아들은 이에 대해 구두로 표현하도록 하고 있다. 그러나 준희의 경우 언어 표현 특성을 고려하여 교사의 질문에 그림카드로 대답할 수 있도록 하고 있으므로 보편적 학습설계의 원리 중 다양한 방식의 행동과 표현 수단 제공 원리를 적용한 것이라고 할 수 있다.

   ⓒ 준희의 언어 이해 수준을 고려하여 동화 내용을 문장이 아닌 그림동화 자료로 제시하였다. 따라서 다양한 방식의 표상 수단 제공 원리가 적용되었다고 할 수 있다.

39   2017 초등A-5

모범답안

1)	단순하고 의미가 명료해야 한다.
3)	ⓒ 언어적 능력 ② 사회적 능력

해설

1) 픽토그램은 의미하는 내용을 (흑백)상징으로 시각화하여 사전에 교육을 받지 않고도 모든 사람이 즉각적으로 이해할 수 있어야 하므로 단순하고 의미가 명료해야 한다(2021 초등B-6 기출).

3) ⓒ AAC 어휘 목록에 [A]를 추가하는 기계적 기술에 초점을 둘 경우 조작적 능력에 해당한다. 그러나 ⓒ은 상징의 의미를 알고 이를 어휘 목록에 추가하고, 상징을 이용하여 의사소통하는 것을 지도하는 것이므로 전체적으로는 언어적 능력에 해당한다.

   • 도구를 다루는 작동 능력: AAC 도구를 스스로 다룰 수 있도록 하는 것은 아동에게 맞는 AAC 도구를 마련해 주는 것만큼이나 중요하다. AAC 중재를 지원하는 언어치료사들은 AAC 어휘 갱신하기, 의사소통 배열판 바꾸기, 도구나 기기 보호하기, 필요한 수리 요청하기, 미래의 필요를 고려하여 AAC 수정하기, 일상적 사용과 작용여부 파악하기 등에 대한 중재를 할 수 있어야 한다(김영태, 2019 : 477).

Check Point

✏️ AAC 사용자가 갖추어야 할 의사소통 능력의 구성 요소

언어적 능력	자신의 모국어에 대한 수용언어 및 표현언어 기술을 말한다. AAC 체계에 사용되는 선화, 낱말, 신호 및 그 밖의 언어적 부호화에 대한 지식을 포함한다.
조작적 능력	AAC 체계를 정확하고 효율적으로 조작하는 데 필요한 기계적 기술을 의미한다.
사회적 능력	의사소통적 상호작용을 시작, 유지, 진전, 종료하는 사회적 상호작용기술을 말한다.
전략적 능력	AAC 의존자가 AAC 사용과 관련된 기능적 한계를 극복하기 위해 사용하는 보완 전략과 관련이 있다. 여기에는 AAC에 익숙하지 않은 사람들과 의사소통하기, 의사소통 단절 해결하기, 느린 말 속도 보완하기 등이 포함된다.

40 2017 초등B-2

모범답안

4) 학생과 공동관심을 형성하기 위한 과정이다.

41 2017 중등A-9

모범답안

- 다양한 방식의 행동과 표현 수단 제공
- 예: 다음 중 택 1
  ㉢ - 지필평가를 구술평가로 대체한다.
     - 지필평가 대신 해당 내용을 지적하거나 가리킬 수 있도록 한다.
     - 소근육의 움직임에 어려움을 보이므로 확대키보드와 같은 보조공학기기를 사용하도록 한다.

해설

㉢ 학생 P는 상지의 소근육 운동 기능에 어려움이 있는 지체장애 학생임을 고려한 지필 평가 참여 방법의 예를 제시해야 한다.

42 2017 중등B-6

모범답안

- ㉥ 학생 S는 빛에 매우 민감하기 때문에 운용의 용이성 측면에서 광과민성 발작을 예방하기 위해서이다(또는 학생 S는 빛에 매우 민감하게 반응하기 때문에 운용의 용이성 원칙 중 광과민성 발작 예방 지침에 근거하여 지나치게 깜박이거나 번쩍이는 콘텐츠가 없는 사이트를 활용해야 하기 때문이다).

Check Point

✏️ 한국형 웹 콘텐츠 접근성 지침 2.1(운용의 용이성 관련 지침)

지침	지침 설명 및 검사 항목(9개)
2.1. 입력장치 접근성	콘텐츠는 키보드로 접근할 수 있어야 한다. • 키보드 사용 보장: 모든 기능은 키보드만으로도 사용할 수 있어야 한다. • 초점 이동: 키보드에 의한 초점은 논리적으로 이동해야 하며 시각적으로 구별할 수 있어야 한다. • 조작 가능: 사용자 입력 및 컨트롤은 조작 가능하도록 제공되어야 한다.
2.2. 충분한 시간 제공	콘텐츠를 읽고 사용하는 데 충분한 시간을 제공해야 한다. • 응답시간 조절: 시간제한이 있는 콘텐츠는 응답시간을 조절할 수 있어야 한다. • 정지 기능 제공: 자동으로 변경되는 콘텐츠는 움직임을 제어할 수 있어야 한다.
2.3. 광과민성 발작 예방	광과민성 발작을 일으킬 수 있는 콘텐츠를 제공하지 않아야 한다. • 깜빡임과 번쩍임 사용 제한: 초당 3~50회 주기로 깜빡이거나 번쩍이는 콘텐츠를 제공하지 않아야 한다.
2.4. 쉬운 내비게이션	콘텐츠는 쉽게 내비게이션 할 수 있어야 한다. • 반복 영역 건너뛰기: 콘텐츠의 반복되는 영역은 건너뛸 수 있어야 한다. • 제목 제공: 페이지, 프레임, 콘텐츠 블록에는 적절한 제목을 제공해야 한다. • 적절한 링크 텍스트: 링크 텍스트는 용도나 목적을 이해할 수 있도록 제공해야 한다.

43

2018 유아A-8

모범답안

1) ① SETT 구조 모델
② 접근성 이슈(또는 접근성에 관한 문제)
③ 기술적, 물리적, 교육적

2) ① 자동 스캐닝
② 자동 스캐닝은 높은 수준의 감각적, 인지적 주의력을 요구하지만 운동 피로는 낮은 수준이므로 재민이의 특성과 일치하기 때문이다.

해설

지문 돋보기

• 환경 특성	
자유 놀이 시간에 별도의 교육적·물리적 수정이 이루어지지 않음	조정
교사 지원: 교사가 유아들에게 개별 지원을 제공하나 재민이에게만 일대일로 지속적인 지원을 제공하는 데 어려움이 있음	지원
교실 자원: 다양한 놀잇감이 마련되어 있으나 재민이가 조작할 수 있는 교구는 부족함	자원과 장비
태도 및 기대: 재민이가 독립적으로 놀이 활동에 참여할 수 있기를 희망함	태도 및 기대

2) ① 제시문을 통해 알 수 있는 재민이의 특성은 주의집중력이 높으나 신체 피로도 역시 높다는 것이다. 따라서 높은 주의집중력을 이용하는 동시에 신체 피로도를 낮춰주는 스캐닝 방법이 적절하다.
② 자동 스캐닝 시 요구되는 운동 피로는 낮으며, 감각적·인지적 주의력은 많이 요구된다. 자동 스캐닝은 반복된 움직임이나 유지보다는 오히려 타이밍에 의존하기 때문에 피로도 수준이 낮다. 반전 스캐닝의 피로도는 중간 정도이다. 일정 기간 동안 접속된 스위치를 붙들고 있을 수 있는 운동 유지력이 필요하기 때문이다(Beukelman et al., 2017: 223-225).

Check Point

(1) SETT 구조

각 부분에 있는 질문은 그 자체로 이해하고 끝내기보다는 함께 논의해 볼 문제이다.

학생
• 기능적으로 중요한 부분이 무엇인가? 학생이 스스로 하기 어렵거나 할 수 없지만 해야 할 것은 무엇인가?
• 특별한 요구(중요 부분과 관련하여)
• 현재 능력(중요 부분과 관련하여)

환경
• 조정(교육적·물리적)
• 지원(학생과 스태프 모두 이용할 수 있는)
• 자원과 장비(환경 내에서 다른 사람이 일반적으로 사용하는)
• 접근성 이슈(기술적·물리적·교육적)
• 태도 및 기대(스태프, 가족, 다른 사람의)

과제
• IEP 목표 및 목적을 완수할 수 있는 학생의 평소 환경에서 어떤 구체적인 수행과제가 생기는가?
• 환경 안에서 적극적인 참여를 위해 어떤 구체적인 수행과제가 필요한가?

학생과 환경, 수행과제에 대해 수집된 정보를 분석하고 다음의 질문과 활동에 대해 논의해 보자.

도구
• 보조공학기기와 서비스 없이 학생의 교육적 목표를 달성할 수 없을 것으로 예상하는가?
• 만약 그렇다면, 학생이 좋아하는 유용한 보조공학기기와 서비스 시스템이 무엇인지 기술한다.
• 시스템에 포함되는 도구는 학생의 요구를 수용해야 한다.
• 평소 환경에서 가장 잘 사용할 수 있는 것을 시험 사용 도구로 선택한다.
• 구체적인 시험 사용 계획을 짠다(예상되는 변화, 도구의 사용 시기와 방법 등 기타).
• 효과에 관한 데이터 수집

의사결정에 도움이 되는 정보인지, 실행이 정확하고 최신의 정보인지, 모든 관련된 지식을 확실히 반영하는지 등을 확인하기 위해 SETT 프레임워크 정보를 주기적으로 다시 참조한다.

(2) 스캐닝을 위한 커서 조절 기법의 기술 정확도 요구

운동 요소	선택 기법		
	자동 스캐닝	단계별 스캐닝	반전 스캐닝
기다리기	높음	낮음	중간
활성화하기	높음	중간	낮음
유지하기	낮음	낮음	높음
해제하기	낮음	낮음	높음
피로도	낮음	높음	중간
감각적·인지적 주의력	높음	낮음	높음

※ 표는 Beukelman 등(2017)의 저서 내용이다. 단, 감각적·인지적 주의력에 대한 내용은 Cook 등(2014)에서 인용하였다.

44 2018 초등A-3

모범답안

3) 광선이나 광학 포인터의 움직임을 단시간 내에 평균화해서, 가장 오랫동안 가리킨 항목을 작동시키는 방법이다.

해설

3) 여과 활성화 전략은 평균 활성화 전략이라고도 하며 광선이나 광학 포인터가 가리킨 항목을 단시간 내에 평균화해서 가장 오랫동안 가리킨 항목을 작동시키는 방법이다.

45 2018 초등B-2

모범답안

2) ① 다양한 방식의 참여 수단 제공
② 반복연습형

해설

2) ① A는 참여의 원리 중 지침 8. 지속적인 노력과 끈기를 돕는 선택 제공에 해당한다.
② 반복연습형은 학습자에게 새로운 개념을 가르치는 것이 아니라, 학습자들이 이미 다른 방법을 통하여 배운 지식이나 개념을 유지하고 더욱 정확하게 하며, 틀림없이 수행하는 데 활용되는 소프트웨어이다.

Check Point

교육용 소프트웨어의 유형

유형	교사의 역할	컴퓨터의 역할	학습자의 역할	보기
반복연습형	• 선수지식들의 순서화 • 연습을 위한 자료 선택 • 진행상황 점검	• 학생 반응을 평가하는 질문 던지기 • 즉각적 피드백 제공 • 학생진전 기록	• 이미 배운 내용을 연습 • 질문에 응답 • 교정/확인받음 • 내용과 난이도 선택	• 낱말 만들기 • 수학 명제 • 지식 산출
개인교수형	• 자료 선택 • 교수에 적응 • 모니터	• 정보 제시 • 질문하기 • 모니터/반응 • 교정적 피드백 제공 • 핵심 요약 • 기록 보존	• 컴퓨터와 상호작용 • 결과 보고 • 질문에 대답하기 • 질문하기	• 사무원 교육 • 은행원 교육 • 과학 • 의료 절차 • 성경공부
시뮬레이션형	• 주제 소개 • 배경 제시 • 간략하지 않은 안내	• 역할하기 • 의사결정의 결과 전달 • 모형의 유지와 모형의 데이터베이스	• 의사결정을 연습 • 선택하기 • 결정의 결과 받기 • 결정 평가	• 고난극복 • 역사 • 의료진단 • 시뮬레이터 • 사업관리 • 실험실 실험
게임형	• 한계를 정함 • 절차 지시 • 결과 모니터링	• 경쟁자, 심판, 점수기록자 행동	• 사실, 전략, 기술을 학습 • 평가 선택 • 컴퓨터와의 경쟁	• 분수 게임 • 계산 게임 • 철자 게임 • 타자 게임
발견학습형	• 기본적인 문제 제시 • 학생 진전을 모니터	• 정보 원천을 학습자에게 제공 • 데이터 저장 • 검색절차 허용	• 가설 만들기 • 추측을 검증하기 • 원리나 규칙 개발하기	• 사회과학 • 과학 • 직업 선택
문제해결형	• 문제를 확인 • 학생들을 돕기 • 결과 검증	• 문제 제시 • 데이터 조작 • 데이터 베이스 유지 • 피드백 제공	• 문제를 정의하기 • 해결안을 세우기 • 다양성을 조절	• 사업 • 창의력 • 고난 극복 • 수학 • 컴퓨터 프로그래밍

출처 ▶ 김남진 외(2017 : 197-198)

46   2018 중등A-10

모범답안

- ㉠ 보조공학 숙고 과정 모델
- ㉡ 생태학적 사정

해설

㉡ 보조공학기기가 사용될 다양한 환경을 고려하는 것은 생태학적 사정과 관련된다.

Check Point

(1) 보조공학 숙고 과정 모델

① 보조공학 숙고 과정(AT Consideration Process) 모델은 장애학생들의 요구를 충족시켜 줄 수 있는 보조공학을 적절하게 선택하는 직접적 과정에 대해 설명한다.
② 보조공학 숙고 과정 모델은 다른 모델에 비해 정교하지는 않으며 다음의 다섯 단계를 거쳐 보조공학이 선택된다.

검토 단계	• 학생의 능력을 검토하는 것이다. • 이때 모든 중요한 측면에서의 학생의 기능적 능력과 학문적 수행을 포함한다. 이뿐만 아니라 관찰이나 표준자료들을 포함하여 모든 사용 가능한 평가 자료를 포함한다.
개발 단계	• 학생의 능력과 교육적 발전에 필요한 요건(주나 지역의 교육과정 규범)에 맞추어 연간목표, 목적, 기준을 개발하는 것이다. • 이때 참여자들은 학생이 보조공학의 도움으로 주어진 목표와 목적을 달성할 수 있는가를 토론해 봐야 한다.
조사 단계	• 학생이 두 번째 단계에서 제시된 목표와 목적을 수행하는 데 필요한 모든 과제들을 조사하는 단계다. • 학생이 기술을 발휘하거나 기대를 충족시킬 수 있는 구체적 환경을 알아봐야 한다.
평가 단계	• 세 번째 단계에서 확인된 모든 과제의 난이도를 평가한다. • 보조공학은 학생이 과제를 독립적으로 수행할 수 없을 때 사용되어야 한다.
확인 단계	• 학생에게 맞는 모든 지원과 서비스를 확인해서 네 번째 단계에서 정해놓은 목표와 목적을 달성하는 것이다. • 이 단계는 특정한 보조공학 지원 혹은 서비스에 관한 결정을 포함하기도 한다.

(2) 보조공학 사정의 세 가지 특성(Bryant)

생태학적 사정	• 보조공학의 사정은 보조공학과 관련된 다양한 요소들을 모두 고려해야 한다. • 효과적인 사정은 사용자에게 영향을 끼칠 사람들과 기기가 사용될 다양한 환경을 고려해야 한다.
실천적 사정	• 보조공학 사정은 학생들의 행동이 나타날 상황에서 보조공학기기들을 사용함으로써 현실적으로 계속되어야 한다. • 보조공학기기가 선택되고 사용자에게 맞춰진 후, 사정은 보조공학기기들이 사용될 복잡한 상황에서 계속된다.
계속적 사정	• 사정은 한 가지 형식이나 다른 형식으로 계속된다. • 사정팀의 결정이 정확하고 보조공학기기가 효과적이고 올바른 방법으로 사용되고 있는지 확인하기 위해 보조공학기기의 사용이 감시되고 지속적으로 평가되어야 한다.

47   2018 중등A-12

모범답안

- ㉠ 기술 장벽, 지식 장벽

해설

지문 돋보기

- '상징을 분류하는 방법을 실습': 기술 장벽은 광범위한 지식에도 불구하고 촉진자들이 AAC 기법이나 전략을 실제로 이행하는 데 어려움을 지닐 때 발생함. 따라서 AAC 중재에 관여하는 사람들의 '실무(hands-on)' 기술 수준을 평가하는 것이 중요(Beukelman et al., 2017 : 179)
- '기기 관리 방법에 대해서도 안내': 지식 장벽은 촉진자나 다른 누군가의 정보 부족을 일컬음. AAC 중재 옵션, 테크놀로지, 교수전략 등에 대한 지식 부족은 종종 복합적인 의사소통 욕구를 지닌 사람의 효과적인 참여에 엄청난 장벽이 됨(Beukelman et al., 2017 : 178-179)

Check Point

참여 모델

미국청각협회(ASHA)는 2004년 기술보고서에서, AAC 평가 및 중재를 이행하기 위한 틀로 참여 모델을 승인하였다. 참여 모델은 AAC와 관련된 의사결정과 중재를 안내하고자 로젠버그와 뷰켈먼이 기술했던 개념을 확장한 뷰켈먼과 미렌다에 의해 최초로 제시되었다. 수년에 걸쳐, 이 모델을 실행에 옮긴 연구에 기초하여 일부 연구자들은 이 모델에 대해 소소한 수정을 제안하였다. 이러한 과정을 거쳐 수정된 참여 모델은 복합적인 의사소통 요구(CCN)를 지닌 사람과 생활연령이 같은 일반 또래의 기능적인 참여에 기초하여 AAC 평가를 수행하고 중재를 계획할 수 있도록 하는 체계적인 과정을 보여준다. 이는 쿡과 폴가가 제안한 인간 활동 보조 테크놀로지(HAAT) 모델과 유사하다. HAAT 모델에서 중재자는 보조 테크놀로지에 의존하는 사람과 완성되어야 할 활동 및 활동이 수행되는 상황의 상호작용을 고려한다(Beukelman et al., 2017 : 169).

참여 모델에서 언급하고 있는 기회 장벽과 접근 장벽은 다음과 같다.

기회 장벽 - 정책	• AAC 사용자의 상황을 좌우하는 법률이나 규정이다. • 학교, 직장, 거주시설, 병원, 재활센터, 요양소 등에는 주로 그 시설의 관리 규약을 담은 문서에 관련 정책이 요약되어 있으나 AAC 관련 내용 언급이 없다.
기회 장벽 - 실제	• 가정, 학교 또는 직장에서 이루어지고 있는 일반적인 절차나 관습을 말한다. • 가정, 학교, 직장에서 실제 정책이 아닌데도 일상적으로 된 장벽, 예를 들면, 많은 학교가 교육청의 기금으로 마련한 AAC 도구를 학교 안에서만 사용하도록 제한하고 있는데, 이는 교육청의 공식적인 정책이 아니다.
기회 장벽 - 기술	• 도움을 제공하는 사람들이 AAC 기법이나 전략을 사용하는 기술이 부족하여 실제로 이행하는 데 어려움이 발생한다. • AAC 기술이나 전략에 대한 실제적인 적용 방법을 몰라서 어려움을 겪는다. • AAC 중재 계획을 책임지고 있는 개인들이 기술수준을 진단하는 것도 중요하다.
기회 장벽 - 지식	AAC 중재 옵션, 테크놀로지, 교수전략 등 AAC 사용에 대한 정보 부족을 말한다.
기회 장벽 - 태도	• 개인의 태도와 신념이 참여의 장벽이 된다. • AAC 팀원의 부정적이고 제한적인 태도들은 참여의 범위를 제한시킨다. • 장애 학생에 대한 기대치를 낮추게 되고 이것은 기회에 대한 참여를 제한시킨다.
접근 장벽	• 사회나 지원체계의 제한이 아닌 AAC 사용자의 능력, 태도 및 지원의 제한, 개인의 잠재적인 능력의 제한을 포함한다. • 접근 장벽의 부족은 이동성 부족, 사물 조작과 관리의 어려움, 인지적 기능과 의사결정의 문제, 읽고 쓰기의 결함, 감각-지각적 손상(즉, 시각장애나 청각장애) 등과도 관련될 수 있다. • 개인의 현재 의사소통, 말 사용 또는 말 사용 능력 증가의 잠재성, 환경 조정의 잠재성 등을 모두 평가해야 한다.

48 2019 유아A-8

모범답안

2)	ⓒ 전략 ⓔ 상징

해설

2) ⓒ 전략이란 전달하고자 하는 메시지를 어떻게 효율적으로 전달하여 의사소통을 향상시킬 것인가에 대한 계획으로 상징과 보조도구, 기법을 통해 의사표현을 원활하게 하기 위한 방법이다.

49 2019 초등A-3

모범답안

4)	① 경수는 범주 개념이 형성되어 있으면서 주의집중 시간이 짧고, 시각적 피로도가 높기 때문이다. ② 선형 스캐닝에 비해 빠르게 선택할 수 있다.

해설

4) ② 선형 스캐닝에서의 항목은 특정 순서에 따라 한 번에 하나씩 제시되기 때문에 항목이 많을 경우에는 비효율적이다. 따라서 많은 항목을 포함하고 있는 선택세트는 효율성을 높이기 위해 행렬 스캐닝 방식을 사용하는 것이 일반적이다.

Check Point

☑ 스캐닝 형태

스캐닝은 선형 스캐닝과 원형 스캐닝, 행렬 스캐닝(또는 집단-항목 스캐닝) 방식으로 제공될 수 있다(박은혜 외, 2018: 324-325).

선형 스캐닝	• 가장 기본적인 형태로 시간 간격을 둔 순차적 스캐닝 방법 • 스캐닝이 시작되면 화면이나 AAC 기기의 버튼/아이콘이 하나씩 시각적으로 반전되거나 청각적 소리를 내면서 순차적으로 이동. 이때 불빛이나 반전이 원하는 버튼/아이콘에 왔을 때 스위치를 눌러서 선택하는 방법
원형 스캐닝	• 시간 간격을 두고 순차적으로 이루어진다는 점에서는 선형 스캐닝과 동일 • 시곗바늘의 움직임과 같은 방향으로 원형 형태로 시각적 추적이 이루어진다는 점에서 학생이 보다 쉽게 이용할 수 있음
행렬 스캐닝	• 선택해야 할 버튼/아이콘의 수가 많을 때, 행과 열 단위로 먼저 선택한 후에 선택한 행과 열의 선형 스캐닝을 하는 것 • 선형 스캐닝 방법에 비해 빠르게 선택할 수 있다는 장점

50   2019 중등B-5

모범답안

- ⓒ 인과관계
- ⓔ 일반 키보드나 마우스를 이용하는 직접선택에 비해 정보 입력이 제한되고 많은 시간이 소요되지만 미세한 근육 활동만으로도 조작 가능하다.

Check Point

(1) 스위치 사용을 위한 운동 훈련의 순차적 단계

목표	목표를 성취하기 위해 사용된 도구
1. 인과관계를 개발시키기 위해 사용하는 시간 독립적 스위치	• 가전기구(선풍기, 믹서기) • 배터리로 작동하는 장난감이나 라디오 • 스위치가 눌리면 언제나 결과가 나타나는 소프트웨어
2. 스위치를 적절한 시간에 사용하도록 능력을 개발하는 데 쓰이는 시간 종속적 스위치	그림이나 소리로 된 결과물을 얻기 위해 특정한 시간에 반응을 보여야 하는 소프트웨어
3. 다중선택 스캐닝 능력을 개발시키기 위한 특정한 윈도우 내의 스위치	'제한시간(time window)'에서 반응을 요구하는 소프트웨어
4. 상징적인 선택 만들기	• 간단한 스캐닝 의사소통 기구 • 상징적인 표시와 의사소통적 출력을 가지고 있는 시간 독립적인 선택을 만들도록 설계된 소프트웨어

(2) 직접/간접선택의 장단점

① 직접선택

장점	• 사용자의 표현력이 향상된다. • 빠른 속도로 표현할 수 있다.
단점	• 사용자가 피로를 많이 느낀다. • 사용자가 피로를 빨리 느낀다. • 잘되지 않을 때에는 스트레스를 받게 되고, 자신감을 상실할 수도 있다.

② 간접선택

장점	미세한 근육 활동만으로도 조작 가능하다.
단점	근육 활동 자체의 제약으로 인해 정보 입력이 제한되고, 많은 시간이 소요된다.

51   2020 유아A-2

모범답안

2)	① 보편적 설계 ② 다음 중 택 1 • 휠체어에서 그네로 바로 옮겨 탈 수 있도록 그네의 높이를 조절한다. • 등받이가 있는 그네를 설치한다. • 재우의 몸통을 안정적으로 유지시켜 줄 수 있는 그네를 설치한다. • 휠체어와 바로 연결하여 탈 수 있는 그네를 설치한다.
3)	① ⓒ ② 소근육 운동 조절이 어려운 유아는 확대키보드가 도움이 된다.

해설

2) ① 보편적 설계란 제품과 환경을 개조하거나 추가적인 특별한 설계 없이도 모든 사람이 최대한 편리하게 사용할 수 있도록 설계하는 공학적 개념이다. 이 개념은 건축학에서 비롯했으며 무장애 설계, 통합 설계 또는 모든 사람을 위한 설계라고도 한다(특수교육학 용어사전, 2018: 209).
② 휠체어를 사용하고 있는 아동의 접근성을 고려하여 작성하면 된다.

3) ② 확대키보드를 대체키보드로 바꿔 쓰지 않도록 유의한다. 미니키보드와 확대키보드 모두 대체키보드에 해당하기 때문이다.

Check Point

보편적 설계의 원리

원리	정의
공평한 사용	디자인은 다양한 능력을 가진 사람들에게 유용하고 시장성이 있어야 한다.
사용상의 융통성	디자인은 광범위한 개인적 성향과 능력을 수용해야 한다.
단순하고 직관적인 사용	사용자의 경험, 지식, 언어 기술 또는 현재의 주의집중 수준에 관계없이 이해하기 쉬운 디자인을 이용해야 한다.
지각할 수 있는 정보	주위의 조건 또는 사용자의 지각 능력에 관계없이 사용자들에게 필요한 정보를 효과적으로 전달해야 한다.
오류에 대한 관용	우발적이거나 의도하지 않은 행동으로 인해 발생할 수 있는 위험 그리고 부정적인 결과를 최소화해야 한다.
낮은 신체적 수고	효율적이고 편리하게, 그리고 최소한의 육체적 노동으로 사용할 수 있어야 한다.
접근과 사용을 위한 크기와 공간	사용자의 신체적 크기, 자세, 혹은 이동성에 상관없이 접근, 도달, 작동 그리고 활용할 수 있는 적절한 크기와 공간이 제공되어야 한다.

52 2020 초등A-2

[모범답안]

1) ① 정운이는 상지의 불수의 운동으로 인해(또는 소근육 운동의 어려움으로 인해) 기기 하단의 버튼을 직접 누르는 데 어려움이 있기 때문에 미세한 근육 활동만으로도 조작 가능한 스위치를 이용해 장치를 활성화시키는 과정이 필요하다.

2) ① 확대키보드
② ⓞ, 콘텐츠의 모든 기능은 키보드로 접근하여 사용할 수 있도록 해야 한다.

[해설]

2) ① 운용의 용이성 원칙 중 입력장치 접근성 지침의 키보드 사용 보장 검사 항목에 의하면 웹 페이지에서 제공하는 모든 기능은 키보드만으로도 사용할 수 있도록 제공해야 한다.
- 키보드란 사용자가 텍스트를 입력하기 위하여 사용하는 입력장치를 의미한다. 여기에는 키보드의 자판입력을 해독하기 위하여 사용되는 소프트웨어도 포함된다. 예를 들어, 키보드의 형태를 가지지 않았지만 기능적으로 키보드를 대신하는 입력장치[📖 노트북 및 개인 휴대 정보 단말기(Personal Digital Assistant, PDA) 등의 터치패드, 음성 입력장치 등] 등도 키보드로 간주한다. 위치 지정 도구와 화면 키보드 프로그램을 조합한 가상 키보드 입력장치와 스마트폰과 태블릿 기기의 키보드 입력 프로그램도 키보드의 일종으로 간주한다(미래창조과학부, 2015: 6).

② 한국형 웹 콘텐츠 접근성 지침 2.1에 근거하여 제시된 웹 콘텐츠 제작 시 고려사항을 살펴보면 다음과 같다(단, ⓞ은 수정 후 제시하였음).

[지문 돋보기]

- ⓓ 읽거나 사용하는 데 충분한 시간을 제공함: 충분한 시간 제공
- ⓑ 콘텐츠의 깜빡임 사용을 제한하여 광과민성 발작 유발을 예방함: 광과민성 발작 예방
- Ⓐ 빠르고 편리한 사용을 위하여 반복되는 메뉴를 건너뛸 수 있게 함: 쉬운 내비게이션
- ⓞ 콘텐츠의 모든 기능에 키보드로 접근하여 사용할 수 있도록 함: 입력장치 접근성

[Check Point]

📝 한국형 웹 콘텐츠 접근성 지침 2.1(2015. 3. 31.)

① 인식의 용이성

지침	지침 설명 및 검사 항목(7개)
1.1. 대체 텍스트	텍스트가 아닌 콘텐츠에는 대체 텍스트를 제공해야 한다. • 적절한 대체 텍스트 제공: 텍스트가 아닌 콘텐츠는 그 의미나 용도를 인식할 수 있도록 대체 텍스트를 제공해야 한다.
1.2. 멀티미디어 대체 수단	동영상, 음성 등 멀티미디어 콘텐츠를 이해할 수 있도록 대체 수단을 제공해야 한다. • 자막 제공: 멀티미디어 콘텐츠에는 자막, 대본 또는 수화를 제공해야 한다.
1.3. 명료성	콘텐츠는 명확하게 전달되어야 한다. • 색에 무관한 콘텐츠 인식: 콘텐츠는 색에 관계없이 인식될 수 있어야 한다. • 명확한 지시 사항 제공: 지시 사항은 모양, 크기, 위치, 방향, 색, 소리 등에 관계없이 인식될 수 있어야 한다. • 텍스트 콘텐츠의 명도 대비: 텍스트 콘텐츠와 배경 간의 명도 대비는 4.5 대 1 이상이어야 한다. • 자동 재생 금지: 자동으로 소리가 재생되지 않아야 한다. • 콘텐츠 간의 구분: 이웃한 콘텐츠는 구별될 수 있어야 한다.

② 운용의 용이성

지침	지침 설명 및 검사 항목(9개)
2.1. 입력장치 접근성	콘텐츠는 키보드로 접근할 수 있어야 한다. • 키보드 사용 보장: 모든 기능은 키보드만으로도 사용할 수 있어야 한다. • 초점 이동: 키보드에 의한 초점은 논리적으로 이동해야 하며 시각적으로 구별할 수 있어야 한다. • 조작 가능: 사용자 입력 및 컨트롤은 조작 가능하도록 제공되어야 한다.
2.2. 충분한 시간 제공	콘텐츠를 읽고 사용하는 데 충분한 시간을 제공해야 한다. • 응답시간 조절: 시간제한이 있는 콘텐츠는 응답시간을 조절할 수 있어야 한다. • 정지 기능 제공: 자동으로 변경되는 콘텐츠는 움직임을 제어할 수 있어야 한다.
2.3. 광과민성 발작 예방	광과민성 발작을 일으킬 수 있는 콘텐츠를 제공하지 않아야 한다. • 깜빡임과 번쩍임 사용 제한: 초당 3~50 회 주기로 깜빡이거나 번쩍이는 콘텐츠를 제공하지 않아야 한다.

지침	지침 설명 및 검사 항목(6개)
2.4. 쉬운 내비게이션	콘텐츠는 쉽게 내비게이션 할 수 있어야 한다. • 반복 영역 건너뛰기 : 콘텐츠의 반복되는 영역은 건너뛸 수 있어야 한다. • 제목 제공 : 페이지, 프레임, 콘텐츠 블록에는 적절한 제목을 제공해야 한다. • 적절한 링크 텍스트 : 링크 텍스트는 용도나 목적을 이해할 수 있도록 제공해야 한다.

③ 이해의 용이성

지침	지침 설명 및 검사 항목(6개)
3.1. 가독성	콘텐츠는 읽고 이해하기 쉬워야 한다. • 기본 언어 표시 : 주로 사용하는 언어를 명시해야 한다.
3.2. 예측 가능성	콘텐츠의 기능과 실행결과는 예측 가능해야 한다. • 사용자 요구에 따른 실행 : 사용자가 의도하지 않은 기능(새 창, 초점에 의한 맥락 변화 등)은 실행되지 않아야 한다.
3.3. 콘텐츠의 논리성	콘텐츠는 논리적으로 구성해야 한다. • 콘텐츠의 선형 구조 : 콘텐츠는 논리적인 순서로 제공해야 한다. • 표의 구성 : 표는 이해하기 쉽게 구성해야 한다.
3.4. 입력 도움	입력 오류를 방지하거나 정정할 수 있어야 한다. • 레이블 제공 : 사용자 입력에는 대응하는 레이블을 제공해야 한다. • 오류 정정 : 입력 오류를 정정할 수 있는 방법을 제공해야 한다.

④ 견고성

지침	지침 설명 및 검사 항목(2개)
4.1. 문법 준수	웹 콘텐츠는 마크업 언어의 문법을 준수해야 한다. • 마크업 오류 방지 : 마크업 언어의 요소는 열고 닫음, 중첩 관계 및 속성 선언에 오류가 없어야 한다.
4.2. 웹 애플리케이션 접근성	웹 애플리케이션은 접근성이 있어야 한다. • 웹 애플리케이션 접근성 준수 : 콘텐츠에 포함된 웹 애플리케이션은 접근성이 있어야 한다.

53   2020 초등B-4

모범답안

1) 다양한 방식의 표상 수단 제공

54   2020 초등B-5

모범답안

1) 보완대체의사소통

해설

지문 돋보기

- 표정, 몸짓 : 비도구적 상징
- 그림 : 도구적 상징
- 가리키기 : 기법
- 컴퓨터 : 보조도구
- 표정, 몸짓, 그림 가리키기, 컴퓨터 등을 포함 : 보완대체의사소통 체계
- 표정, 몸짓, 그림 가리키기, 컴퓨터 등을 포함한 비구어적 수단을 활용하는 지도 방법 : 보완대체의사소통

1) 보완대체의사소통이란 다양한 원인으로 말하기나 쓰기에 어려움을 느끼는 이들이 의사소통 능력을 향상하고 사고의 확장을 도우려고 사용하는 여러 가지 의사소통 유형을 말한다. 발성은 가능하나 발음이 부정확한 사람에게 표정, 몸짓, 컴퓨터 등과 같은 보조도구(방법)를 활용하는 방법을 알려 주거나, 전혀 발성이 되지 않는 사람에게 그림이나 글자 등의 상징을 사용하여 의사소통을 돕는 방법 등을 포함한다. 의사소통을 지원함으로써 소통 능력을 향상하도록 개인의 의사소통에 사용되는 상징, 보조도구, 전략, 기법 등에 총체적으로 접근하는 방법이다(특수교육학 용어사전, 2018 : 206).

55   2020 초등B-6

모범답안

1) 시뮬레이션형(또는 모의실험용)

해설

1) 컴퓨터 보조수업이란 컴퓨터가 직접 교사의 수업기능을 대신하여 교과내용의 지식이나 기능, 태도 등을 학생들에게 가르치는 것(김용욱 외, 2003 : 245)으로 학습내용의 구성에 따라 반복연습형, 개인교수형, 시뮬레이션형, 게임형, 발견학습형, 문제해결형으로 구분한다. 시뮬레이션형(또는 모의실험형)은 가상적 상황에서 과제를 수행하고 그 결과를 확인함으로써 구체적인 지식을 습득할 수 있도록 한다.

56   2020 중등A-7

모범답안

- ㉡ 문법적 범주의 구성
  어휘를 왼쪽에서 오른쪽으로 명사(대명사), 조사, 동사의 순이 되게 배열한다(또는 어휘를 왼쪽에서 오른쪽으로 구어의 어순에 따라 배열한다).
- ㉢ 해제 활성화 전략

해설

㉢ 해제 활성화 전략은 컴퓨터 화면을 손으로 지적하고 원하는 항목을 지적해도 활성화되지 않다가, 원하는 항목에 도달해서 접촉을 유지하다가 손을 떼었을 때 해당 항목이 활성화되도록 하는 기능을 말한다. 손으로 지적하는 것에서 접촉이 해제되었을 때 활성화되며, 접촉 시간은 학생의 능력과 요구에 따라 조정해 준다. 학생이 너무 느리거나 비효율적으로 움직여서 시간이 설정된 활성화 전략(동 시간 활성화 전략)만으로는 컴퓨터의 사용이 어려운 경우 사용된다(박은혜 외, 2018 : 492).

지문 돋보기

- 화면이나 대체 입력기기를 직접 접촉하거나 누르고 있을 동안에는 선택되지 않음: 기법의 종류를 제시하는 것으로 직접선택 기법임을 의미
- 선택하고자 하는 해당 항목에 커서가 도달했을 때, 접촉하고 있던 것을 떼게 되면 그 항목이 선택됨: 상징이 선택되는 방법에 대한 설명으로 해제의 방법을 이용하여 상징을 선택함을 의미

Check Point

✎ 어휘 목록 구성 전략
① 문법적 범주의 구성
② 의미론적 범주의 구성
③ 환경/활동 중심으로 구성

57   2020 중등B-4

모범답안

- ㉡ 공간지능

Check Point

✎ 다중지능 유형

지능 영역	주요 신경체제	지능의 핵심요소	지능 개발을 위한 학급 활동
언어 지능	좌뇌 측두엽, 전두엽	언어의 소리, 구조, 의미와 기능에 대한 민감성	의성어와 은유법에 대해 토론
논리 수학 지능	좌뇌 두정엽, 우뇌	논리적·수리적 유형에 대한 민감성과 구분 능력, 연쇄적으로 추리하는 능력	삼각형의 넓이에 대한 공식을 이용해 건물의 한 측면에서 다른 측면까지의 거리 계산하기
공간 지능	우뇌 후두엽	시공적 세계를 정확하게 지각하고, 최초의 지각에 근거해 형태를 바꾸는 능력	그림을 그릴 때 투시법 사용하기
대인 관계 지능	전두엽, 측두엽 (우뇌), 변연계	타인의 기분, 기질, 동기, 욕망을 구분하고 적절하게 대응하는 능력	학급 친구들 간의 논쟁에서 두 가지 의견 모두를 경청하기
자기 성찰 지능	전두엽, 두정엽, 변연계	자기 자신의 감정에 충실하고 자신의 정서들을 구분하는 능력, 자신의 장점과 약점에 대한 인식	자신의 욕구 좌절에서 통찰을 획득하기 위해 문학에서 등장인물 역할극하기
신체 운동 지능	소뇌, 기저핵, 운동피질	자기 몸의 움직임을 통제하고, 사물을 능숙하게 다루는 능력	민속춤 추기, 노래하기
음악 지능	우뇌 측두엽	리듬, 음조, 음색을 만들고 평가하는 능력, 음악적 표현 형식에 대한 평가 능력	노래의 리듬, 박자 결정하기
자연 친화 지능	우뇌 측두엽	자연적으로 유형을 이해하는 능력	식물의 주기에서 유형 관찰하기

출처 ▶ 민은지(2018 : 16-17), Sternberg et al.(2010 : 107)

58 · 2021 유아A-1

모범답안

1) 다양한 방식의 참여 수단 제공

해설

1) UDL 가이드라인 2.2에 근거할 때, 유아들의 관심과 흥미를 유발하는 데 초점을 두고 있음에 주목한다.
   - 2018년 CAST에서 제시한 보편적 학습설계의 원리란 UDL 가이드라인 2.2에 제시된 원리를 의미한다.
   - 제시된 내용은 다양한 방식의 참여 수단 제공 원리 중 흥미 유발을 위한 다양한 선택 제공 지침과 관련된다.

Check Point

보편적 학습설계의 원리
① 다양한 방식의 표상 수단 제공
② 다양한 방식의 행동과 표현 수단 제공
③ 다양한 방식의 참여 수단 제공

59 · 2021 초등A-6

모범답안

2) 다양한 방식의 표상 수단 제공

해설

2) 읽기 능력이 부족한 소희가 도덕과의 인지적 요소를 학습할 수 있도록 인쇄물 또는 음성자료, 서책형 자료에 대한 대안으로 다양한 방법으로 정보를 제시함을 의미하기 때문에 보편적 학습설계의 원리 중 다양한 방식의 표상 수단 제공과 관련된다.

60 · 2021 초등B-1

모범답안

2)
① 키가드
② 다음 중 택 1
- 타이핑 정확도를 향상시킬 수 있다.
- 불필요한 키보드 사용 및 조작을 감소시켜 피로감을 줄일 수 있다.

해설

2) ① 키가드는 컴퓨터 키보드 위에 놓기 위해 키마다 구멍이 뚫린 아크릴이나 금속으로 만들어진 커버를 말한다.
   - 고려해야 할 미나의 장애 특성은 근육이 뻣뻣하고 움직임이 둔하기 때문에 소근육 운동 조절이 어렵다는 점, 상지에 가벼운 마비가 있는 양마비로 인해 상지를 이용한 키보드 입력이 어려울 수 있다는 점, GMFCS 4단계이므로 헤드스틱과 같은 입력보조도구의 이용은 가능하다는 점이다.

Check Point

키가드 사용의 장점
① 키가드의 구멍이 한 번에 하나의 키만을 누를 수 있도록 유도하기 때문에 타이핑 정확도를 향상시킬 수 있다.
② 불필요한 키보드 사용 및 조작을 감소시켜 피로감을 줄일 수 있다.
③ 선택/포인팅 장치를 사용하는 학생이나 소근육 운동 조절이 어려운 사람은 원하는 각각의 키를 더 쉽게 찾을 수 있다.
④ 손 또는 팔의 피로가 쉽게 오는 학생은 키를 선택할 때 키가드 위에 손을 얹어 휴식을 취할 수 있고, 한 키에서 다른 키로 옮겨갈 때 키가드 위에서 미끄러지듯 움직일 수 있다.

61 | 2021 초등B-4

모범답안

| 2) | 사용자가 스위치를 누르고 있는 동안 커서가 이동하고, 스위치에서 손을 떼면 커서가 멈춰 해당 내용을 선택하는 기법이다. |

해설

2) 유도된 스캐닝(또는 반전 스캐닝)은 주로 스위치 활성화에 어려움을 보이지만, 일단 활성화가 이루어지면 이를 유지하고 스위치를 정확하게 해제할 수 있는 사람에게 유용하다.

Check Point

선택 조절 기법

기법	작동 원리
자동 스캐닝	미리 설정한 형태로 커서가 움직이다가 사용자가 스위치를 누르거나 치면 커서가 멈춰서 해당 내용을 선택하는 기법
단계별 스캐닝	사용자가 스위치를 반복적으로 눌러 커서를 이동시키다가 원하는 상징에 도달했을 때 시간을 기다리거나 제2의 스위치를 누르면 선택된 상징이 작동하는 기법
반전 스캐닝	사용자가 스위치를 누르고 있는 동안 커서가 이동하고, 스위치에서 손을 떼면 커서가 멈춰 해당 내용을 선택하는 기법

62 | 2021 초등B-6

모범답안

| 1) | 상징(또는 흑백 상징) |

63 | 2021 중등B-10

모범답안

- 학생 L: 동영상 자료 활용 시 자막이 필요하고 색상 단서만으로는 자료의 특성을 구별하기 어렵기 때문에 인식의 용이성을 고려해야 한다.
  학생 M: 시각 자극에 민감하여 발작 증세가 나타나고 모든 기능을 키보드로 조작해야 하기 때문에 운용의 용이성을 고려해야 한다.
- CAI의 유형: 시뮬레이션형
  장점: 다음 중 택 1
  - 실제로 행하는 것보다 위험 부담이 적다.
  - 비용이 절감된다.
  - 실제 상황보다 더 간편하다.
  - 시간을 절약할 수 있다.
  - 어떤 현상의 구체적인 상황에 초점을 맞추는 능력이 증가된다.
  - 경험을 반복할 수 있다.

해설

지문 돋보기

학생의 특성과 웹 접근성을 정리하면 다음과 같다.

학생	특성	관련 검사 항목	관련 지침	관련 원리
L	청지각 변별의 어려움	자막제공	멀티미디어 대체 수단	인식의 용이성
	색 변별의 어려움	색에 무관한 콘텐츠 인식	명료성	
M	시각 자극에 민감	깜빡임과 번쩍임 사용 제한	광과민성 발작 예방	운용의 용이성
	마우스 사용의 어려움	키보드 사용 보장	입력장치 접근성	

Check Point

컴퓨터 보조 수업 유형별 기본 구조

① 반복연습형

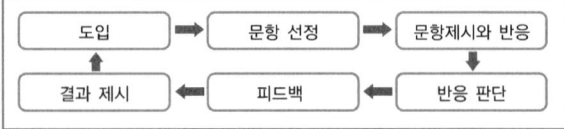

② 개인교수형

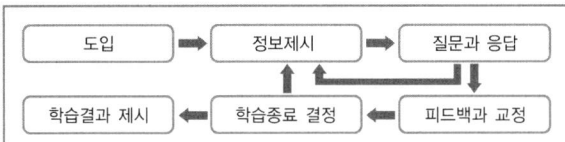

③ 시뮬레이션형

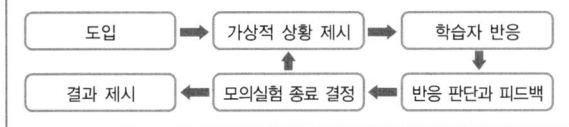

64   2022 유아B-2

모범답안

2) ① 인지 능력
② 직접선택이 적절함

해설

2) ① 인지 능력 진단에서는 AAC 적용과 관련된 기본 인지 능력으로 사물 연속성, 부분과 전체의 개념 이해, 범주화 능력을 알아본다. 이뿐만 아니라 사물의 기능에 대한 이해 및 사물과 상징의 대응관계를 평가하는 것도 중요하다(박은혜 외, 2019: 334).

② 제시된 [C]의 내용에 의하면 한 손가락으로도 버튼을 잘 누를 수 있고 기다리지 않고 도움 없이 버튼 누르는 것을 좋아하므로 직접선택이 적절하다.
- 기법이란 보완대체의사소통 체계 사용자가 전하고자 하는 메시지를 선택하거나 판별하는 방식으로 직접선택과 간접선택(또는 스캐닝)으로 구분된다.
- 직접선택 방법은 손, 발, 팔 등과 같이 스스로 일관성 있게 의도적으로 움직일 수 있는 신체 부분을 사용하여 그림 의사소통판의 상징을 짚거나 상징이 부착된 기기를 누르는 것을 말한다. 간접선택 방법은 손으로 직접선택하기를 못하는 경우 신체의 한 부위로 스위치를 눌러서 선택하게 하는 간접적인 방법이다(박은혜 외, 2019: 321-323).

Check Point

✅ 보완대체의사소통 지도를 위한 평가
- 파라다이스 보완대체의사소통 기초 능력 평가(PAA)

운동 능력	자세 및 이동 능력의 평가	바른 자세를 취할 수 있는지, 어떤 자세 보조기기가 필요한지 등을 평가하여 AAC 체계를 사용할 때의 적절한 자세에 대해 알아본다.
	신체 기능의 평가	• 상징 선택 및 표현에 필요한 운동 능력을 알아보는 것이다. • 의사소통판이나 AAC 기기를 사용할 경우 상징을 직접 지적하거나 스위치 등의 간접적인 방법을 사용하기 때문에 학생의 신체 기능을 알아보아야 한다.
감각 능력		• AAC 기기에 사용할 상징의 유형, 크기, 사용자 눈으로부터의 거리 등을 결정하고 의사소통 상징과 기기들의 적절한 배치와 정렬, AAC의 상징 배치, 항목 간 간격 등을 결정하기 위해 시야를 측정하고 시각 관련 근육들의 기능성과 시각을 고정하고 유지하는 능력, 사물들의 위치를 파악하고 훑어보기, 추적하기와 같은 움직임을 진단한다. • 청력 진단은 의사소통기기를 사용할 수 있는지의 기능을 파악하기 위해 필요하며 일반적인 청력검사에 의해 실시한다.
인지 능력		• 인지 능력 진단에서는 AAC 적용과 관련된 기본 인지 능력으로 대상 영속성, 부분과 전체의 개념 이해, 범주화 능력을 알아본다. • 사물의 기능에 대한 이해 및 사물과 적절한 상징의 대응관계를 평가하는 것도 중요하다.
언어 능력		• 수용어휘 및 기본적인 인지 능력을 알면 AAC 체계를 계획하는 데 도움이 된다. • 여러 상징체계 중 어떤 것이 사용자에게 처음 시작하기에 좋은지, 미래를 위해서는 어떤 상징체계로 발전시켜야 할지를 결정하기 위한 평가도 AAC 평가에 포함되는 부분이다. • 언어 평가는 대안적 방법으로 가족구성원, 양육자를 통해 관찰에 의해서 어휘이해 정도를 측정할 수도 있다.

65 | 2022 초등A-4

모범답안

2) ⓑ, 은수는 듣기에는 어려움이 없으나 읽기에 어려움이 있으므로 대신 읽어주는 기능이 필요하기 때문이다.

해설

2) 은수는 읽기에 어려움이 있으나 감각적으로 청각에는 이상이 없다. 따라서 화면에 제시된 글을 읽어줄 수 있는 보조공학기기가 필요하다.
   - 대체 출력장치에는 화면확대, 스크린 리더 등이 포함된다.
   - 화면 확대 프로그램도 대체 출력 보조공학에 해당하지만 단어인지에 어려움이 있는 은수를 지원하는 것과는 무관하다.

Check Point

📝 **자동 책장 넘김 장치**

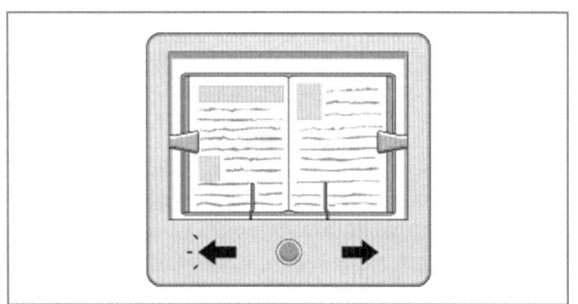

일정 시간 동안 좌·우 지시등이 번갈아 깜빡일 때 기기 하단의 버튼을 눌러 선택하면 페이지가 자동으로 넘겨지는 장치(2020 초등A-2 기출)

66 | 2022 초등B-2

모범답안

2) 음성 출력 의사소통기기의 상징을 보며 "큰북"이라고 말하고 잠시 기다린다.

3) ① 최소-최대 촉구법
   ② 교사는 (구체적인 설명과 함께) 스위치 누르는 것을 시범보이고 4초간 기다린다.

해설

2) 혜지는 시각적 정보 처리에 어려움이 있어 그림을 명확하게 변별하기 어렵기 때문에 시각적 스캐닝은 어렵다. 따라서 스위치에 연결된 상징이 무엇인지를 음성으로 알려준 후 혜지의 반응을 기다리는 청각적 스캐닝의 방법을 사용해야 한다. 이때 상징의 디스플레이 형태는 선형이므로 교사는 작은 북, 큰 북, 징의 순으로 알려 주어야 한다. 교사는 청각적으로 의사소통판의 내용을 말해 준 후 혜지의 반응을 기다리고 있으며 "작은 북"에 대해 반응이 없으므로 다음 차례인 "큰 북"을 말하고 잠시 기다려야 한다.
   - 스캐닝 방법은 시각적 또는 청각적 스캐닝 방법을 사용할 수 있다. 청각적 스캐닝이란 교사나 다른 대화상대자가 의사소통판의 내용을 천천히 말해 주면 원하는 항목이 나왔을 때 정해진 신호를 통해 선택하는 것을 말한다. 시각적 스캐닝의 경우에는 의사소통기기에서 불빛이 정해진 순서대로 천천히 이동하면서 학생이 원하는 항목에 불빛이 왔을 때 스위치를 누르거나 소리 내기, 손 들기 등으로 선택하는 방법을 말한다(박은혜 외, 2019: 323-324).

3) 절차별 시행 방법은 다음과 같다.

지문 돋보기

절차	방법	
스위치를 혜지의 손 가까이 두고 어떠한 촉진도 없이 4초간 기다린다.	시간 지연하기	
스위치를 교사의 손가락으로 가리키고 4초간 기다린다.	지적하기 촉진 (시각적 촉진 제공)	반응 촉진 제공
교사가 "혜지가 오늘 연주하고 싶은 악기를 말해볼까?"라고 말하고 4초간 기다린다.	언어적 촉진	
교사는 (구체적인 설명과 함께) 스위치 누르는 것을 시범보이고 4초간 기다린다.	모델링	
교사가 혜지의 손등을 가볍게 톡톡 건드리고 4초간 기다린다.	부분적 신체 촉진	
교사가 혜지의 손을 잡고 스위치를 누른다.	전반적 신체 촉진	

Check Point

📝 체계적 교수

① 체계적 교수(systematic instruction)란 연구 결과와 학생의 개인적 요구를 기반으로 하여 잘 계획되고 효과적인 교수전략을 사용한 교수를 말한다. 체계적 교수는 자료의 습득과 유창성, 파지 및 일반화를 촉진하는 데 목적이 있다(Best et al., 2018 : 521).

② 체계적 교수는 응용행동분석 원리에 근거하여 학업기술이나 기능적 일상생활 기술을 포함하여 광범위한 범위의 기술 등을 지도하는 데 활용되고 있다. 체계적 교수에서 가장 핵심적인 부분은 단연코 과제분석이다(Collins, 2019 : iii).

67   2022 중등B-3

모범답안

- ㉠ 행렬 스캐닝(또는 집단-항목 스캐닝)
- ㉡ 자동 스캐닝
- ㉢ 다음 중 택 1
  - 머리 또는 다리를 이용할 수 있도록 각도 조절이 자유롭다.
  - 집게(또는 조임쇠)를 이용하여 책상이나 휠체어의 다양한 곳에 고정시켜 사용할 수 있다.

해설

지문 돋보기

(가)
먼저 미리 설정된 '한글 자음', '한글 모음', '문장 부호' 등 3개의 셀에서 '한글 자음' 셀을 선택하고, 그다음 여러 자음이 활성화되면 'ㄱ'을 선택하여 입력하는 방식 : 디스플레이 형태는 행렬 스캐닝에 해당

(나)
- 사용자가 스위치를 누르고 있는 동안에는 커서가 이동하고, 스위치에서 손을 떼면 커서가 멈춰 해당 내용을 선택하는 기법 : 반전 스캐닝
- 미리 설정한 형태로 커서가 움직이다가 스위치를 누르거나 치면 커서가 멈춰서 해당 내용을 선택하는 기법 : 자동 스캐닝

㉠ 행렬 스캐닝은 선택해야 할 버튼/아이콘의 수가 많을 때, 행과 열 단위로 먼저 선택한 후에 선택한 행과 열의 선형 스캐닝을 하는 것을 말한다. 선형 스캐닝 방법에 비해 빠르게 선택할 수 있다는 장점을 가진다(박은혜 외, 2019 : 325).

㉡ 선택 조절 기법이란 도구 자체가 디스플레이 항목을 체계적으로 훑는 동안 원하는 항목을 선택할 수 있도록 하는 기법을 의미한다. 일반적으로 자동 스캐닝, 단계별 스캐닝, 반전 스캐닝의 세 가지가 사용된다. ㉡의 내용은 자동 스캐닝의 작동원리에 해당한다.

Check Point

📝 마운팅 시스템

움직일 수 있는 마운팅 시스템은 다양한 위치로 조절할 수 있고 설치될 수 있다. 이것은 한 명 이상의 사람이 스위치 장착을 필요로 하는 상황일 때 장점이 있다. 여러 사람이 다른 시간대에 같은 마운팅 시스템을 사용하는 것으로 비용이 좀 더 조절될 수 있다. 이러한 유형의 마운팅 시스템은 또한 변동되는 기능이나 요구 때문에 제어 인터페이스의 위치를 변화시키는 것이 필요한 사람에게 유익하다. 이렇게 움직일 수 있는 마운팅 시스템의 단점은 수시로 제어 인터페이스가 제자리에 위치하고 있는지를 판단해야만 한다는 것이다(Cook et al., 2014 : 377).

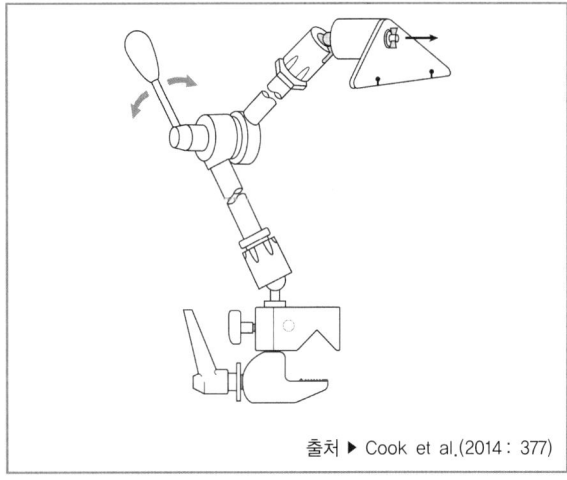

출처 ▶ Cook et al.(2014 : 377)

68   2023 유아A-8

모범답안

2)	태도

해설

2) 기회장벽이란 정책, 실제, 지식, 기술, 태도의 네 가지 유형을 의미한다.

69 | 2023 초등B-1

모범답안

1)	① ㉠ 텍스트가 아닌 콘텐츠에는 대체 텍스트를 제공해야 한다. ② ㉡ 멀티미디어 콘텐츠를 이해할 수 있도록 멀티미디어 대체 수단으로 자막(또는 대본/수화)을 제공하여야 한다.
2)	① 고정키 ② 다음 중 택 1 • 반복된 키 입력을 무시한다. • 짧게 눌려진 키 입력을 무시한다.
3)	① 화면 키보드 ② 개별화교육계획

해설

지문 돋보기

[A] 동물이 해주는 일에 대한 내용이 그림 자료로 제시되고 있음. 시각장애 학생이 화면읽기 프로그램을 이용하기 위해서는 그림 자료(이미지)에 대한 대체 텍스트가 제공되어야 함
[B] 보청기를 착용해도 들을 수 없는 청각장애 학생에게 동물이 해주는 일에 대한 내용을 다큐멘터리, 인터뷰 등의 멀티미디어 자료로 제공하고 있음

• 표준 키보드 사용의 어려움 : 대체 입력장치 필요
• 소프트웨어적으로 해결, 운영체제에 내재 : 기본적으로 제공되는 프로그램
• 대체 마우스와도 연결되는 특성 : 머리제어 마우스와도 같이 사용 가능

1) ㉠ 이미지 등 텍스트 아닌 콘텐츠를 이용할 경우, 그 의미나 용도를 동등하게 인식할 수 있도록 적절한 대체 텍스트를 제공해야 한다.
㉡ 장애인도 비장애인과 동등하게 멀티미디어 콘텐츠를 인식할 수 있도록 제작하기 위해서는 자막, 대본 또는 수화 등과 같은 대체 수단을 제공해야 한다.

2) ① 고정키 기능은 일반적으로 동시에 키를 눌러야 하는 기능키를 실행할 때 순차적으로 키를 눌러도 작동하도록 해준다. 고정키 기능이 활성화되면, 일반 키만 눌러도 모디파이어 키(Shift, Control, Alt)가 동시에 눌린 것처럼 반응한다. 동시에 단 하나의 키만 누를 수 있는 학생은 소프트웨어 프로그램과 운영체계 기능에 액세스하기 위해 키보드 단축키를 사용할 수 있다(Dell et al., 2011 : 181).

② • 탄력키는 발작 증세를 보이는 사람과 파킨슨병이 있는 사람을 포함한 손떨림이 있는 이들을 돕는다. 프로그램은 빠른 속도로 계속해서 두 번 누르는 것을 수용하지 않는다. 만약 평상시와 같은 시간적 간격을 두고 같은 키를 두 번 누른다면, 탄력키는 입력을 받아들일 것이다(Bowe, 2010 : 118).
• 느린키는 키스트로크가 인정될 수 있는 최소 시간을 연장하여 우연히 짧은 시간 동안 눌려졌을 때는 이를 무시하도록 해준다. 이 기능은 한 번 키를 누르면 손을 떼기 어려운 학생이나 타이핑을 위해 손을 움직일 때 의도하지 않게 다른 키를 건드리는 학생이 효율적으로 키보드를 사용할 수 있게 해 준다(Dell et al., 2011 : 181).

3) ① 화면 키보드는 키보드를 사용할 만큼 운동 기술이 충분하지 않지만 조이스틱, 트랙볼 또는 헤드 콘트롤 마우스와 같은 마우스 에뮬레이터를 조작할 수 있는 학생에게 컴퓨터 접근성을 제공한다. 또한 모니터에서 키보드로 주의를 옮길 때 시각적으로 초점을 맞추기 어려운 학생에게도 도움이 된다(Dell et al., 2011 : 205).

② "특수교육 관련서비스"란 특수교육대상자의 교육을 효율적으로 실시하기 위하여 필요한 인적·물적 자원을 제공하는 서비스로서 상담지원·가족지원·치료지원·지원인력배치·보조공학기기지원·학습보조기기지원·통학지원 및 정보접근지원 등을 말한다(「장애인 등에 대한 특수교육법」 제2조 제2항).
• 개별화교육계획에는 특수교육대상자의 인적사항과 특별한 교육지원이 필요한 영역의 현재 학습수행수준, 교육목표, 교육내용, 교육방법, 평가계획 및 제공할 특수교육 관련서비스의 내용과 방법 등이 포함되어야 한다(「장애인 등에 대한 특수교육법 시행규칙」 제4조 제3항).

Check Point

📝 **미드테크에서 하이테크까지의 대체 마우스**

대체 마우스	형태	학생의 특성
트랙볼	미니 트랙볼	관절운동범위의 제한은 있지만 소근육운동 조절이 좋은 경우
	표준형 트랙볼	• 관절운동범위가 큰 경우 • 중등도의 소근육운동 조절 기술이 있는 경우 • 대근육운동 기술이 좋은 경우
	대형 트랙볼	• 어린아이 • 소근육운동 기술이 좋지 않은 경우 • 발로 트랙볼을 조정하는 경우
	개조 트랙볼	• 소근육운동 기술이 좋지 않은 경우 • 키가드에 손목지지대가 필요한 경우
조이스틱	마우스 조정을 위해 게임용 조이스틱을 전환하는 소프트웨어	표준형 게임 조이스틱을 조정할 수 있는 경우
	개조 조이스틱	• 클릭을 위해 스위치를 사용해야 할 경우 • 키가드기 필요한 경우 • 손보다 신체의 다른 부위로 조이스틱을 조정해야 하는 경우
터치스크린	내장 터치스크린	• 어린아이 • 인과관계 학습이 필요한 경우
	부속 터치스크린	직접적이고 직관적인 인터페이스가 필요한 경우
헤드 포인팅 시스템	헤드셋과 반사 물질	• 손을 사용할 수 없는 경우 • 마우스 포인터의 움직임을 보고 따라 갈 수 있는 경우 • 머리조절 능력이 좋은 경우
아이 게이즈 시스템	모니터, 안경 또는 고글에 설치된 카메라	• 손이나 머리를 사용할 수 없는 경우 • 안구 운동을 조절할 수 있는 경우

70 2023 중등A-7

모범답안

• ⓒ 인지 방법의 다양한 선택 제공

해설

ⓒ 정보의 제시 방식을 학습자에게 맞게 설정하는 방법 제공하기, 청각 정보의 대안 제공하기, 시각 정보의 대안 제공하기의 체크 포인트와 관련된 지침은 인지 방법의 다양한 선택 제공하기이다.

• 응용특수공학센터(CAST, 2011)의 보편적 학습설계 가이드라인이란 UDL 가이드라인 2.0을 말한다.

지문 돋보기

UDL 가이드라인 2.0을 기준으로 [ⓒ]의 내용을 살펴보면 다음과 같다.
• SDLMI에서 사용할 '학생질문'의 제시 방식을 학생 A에게 맞게 제공함 : 정보의 제시 방식을 학습자에게 맞게 설정하는 방법 제공
• 시각 정보의 대안을 제공함 : 시각 정보의 대안 제공하기

71 2023 중등B-9

모범답안

- ㉠ 보완대체의사소통
  ㉡ 픽토그램
- 학생 A는 통합학급 수업 시간에 헤드 마우스를 머리로 조절하여 편지 쓰기를 할 수 있다.

해설

지문 돋보기

맥락	통합학급 수업 시간
인간 기술	학생 A의 기능을 평가하여 선택한 보조공학 기기가 헤드 마우스라는 것은 머리 조절이 가능하다는 것을 의미
보조공학	헤드 마우스
활동	편지 쓰기

㉢, ㉣ HAAT 모델은 인간, 활동, 보조공학 그리고 배경(맥락)의 요소로 구성되어 있고, 배경은 환경과 물리적 상황(예 온도, 소음 수준, 조명)뿐만 아니라 사회적·문화적 측면도 포함된다. …(중략)… 글을 쓴다거나 요리를 하는 활동은 보조공학의 목표를 분명하게 한다. 이러한 활동은 일련의 과제를 수행함으로써 성취될 수 있고, 각 활동은 주변 배경 안에서 이루어진다. 활동과 주변 배경이 결합되어 목표를 달성하는 데 요구되는 인간의 기술을 구체화시킨다. 활동 수행기술이 부족한 사람은 보조공학이 사용되고, 보조공학을 활용하기 위해서는 또 다시 기술이 요구된다. 그러나 이러한 기술은 그 사람의 개인적인 능력에 맞게 조정되고, 그런 다음 보조공학 시스템에 연계되는데, 결과적으로 그러한 보조공학 시스템의 기능을 통해 원하는 활동을 달성하게 된다(정동훈 외, 2018 : 201).

- 인간은 보조공학 활용 여부와 관계없이 활동과 과제를 수행하는 주체다. 보조공학을 적용하고자 할 때에는 무엇을 할 수 있는지(기술), 무엇을 못하는지(제한), 그리고 무엇을 하고자 하는지(동기)에 대해 알아야 한다. 이를 위해서는 인간의 기능에 대한 이해가 선행되어야 하며, 인간의 기능은 크게 감각기능, 정보처리기능, 그리고 운동 기능으로 나누어 볼 수 있다(정동훈 외, 2018 : 202).

Check Point

(1) HAAT 모형 적용 예시

쓰기 과제를 수행하려 하는 척수손상장애 학생 홍길동을 가정해 보자. 홍길동은 척수 손상으로 손을 사용할 수 없지만 말은 분명하게 할 수 있으므로 음성 언어를 문자로 변환시켜 주는 음성인식장치로 쓰기 과제를 수행할 수 있다. 그러나 학교나 공공장소에는 여러 사람이 있기 때문에 음성인식에 오류가 생기기 않도록 소음제거 마이크를 사용해야 한다. 이러한 상황에서 홍길동을 위한 보조공학 시스템은 활동(글쓰기), 주변 배경(소음이 많은 공간), 인간 기술(말하는 것), 보조공학(음성인식장치)으로 구성된다(정동훈 외, 2018 : 201).

(2) 헤드 마우스

정의	얼굴에 부착한 반사 스티커를 인식해서 커서를 움직이는 마우스
대상	상지와 하지의 움직임에 어려움이 있지만 얼굴 또는 얼굴의 특정부위를 상하좌우로 움직일 수 있는 학생
사용 방법	• 화상키보드를 컴퓨터에 설치한다. • 드래거 소프트웨어를 설치한다. • 본체를 모니터에 고정하고 USB를 연결한다. • 반사판을 이마에 붙이고 모니터를 보면서 사용한다.

출처 ▶ 경상남도특수교육원(2017). 내용 요약정리

72   2024 초등A-2

모범답안

2)	전자적 훑기를 처음 사용하기
3)	① 실천적 사정 ② 과제

해설

2) **Q**에 의하면 학생의 특성은 인지 기능은 정상이며, 운동 장애가 점차 심해지고 있다. 그러나 **A**에서는 단계적 훑기를 인지 기능이나 운동 기능보다는 다른 이유에서 추천하고 있을 것으로 추측하고 있다. 따라서 단계적 스캐닝 사용에 적절한 대상을 고려할 때 전자적 훑기를 처음 사용하기 때문에 추천한 것으로 볼 수 있다.

- 단계적 스캐닝은 운동 조절이나 인지 능력의 제한이 심한 사람들 혹은 전자 스캐닝 조작을 처음 배우는 사람들이 종종 사용한다(Beukelman et al., 2017 : 146).

3) ② SETT 모델에 근거하여 모델의 구성 요소와 제시된 내용을 비교하면 다음과 같다.

지문 돋보기

학생 (S)	학생의 특성 • AAC 체계를 사용하고 있음 • 인지 기능은 정상임 • 호흡이 거칠고 불규칙함 • 운동징애가 심해지고 있음
환경 (E)	태도 및 기대 • 현재의 의사소통 방법과 다른 방법이 요구됨 • 학교와 집에서 사용하기를 희망함
도구 (T)	보조공학 도구 • 단계적 훑기 기법을 이용한 보완·대체의사소통 방법 활용

- 학교와 집에서 어떤 과제(**예** 사회성, 의사소통 기술 향상 등)를 수행하기 위한 것인지에 대한 설명은 제시되어 있지 않다.

Check Point

(1) 보조공학 사정의 일반적 특성

생태학적 사정	• 보조공학의 사정은 보조공학과 관련된 다양한 요소들을 모두 고려해야 한다. • 효과적인 사정은 사용자에게 영향을 끼칠 사람들과 기기가 사용될 다양한 환경을 고려해야 한다.
실천적 사정	• 보조공학 사정은 학생들의 행동이 나타날 상황에서 보조공학기기들을 사용함으로써 현실적으로 계속되어야 한다. • 보조공학기기가 선택되고 사용자에게 맞춰진 후, 사정은 보조공학기기들이 사용될 복잡한 상황에서 계속된다.
계속적 사정	• 사정은 한 가지 형식이나 다른 형식으로 계속된다. • 사정팀의 결정이 정확하고 보조공학기기가 효과적이고 올바른 방법으로 사용되고 있는지 확인하기 위해 보조공학기기의 사용이 감시되고 지속적으로 평가되어야 한다.

(2) SETT 구조 모델

각 부분에 있는 질문은 그 자체로 이해하고 끝내기보다는 함께 논의해 볼 문제이다.

학생
- 기능적으로 중요한 부분이 무엇인가? 학생이 스스로 하기 어렵거나 할 수 없지만 해야 할 것은 무엇인가?
- 특별한 요구(중요 부분과 관련하여)
- 현재 능력(중요 부분과 관련하여)

환경
- 조정(교육적, 물리적)
- 지원(학생과 스탭 모두 이용할 수 있는)
- 자원과 장비(환경 내에서 다른 사람이 일반적으로 사용하는)
- 접근성 이슈(기술적, 물리적, 교육적)
- 태도 및 기대(스탭, 가족, 다른 사람의)

과제
- IEP 목표 및 목적을 완수할 수 있는 학생의 평소 환경에서 어떤 구체적인 수행과제가 생기는가?
- 환경 안에서 적극적인 참여를 위해 어떤 구체적인 수행과제가 필요한가?

학생과 환경, 수행과제에 대해 수집된 정보를 분석하고 다음의 질문과 활동에 대해 논의해 보자.

도구
- 보조공학기기와 서비스 없이 학생의 교육적 목표를 달성할 수 없을 것으로 예상하는가?
- 만약 그렇다면, 학생이 좋아하는 유용한 보조공학기기와 서비스 시스템이 무엇인지 기술한다.
- 시스템에 포함되는 도구는 학생의 요구를 수용해야 한다.

- 평소 환경에서 가장 잘 사용할 수 있는 것을 시험 사용 도구로 선택한다.
- 구체적인 시험 사용 계획을 짠다(예상되는 변화, 도구의 사용 시기와 방법 등 기타).
- 효과에 관한 데이터 수집

의사결정에 도움이 되는 정보인지 확인하고 실행이 정확하고 최신의 정보인지, 모든 관련된 지식을 확실히 반영하는지 등을 확인하기 위해 SETT 프레임워크 정보를 주기적으로 다시 참조한다.

73 2024 중등A-7

모범답안

- ㉠ 아이 게이즈 시스템(또는 눈 응시 시스템)
- ㉡ 평균 활성화(또는 여과 활성화)

해설

㉠ 아이 게이즈 시스템은 마우스 포인터 조정을 위해 안구 움직임을 사용하는 것이다. 아이 게이즈 시스템은 적외선 센시티브 비디오 카메라를 사용하여 학생이 보는 곳을 정한 다음 그 지점에 마우스 포인터를 위치시킨다. 안경이나 고글에 아이 트래킹 장치를 설치하기도 하고, 일부 시스템은 컴퓨터 모니터에 장치를 두는 경우도 있다. 아이 게이즈 시스템에 따라 스위치, 시스템 자체 또는 눈을 깜빡거리는 방법을 이용하여 클릭을 시행한다(Dell et al., 2011 : 198).

Check Point

✎ 활성화 전략

시간 활성화 전략	• 작동 원리 : 사용자가 어떠한 방법으로든 화면의 항목을 확인하는 것이 필요하고, 장치에 의한 선택이 인식되어지기 위해서는 일정한 시간 동안 접촉을 유지시키는 것이 필요한 방법 • AAC 의존자가 일정한 방식(예 신체적 접촉, 광선이나 레이저 빔 발사, 응시)으로 디스플레이의 항목을 식별한 다음, 그 도구가 선택 항목을 인식하도록 미리 결정되어 있는 시간 동안 접촉(또는 그 위치에 머무르기)을 유지하도록 요구한다.
해제 활성화 전략	• 작동 원리 : 화면이나 (대체)입력기기를 직접 접촉하거나 누르고 있을 동안에는 선택되지 않지만, 선택하고자 하는 해당 항목에 커서가 도달했을 때 접촉하고 있던 것을 떼게 되면 그 항목이 선택되는 방법 • 사용자가 디스플레이에 손가락을 갖다 대고 원하는 항목에 도달할 때까지 접촉을 유지해야 한다. 사용자가 디스플레이와 직접적인 접촉을 유지하는 동안에는 선택이 이루어지지 않기 때문에 디스플레이상의 어디에서든지 자신의 손가락을 움직일 수 있다. 항목을 선택하려면 사용자는 자신이 원하는 디스플레이의 어떤 이미지(상징)에서 접촉을 해제하면 된다. 접촉시간은 개인의 능력과 요구에 따라 조정될 수 있다. • 사용자로 하여금 손의 안정성을 유지하면서 디스플레이를 사용하도록 해주며, 너무 느리거나 비효율적으로 움직여서 시간이 설정된 활성화 전략으로는 이득을 얻을 수 없는 사용자의 오류를 최소화할 수 있는 장점이 있다.
평균 활성화 전략	• 작동 원리 : 광선이나 광학 포인터의 움직임을 단시간 내에 평균화해서, 가장 오랫동안 가리킨 항목을 작동시키는 방법 • 시간 활성화 전략 혹은 해제 활성화 전략이 어려운 이들을 대상으로 하는 방법으로, 일반적인 영역은 선택할 수 있으나 특정 항목을 선택하기 위해 요구되는 접촉을 안정적으로 유지하는 데 어려움이 있는 최중도 장애인들을 위한 전략으로 활용 가능하다.

74 2024 중등A-11

모범답안

- ㉠ 대인관계 지능

75　　2024 중등B-4

모범답안
- ㉠ 불기-빨기 스위치

해설
㉠ 불기-빨기 스위치는 스위치를 향해 개인이 숨을 불어 넣거나 스위치 밖으로 공기를 빨아내는 것에 의해 작동된다. 사용자는 프로세서에 각기 다른 명령을 전달하기 위해 스위치에 다양한 정도의 공기 압력을 보낼 수 있다(Cook et al., 2014: 372).

Check Point

(1) 단일 스위치의 유형

범주	정의
기계 스위치	• 몸의 특정 부분에서 작용되는 힘에 의해 작동된다. • 단일 스위치 유형에 가장 일반적으로 사용되며, 다양한 모양과 크기가 있다.
전자기 스위치	빛이나 무선전파와 같은 전자기에 의해 활성화된다.
전기 제어 스위치	물체표면으로부터 전기적 신호를 감지함으로써 활성화된다.
근접 스위치	• 몸의 움직임으로 작동되지만 스위치에 직접적인 힘이 가해지는 것을 요구하지 않거나 혹은 살짝 대기만 해도 작동되는 스위치를 말한다. • 근접 스위치는 작동하기 위해 건전지와 같은 외부 전원을 필요로 하기 때문에 '능동적 스위치'라고 한다.
공기압 스위치	호흡 또는 공기 흐름 감지로 활성화된다.
발성 스위치	음성이나 소리 감지로 활성화된다.

(2) 공기압 스위치

불기-빨기 스위치	• 불기-빨기 스위치는 스위치를 향해 개인이 숨을 불어 넣거나 스위치 밖으로 공기를 빨아내는 것에 의해 작동된다. • 사용자는 프로세서에 각기 다른 명령을 전달하기 위해 스위치에 다양한 정도의 공기 압력을 보낼 수 있다.
베개 스위치	베개 스위치는 쥐어짜거나 압력이 쿠션에 작용할 때의 공기 압력에 반응한다.

76　　2024 중등B-8

모범답안
- ㉥ 도상성

해설
㉥ 도상성이란 용어는 "사람들이 상징과 그 지시 대상에 대해 품고 있는 어떤 연상"을 의미한다(Beukelman et al., 2017: 70).

Check Point

도상성

도상성은 하나의 연속체로 언급될 수 있다.

투명 상징	지시 대상이 없어도 그 상징의 의미를 추측할 수 있을 정도로 지시 대상의 형태, 움직임, 기능 등이 예상되는 것들이다.
불투명 상징	그 의미가 제시될 경우에도 상징과 지시 대상 간의 관계가 이해되지 않는 것들이다.
반투명 상징	지시 대상의 의미가 명확할 수도 있고 불명확할 수도 있다. 그러나 일단 그 의미가 제공되면 상징과 지시 대상 간의 관계가 이해될 수 있는 것들이다.

출처 ▶ Beukelman et al.(2017: 70-71). 내용 요약정리

77 · 2024 중등B-9

모범답안

- ⓒ 다양한 방식의 행동과 표현 수단 제공

해설

ⓒ 관련 지침은 표현과 의사소통을 위한 다양한 선택 제공이다.

Check Point

📝 **다양한 방식의 행동과 표현 수단 제공**

신체적 표현 방식에 따른 다양한 선택 제공 (4)
- 응답과 자료 탐색 방식 다양화하기 (4.1)
- 다양한 도구들과 보조공학기기 이용 최적화하기 (4.2)

표현과 의사소통을 위한 다양한 선택 제공 (5)
- 의사소통을 위한 여러 가지 매체 사용하기 (5.1)
- 작품의 구성과 제작을 위한 여러 가지 도구들 사용하기 (5.2)
- 연습과 수행을 위한 지원을 점차 줄이면서 유창성 키우기 (5.3)

실행기능을 위한 다양한 선택 제공 (6)
- 적절한 목표 설정에 대해 안내하기 (6.1)
- 계획과 전략 개발 지원하기 (6.2)
- 정보와 자료 관리를 용이하게 돕기 (6.3)
- 학습 진행 상황을 모니터하는 능력 증진시키기 (6.4)

78 · 2025 유아A-6

모범답안

2)
① 지식장벽
② AAC 기기를 소개하고 용도 설명하기

해설

2) ① AAC 기기는 늘 켜 둬야 함에도 불구하고 아이들은 그 사용법을 잘 모르고 있음을 나타내고 있다. 이와 같은 AAC에 대한 정보부족은 참여모델의 기회 장벽 중 지식장벽에 해당한다.
- 지식장벽이란 AAC 체계에 대한 정보가 부족한 것을 의미한다. AAC에 대한 인식 부족, AAC 중재 부족, 공학에 대한 이해 부족, 교수전략 부족 등 AAC에 관한 지식 부족은 의사소통에 어려움이 있는 학생들의 효과적인 참여를 방해한다. 따라서 AAC 평가의 목적에는 이러한 지식의 부족을 파악하여 이를 최소화하는 노력도 포함되어야 한다(박은혜 외, 2024: 89-90).

Check Point

📝 **지식 및 기술 등 기회장벽을 없애기 위한 지원 내용**

일반학급 교사 지원		또래학생 지원	
AAC에 대한 소개	• AAC의 의미와 AAC가 필요한 대상에 대한 설명 • AAC 사용 사례에 대한 동영상 자료 제시 후 AAC의 효과와 장점, 필요성 강조	설명하기	• 태블릿 PC AAC 도구를 소개하고 용도 설명하기 • 상징, 어휘의 의미와 용도 설명하기 • 상징 조합이 의미하는 것 지도하기
AAC에 대한 정보 제공	• AAC 도구 내용과 표현 방법, 프로그램 조작 방법 설명 • 학생이 일반학급에 통합되어 있는 모든 상황에서 의사소통 도구를 유용하게 사용할 수 있도록 꾸준한 지원	시범 보이기	질문을 하고 그에 적절한 대답을 태블릿 PC에서 찾아 지적하는 것을 시범 보이기
		요구하기	• 자신이 말을 못한다는 가정을 하고 짝꿍과 짝을 지어 의사소통 시도해 보기 • 중도장애 학생의 입장에서 적절한 요구하기, 기술 알려 주기
대화 상대자 교수	• 학생에게 의사소통의 기회를 제공하는 방법 교수 • 다른 사람과 순서를 주고받는 대화 기술 • 시간지연 전략 지도	기다리기	중도장애 학생과 대화 시 의사소통판을 사용하도록 일정 시간(5초간) 기다리기
		메시지 확인하기	중도장애 학생이 태블릿 PC를 사용해 의사표현한 것에 대해 확인해 주는 방법 교수하기

출처 ▶ 임장현(2011), 박은혜 외(2023)에서 재인용

79 | 2025 초등B-6

모범답안

3) 인지 능력이 낮은 경우에도 상징을 보고 그 뜻을 유추하기 쉽기 때문이다.

해설

3) 그래픽 상징은 학생의 인지적·신체적·의사소통적 필요를 고려하여 적합한 것으로 선택한다. 그래픽 상징은 도상성이 높아야 한다. 도상성이란 그림의 의미를 쉽게 연상하고 유추할 수 있는 정도를 말한다. 시각적 상징과 지시 대상이 유사할수록 도상성이 높으며, 도상성이 높은 상징일수록 학습하기가 쉽다(박은혜 외, 2024: 49).

- 상징체계는 사실성, 도상성, 모호성, 복잡성, 전경과 배경 차이, 지각적 명확성, 수용 가능성, 효율성 및 크기를 포함하여 다양한 특성으로 기술되지만 보통 독립적인 의미의 명쾌함 정도하고 할 수 있는 도상성에 따라 분류한다. 도상성에 따라 분류하면 사진과 실물은 어떠한 추가 정보가 없더라도 그 의미가 명확하기 때문에 '투명'하고, 문자는 글을 읽을 수 있는 사람만 이해할 수 있기 때문에 '불투명'한 것으로 간주된다. AAC를 위한 상징 선택은 아동의 운동 기술과 언어발달, 인지수준 등을 고려하여 구체적인 것에서부터 추상적인 것까지, 쉽고 간단한 것에서부터 복잡하고 어려운 것까지 체계적으로 사용해야 한다(성동훈 외, 2018: 258-259).

80 | 2025 중등A-2

모범답안

| ㉠ | 기술력의 정도(또는 공학적 수준) |
| ㉡ | 전략 |

해설

㉠ [A]에는 보조공학의 연속적 구성과 관련하여 하이테크 기기와 로우테크 기기가 언급되고 있다. 하이테크와 로우테크 등과 같은 보조공학의 연속선상 분류는 보조공학장치에 적용된 기술력의 정도(또는 공학적 수준)에 따라 분류한 것이다.

- Blackhurst는 보조공학장치에 적용된 기술력의 정도에 따라 고급, 중급, 저급, 무 테크놀로지로 구분하고 있다(권충훈 외, 2024: 68).
- 보조공학은 다양한 공학적 수준에 따라 노테크, 로우테크, 미드테크, 하이테크로 분류된다(특수교육학 용어사전, 2018: 207).

㉡ 보완대체의사소통의 구성 요소란 보완대체의사소통 체계를 의미하며, 상징, 보조도구, 기법, 전략 등을 총체적으로 통합한 것을 말한다. 여기서 전략이란 상징과 보조도구 그리고 기법을 통해 의사표현을 원활하게 하기 위한 방법을 의미한다.

- Beukelman과 Mirenda에 따르면, AAC 체계란 개인의 의사소통을 증진시키기 위해 사용되는 상징, 보조도구, 전략 및 테크닉을 포함하는 요소들의 통합군이다. 여기에서 상징은 도구를 이용하지 않는 상징과 도구를 이용하는 상징으로 구분되며, 보조도구에는 상징을 구성하여 사용하는 의사소통판이나 음성합성장치가 포함된다. 그리고 전략에는 의사소통을 증진시키기 위한 역할놀이, 점진적인 촉구 방법 등이 포함되며, 기술(기법)에는 보조도구를 이용하여 메시지를 전달하기 위한 직접선택, 스캐닝, 부호화하기 등이 포함된다(김영한 외, 2022: 309).
- 보완대체의사소통 체계의 전략이란 AAC 사용자가 자신의 메시지를 전달할 때의 효율성(예 정확도, 시간)을 높이기 위한 방법을 말한다(김영태, 2019: 474).

Check Point

📝 **AAC 전략**

교수자 측면의 전략	보완대체의사소통을 지도하는 사람들은 다음과 같은 기본 지식을 갖추고 있어야 함 • 말 이외의 다른 의사표현 방법의 개발이 필요한 이유 • 보완대체의사소통의 특성과 체계 • 보완대체의사소통 사용자들과 의사소통을 촉진할 수 있는 방법
사용자 측면의 전략	보완대체의사소통 사용자들은 다음과 같은 사항을 준수해야 함 • 의사소통 상대자에게 긍정적인 자기 이미지를 심어주기 • 다른 사람들에게 흥미를 줄 수 있고 상호작용할 수 있어야 하며, 상대자와의 대화에 적극적으로 참여하기 • 의사소통 상대자와 대화할 때 시작과 끝을 맺는 연습을 하며, 질문하고 대답하는 대화기술 익히기 • 보완대체의사소통 사용자는 상대자가 보완대체의사소통 체계에 적극적으로 동참할 수 있게 해야 함
기타	보완대체의사소통 사용자와 대화하는 상대자 역시 다음과 같은 몇 가지 사항을 알아둘 필요가 있음 • 자신을 소개하기 • 의사소통체계를 어떻게 사용하는지 보여 줄 것을 요구하기 • 메시지를 구성할 시간을 주고, 인내심을 가지고 기다리기 • 긴장을 풀고 의사소통 리듬을 천천히 하도록 하기 • 보완대체의사소통 사용자가 대화 상대자에게 질문을 하거나 논평할 기회 주기 • 다음에 어떤 말이 나올지 추측할 수 있을지라도, 보완대체의사소통 사용자의 허락 없이 말을 끝내지 않기 • 가능한 한 눈을 맞추고 상호작용하기 • 구어로 의사소통을 하는 것처럼 얼굴 표정과 몸짓에 집중하기 • 이해하지 못했으니 반복해 달라는 말을 거리낌 없이 하기 • 다른 사람을 통하지 말고 보완대체의사소통 사용자에게 직접 이야기하기

81 2025 중등B-6

모범답안

- ⓒ 고정키
  ⓒ 탄력키

해설

ⓒ 고정키 기능은 일반적으로 동시에 키를 눌러야 하는 기능키를 실행시킬 때 순차적으로 키를 눌러도 작동하도록 해준다. 고정키 기능이 활성화되면, 일반 키만 눌러도 모디파이어 키(Shift, Control, Alt)가 동시에 눌린 것처럼 반응한다(Dell et al., 2011 : 181).

ⓒ 일정 시간이 지나기 전에는 반복해서 누른 키를 수용하지 않도록 하는 것은 탄력키 설정을 통해 가능하다.

김남진
KORSET 특수교육
기출분석 ❸

PART 09

지체장애아교육

01
2009 유아1-10

정답) ⑤

해설
⑤ 느리게 심호흡을 하고, 날숨을 조절해서 길게 내쉬도록 한다. 들숨은 빨리 쉬게 한다.

Check Point

(1) 뇌성마비 학생의 호흡 특성
① 날숨의 지속시간이 너무 짧다.
② 역호흡 증상이 나타난다.
③ 호흡량이 부족하다.
④ 음절당 소모되는 공기의 양이 많다.

출처 ▶ 고은(2021 : 386)

(2) 뇌성마비 학생의 언어 특성
뇌성마비 학생의 언어 특성은 유형에 따라 다르게 나타난다.
① 경직형
  ㉠ 경직형으로 인해 발음기관이 완전히 차단되어 음성기관을 움직이기 어렵다.
  ㉡ 호흡이 빠르고 얕으며 들숨 후에 길게 충분히 내쉬는 것이 어렵다.
  ㉢ 말을 하더라도 힘들게 말을 하여 성대의 과도한 긴장으로 후두에서 쥐어짜는 듯한 소리가 나며 소리의 크기나 높이를 조절하기 어렵다.
  ㉣ 과대 비음을 보이고 억양 변화가 없거나 단조로우며 느리게 말을 하고 음절을 한 음씩 끊어서 말하는 특성을 보인다.
② 불수의 운동형
  ㉠ 호흡이 거칠고 불규칙적이며 기식성의 소리가 많고 역호흡을 보인다.
  ㉡ 경도장애의 경우에는 가벼운 조음의 장애만을 보이나, 심한 경우에는 말을 전혀 할 수 없다.
  ㉢ 목을 가누지 못하고, 침을 흘리고 삼키는 것이 어려워 말하는 것을 방해한다.
  ㉣ 발음이 명료하지 못하고, 조음장애가 많으며, 적절한 호흡조절이 어려워 헐떡거리는 듯한 호흡으로 잡음이 나타난다.
  ㉤ 지도 방법으로는 입과 코로 부드럽게 숨을 쉬게 하고 날숨과 발성의 지속시간을 연장하고 긴장하지 않고 여유있게 심호흡을 하여 길게 소리내게 한다.
③ 진전형
  • 말을 할 때 떨림과 말더듬 현상이 심하게 나타난다.

출처 ▶ 박은혜 외(2019 : 74)

02
2009 중등1-27

정답) ②

해설
ㄱ. 튜브를 통해 음식물을 섭취하는 학생이 상호작용에 참여할 수 있도록 튜브 섭식은 또래들의 평상시 간식 시간, 식사 시간에 이루어지도록 한다(박은혜 외, 2019 : 448).
  • 식사 시간, 환경 수정과 관련하여 정상화 원칙은 일반적인 환경에서, 약속된 식사 시간에 다른 사람들과 함께 같은 장소에서 같은 음식을 섭취하는 것을 말하며, 식사 기술을 지도할 때 가장 우선시해야 하는 원칙이다(김영한 외, 2022 : 139).
ㄴ. 문제에서처럼 혀의 조절장애가 있는 경우 연식에 비해 유동식은 통제가 어렵기 때문에 액체류가 바로 기도로 넘어갈 위험이 있다. 이뿐만 아니라 지속될 경우 변비나 치아(충치)의 문제를 야기하는 것은 연식에 대한 설명에 해당한다.
ㄷ. 신경근육계 손상으로 혀의 조절장애가 있는 학생은 유동식보다 연식(軟食)으로 제공하는 것이 좋다. 하지만 지속될 경우 변비나 치아의 문제를 야기할 수 있으므로 주의한다. 일반적으로 구강 조절기능이 저하된 환자는 진하게 만든 액체가 가장 용이하고 그다음 연한 농도의 음식 순이며, 인두삼킴이 지연된 환자는 사과잼이나 으깬 감자처럼 진한 농도의 음식이 가장 용이하다(Logemann, 2007 : 213). 따라서 신경근육계 손상으로 혀의 조절장애가 있는 학생은 유동식보다 연식(軟食)으로 제공하는 것이 좋다. 이에 반해 혀의 기저부나 인두 벽의 수축이 저하된 환자는 액체에서 가장 양호할 것이며, 후두 상승이 저하되었거나 상부식도조임근의 이완이 저하된 환자는 액체에서 좀 더 양호할 것이다.
ㄹ. 구역질 반사(gag reflex, 구역반사, 구토반사)는 유해한 물질 혹은 음식을 인두에서 제거하는(뱉어내는) 반사를 의미한다. 따라서 구역질 반사는 유해한 물질이 입안으로 들어오는 것을 막으므로 사례가 들리지 않도록 하며 이 반사가 둔해지면 큰 조각의 음식물이나 이상한 물체를 삼키는 것을 막지 못한다.
  • 구역질 반사는 일생 동안 나타나는 생존반사이다. 신생아는 혀 뒤쪽이나 목구멍(예 인두 부분)에 닿기만 해도 매우 강한 구토반응을 나타낸다. 아기가 입안에 손가락이나 장난감을 가져가며 더 많은 단단한 음식물을 견디기 시작하면서 구역질 반사는 점차 줄어들고 약 7개월 때 성인의 인식적 구역질과 비슷하게 변한다(Best et al., 2018 : 315-316).

- 구역질 반사가 민감하게 지속될 경우 음식물을 먹을 때마다 구토를 하는 증상이 나타나 정상적인 식사를 방해하는 경우도 발생한다(김혜리 외, 2021 : 240).
ㅁ. (학생에 대한 신체적 보조가 필요하지 않은 경우) 음식을 먹이는 사람이 지체장애 학생의 앞에 앉으면 눈 맞춤을 더 잘할 수 있고, 몸도 대칭적인 자세를 취할 수 있다(정동훈 외, 2018 : 350, 356-357).
  - 식사하는 동안 머리를 뒤로 밀거나 머리조절이 안 좋은 경우: 식사를 도와주는 사람은 학생의 옆에 앉고 학생과 나란히 옆에 앉되 약간 뒤쪽에 앉는다.
  - 머리조절이 좋은 경우: 학생의 앞에 앉아 구강조절을 한다.

Check Point

(1) 여러 가지 질감의 음식물
일반적으로 음식물은 질감에 따라 액체류(통 유동식, full liquid diet)에서 이유식(퓨레), 부드러운 음식(통 연식, 부드러운 고형 음식, soft diet, 예 치즈케이크, 사과소스, 스프, 요거트 등), 그리고 고형 음식, 혼합된 음식으로 구분할 수 있다(Best et al., 2018 : 317).

(2) 신경운동적 장애를 가진 아동의 섭식
근육 긴장 이상이나 무정위 운동형 뇌성마비 아동은 섭식과 삼키기 기능에서 사용되는 구강 움직임의 독립과 협응을 발달시키지 못한다. 실질적으로 신체에 과신전이 있는 아동은 혀를 강하게 수축시키거나 내밀 수 있다. 혀를 강하게 수축하면 젖 빨기에 사용되는 혀의 위아래 움직임과 빨기에 사용되는 혀의 앞뒤 움직임이 어려워져 액체류, 이유식, 고형 음식물을 먹기 힘들어진다. 삼키기를 위한 혀의 움직임이 최소화되고, 제대로 통제되지 못한 상황에서 음식물이 목구멍으로 넘어가므로 목 걸림을 유발할 수 있다(Best et al., 2018 : 323).

03 2009 중등1-28

정답 ⑤

해설

ㄱ. 욕창 방지 쿠션 휠체어에 오래 앉아 있는 학생을 위해 좌석에 욕창 방지 쿠션을 깔아 주면 체중을 분산시켜 욕창을 예방할 수 있는 이점이 있다. 학생이 앉아 있을 때는 욕창 방지 쿠션의 사용 여부와 관계없이 자세나 체위를 일반적으로 30분마다 바꾸어 주어 욕창이 발생하지 않도록 하는 것이 바람직하다.

ㄴ. 욕창은 다양한 원인에 의해 발생한다. 척수에 손상이 있는 경우 감각 마비로 혈액순환의 장애가 있어도 불편한 느낌을 알 수 없고, 운동마비로 움직일 수 없으므로 혈액순환을 위한 자세 변경이 어렵기 때문에 발생한다(정동훈 외, 2018 : 51). 따라서 신체 움직임으로 인해 욕창이 발생한다고 할 수 없으며 오히려 적절한 신체 움직임은 필요하다.

ㄷ. 척수 손상으로 인한 욕창은 주로 좌골과 꼬리뼈, 발뒤꿈치 같이 뼈가 돌출되고 살이 마른 부위에 많이 발생한다. 예방이 중요한데 누워 있을 때는 적어도 2시간마다, 휠체어에 앉아 있을 때는 30분마다 자세 변화를 해주어야 한다. 그리고 압력 경감을 위한 쿠션을 사용하거나 단백질 등 균형있는 영양섭취, 자주 발생하는 부위를 항상 청결하고 건조한 상태로 유지하는 것이 좋다(정동훈 외, 2018 : 51-52).

04　　2009 중등1-33

정답 ④

해설

지문 돋보기

문항의 내용(하지의 내전 구축으로 '가위' 형태의 자세를 보이기도 하며, 걸을 수 있는 경우 첨족 보행을 특징으로 하는 뇌성마비)과 그림은 경직형 뇌성마비를 나타내고 있음

① • 경직형은 근긴장도가 높다(과다긴장형). 경직형 뇌성마비는 근긴장도가 높아서 근 수축이 계속되어 운동이 과장되어 나타난다.
  • 몸통과 사지를 일정하게 비튼다. : 불수의 운동형의 특성이다. 불수의 운동형은 사지를 불규칙하게 뒤틀거나, 팔다리를 움찔거리는 행동을 보인다.
  • 운동의 중복성 : 불수의 운동형의 특성이다. 수의적 조절의 어려움으로 인해 의도하지 않게 신체의 두 부위를 함께 움직이는 운동의 중복성이 나타나 동작의 선택을 어렵게 한다.
② 강직형 뇌성마비에 대한 설명이다.
③ 진전형 뇌성마비에 대한 설명이다.
④ 원시적 집단반사(또는 원시적 공동운동 패턴)란 신체 전체에서 신전 혹은 굴곡이 나타나는 것을 말한다. 즉, 무릎을 구부리면 고관절과 발목 관절, 발가락도 전부 구부러지고, 펴면 전부가 펴지는 패턴의 움직임이다. 유아에게는 보통의 패턴이지만, 뇌성마비 아동은 위와 같은 패턴이 종종 나타난다.
⑤ 운동실조형 뇌성마비에 대한 설명이다.

05　　2009 중등1-36

정답 ①

해설

ㄱ. 헤드포인터 : 선택/포인팅 장치이다.
ㄴ. 음성합성장치 : 지체장애 학생 A는 말을 할 수 없으므로 텍스트를 음성으로 합성한 후 청각적으로 제공하고자 하는 경우 음성합성장치를 사용할 수 있다.
ㄷ. 전자지시기기 : 사용자가 초음파 기기, 적외선 빔, 눈동자 움직임, 신경 신호, 뇌파 등을 이용하여 화면상의 커서를 움직일 수 있도록 해 준다. 화면 키보드를 사용할 때도 전자지시기기는 사용자들이 글의 입력뿐만 아니라 여러 가지 자료에 접근할 수 있도록 해준다(김용욱, 2005 : 279).
ㄹ. 음성인식장치 : 지체장애 학생 A는 말을 할 수 없으므로 사용이 불가능하다.
ㅂ. 폐쇄 회로 텔레비전(CCTV) : 확대 독서기라고도 하며 저시력장애 학생들의 읽기에 활용되는 보조공학기기이다. 지체장애 학생 A의 시력은 정상이므로 불필요하다.
ㅅ. 광학 문자 인식기 : 시각장애 학생들에게 유용한 보조공학기기로, 스캐너 또는 카메라로 인쇄물을 스캔하여 저장한 후 문자 인식 프로그램을 통해 이미지를 제외한 문자만을 추출하여 텍스트 파일로 변환하는 시스템이다. 시력이 정상인 지체장애 학생 A에게는 불필요하다.

Check Point

✎ 전자지시기기

① 전자지시기기의 주요 적용
  ㉠ 컴퓨터 활용 시 손을 사용할 수 없는 경우
  ㉡ 머리(목)나 눈의 움직임이 원활한 경우, 혹은 신경신호나 뇌파를 조절하는 능력을 익힐 수 있는 경우
② 전자지시기기의 특징 및 주요 고려사항
  ㉠ 어떤 기기는 선택을 하기 위해 스위치를 움직여야 한다.
  ㉡ 어떤 기기는 선택을 하기 위해 스위치로 멈추게 하거나 머물 수 있도록 해야 한다.
  ㉢ 어떤 기기는 선택을 하기 위해 눈을 깜빡여야 한다.
  ㉣ 모든 작동은 화면 키보드에서 이루어진다.
  ㉤ 어떤 기기는 머리 움직임을 이용하여 커서를 움직인다.
  ㉥ 어떤 기기는 눈움직임을 통해 컴퓨터를 사용할 수 있기 때문에 머리를 조절할 수 있는 근력이 필요하다.
  ㉦ 어떤 기기는 컴퓨터와 유선으로 연결되어 있으며, 어떤 기기는 무선으로 연결되어 있어 적절한 거리를 유지하여 컴퓨터를 원격 조정할 수 있다.

출처 ▶ 김용욱(2005 : 280-281)

06
2010 유아1-19

정답) ①

해설

① 긴장성 미로반사의 영향을 받은 아동은 복와위 시 머리를 들어올릴 수 없고 앉기나 무릎으로 기기를 할 수 없다. 앙와위 시에는 머리를 들 수 없고, 앉기 위하여 몸을 일으킬 수 없으며, 신체 중심선에 팔을 모으기도 어렵다. 이러한 반사의 영향을 피하기 위하여 누워 있을 때에는 옆으로 눕는 자세를 취하는 것이 좋고, 앉은 자세에서 적절한 자세 잡기 기기를 이용하면 이 반사의 영향을 많이 줄일 수 있다(박은혜 외, 2019 : 364-365).
② 머리-신체 일치반사에 대한 설명이다.
③ 비대칭 긴장성 경반사에 대한 설명이다.
④ 대칭 긴장성 경반사에 대한 설명이다.
⑤ 비대칭 긴장성 경반사에 대한 설명이다.

Check Point

☑ 머리-신체 일치반사

① 시기: 생후 2~6개월까지 나타남
② 유발 자극: 반듯이 누운 상태에서 머리나 몸통을 한쪽 방향으로 돌리는 자극에 의해 나타남
③ 동작: 반듯하게 누운 상태에서 머리를 돌리면 몸통이 머리와 같은 방향으로 돌아감. 혹은 반듯하게 누운 상태에서 몸통을 돌리면 머리가 몸통과 같은 방향으로 돌아감
④ 기타: 성장 이후 구르기 동작의 기초가 됨

출처 ▶ 김선진(2003 : 110)

07
2010 유아2B-4

모범답안 개요

부적절한 상황과 개선방안	• 또래들에게 자기가 주워온 나뭇잎을 동호에게 주도록 한다. → 이동을 위한 보조공학기기, 나뭇잎 수집을 위해 개조된 보조공학기기를 지원하여 스스로 나뭇잎을 수집하게 한다. • 앉기 자세가 불안정한 동호를 위해 따로 활동하도록 별도의 공간을 제공한다. → 동호의 특성에 적합한 맞춤식 의자 등을 제공하여 또래들과 같은 공간에 있게 한다. • 작품에 대한 또래의 이야기를 듣게 한다. → 보완대체의사소통을 이용하여 또래들과 의사소통하게 한다.
지도상 오류	• 동호에게 지원이 필요할 때에는 교사가 동호의 옆쪽에서 도와준다. → 동호는 비대칭 긴장성 경반사이므로 목의 좌우 운동에 의해 움직임이 유발된다. 따라서 동호의 정면 중심선 앞에서 도와줘야 한다. • 왼손의 소근육 운동기술을 집중적으로 발달시켜야 하므로 주로 왼손을 사용하여 만들게 한다. → 양손을 모두 사용하여 만들게 한다.

08
2010 초등1-8

정답) ③

해설

지문 돋보기

윤 교사가 뇌성마비 학생 경수의 일상생활과 학습 장면에서 관찰한 결과에 의하면 경수의 특성은 다음과 같이 요약할 수 있다.
• 소리나 움직임에 크게 놀라는 반응을 보인다. : 원시반사의 잔존 영향이 남아있음
• 얼굴과 팔을 함께 움직인다. : 운동의 중복성이 나타남
• 불안정한 목소리로 말한다. : 소리가 현저하게 떨림
• 다른 학생이 주목하는 긴장된 상황에서 더욱 심하게 일어난다. 의도하지 않은 불필요한 동작이나 이상한 방향으로 돌발적인 동작이 일어난다. : 변화성 근긴장으로 비자발적이고 불수의적인 운동이 나타남
→ 이와 같은 특성을 보이는 뇌성마비는 불수의 운동형 뇌성마비에 해당함

ㄱ. 불수의 운동형 뇌성마비는 근육의 떨림이나 근긴장도가 수시로 변한다.
ㄴ. 원시반사가 수개월이 지나도 사라지지 않으면 중추 신경계통에 문제(중추신경계의 미성숙이나 기능 이상)가 있음을 의심할 수 있다.
ㄹ. 뇌성마비 학생의 비정상적인 반사와 자세의 문제, 근긴장도의 이상은 고관절 탈구, 척추 측만증, 관절 구축 등의 정형외과적 문제를 유발한다. 이는 원인이 아닌 장애의 영향에 해당한다.

09
2010 초등1-34

정답) ⑤

해설
ㄱ. 같은 색깔의 그림을 찾게 하는 것은 시지각 변별력 향상에 도움이 된다.
- 고유수용성 감각(통 자기수용감각, 고유감각)이란 자신의 신체 위치, 자세, 평형 및 움직임(운동 정도, 운동 방향)에 대한 정보를 파악하여 중추신경계로 전달하는 감각이다. 고유수용성 감각은 특징상 우리 몸이 움직이는 동안에 주로 발생하지만 서 있는 동안에도 자세 등에 대한 정보를 대뇌에 전달한다(특수교육학 용어사전, 2018: 42).
- 주변 밝기가 달라져도 원래의 색은 동일하다는 데 초점을 두는 경우는 (명도) 항상성 지각에 도움이 된다.

ㄴ. 형태 지각력은 형태의 정확성을 관찰하고 구분짓는 것을 의미하기 때문에 사람의 형태나 모양을 말하도록(또는 찾도록) 지도한다.
- 그려진 사람의 위치를 말하게 하는 것은 공간위치 지각력 또는 공간관계 지각력 향상과 관련이 있다. 즉, 철수를 기준으로 사람 그림의 위치를 파악하고 있다면 공간위치 지각력을 고려한 것이고, 밑그림 내에서 다른 그림을 기준으로 사람 그림의 위치를 말하게 하는 것이라면 공간관계 지각력을 파악하는 것이 된다.

Check Point

■ 뇌손상에 의한 지체장애 학생의 지각 특성

① 공간위치 지각
  ㉠ 물체가 있는 공간과 관찰자 간의 관계를 지각하는 것이다.
    예 물체가 자신을 중심으로 앞, 뒤, 위, 아래, 옆에 있는 것을 지각하는 것이다.
  ㉡ 뇌성마비 학생의 경우 자신의 신체를 중심으로 좌우, 위아래와 같은 위치지각에 어려움이 있다.

② 공간관계 지각
  ㉠ 둘 이상의 물체의 위치 및 물체 상호 간의 위치, 즉 물체 상호 간의 관계를 지각하는 능력이다.
    예 저금통에 동전을 넣는 학생은 자신과 저금통과 손에 잡은 동전의 위치뿐만 아니라 동전과 저금통의 위치도 지각할 수 있어야 한다.
  ㉡ 뇌성마비 학생이 공간관계의 지각이 덜 발달될 경우 학습에 있어 글자를 바르게 읽기, 바르게 쓰기, 지도 찾기, 그래프 이해하기 등의 과제에서 어려움을 나타낸다.

③ 시각-운동 협응
  ㉠ 시각을 신체운동 혹은 신체 일부와 조정시키는 능력이다.
  ㉡ 뇌성마비의 경우 시각-운동의 어려움으로 문장을 읽을 경우 시각 추적이 원활하지 못해 문장을 다 읽지 못하거나 글자 혹은 문장을 빼고 읽거나 그리기, 쓰기, 가위질, 착탈의가 미숙한 경우가 많다.

④ 항상성
  ㉠ 5세에서 7세 사이에 급속히 발달하며 사물을 보는 조건(크기, 밝기, 색, 형)은 변해도 대상물은 항상 그대로의 사물이라고 인지하는 능력이다.
    예 사진의 토끼와 실물토끼는 크기는 달라도 같은 토끼로 인식하는 것이다.
  ㉡ 뇌성마비의 경우 항상성에 어려움을 보여 같은 단어나 도형을 크기나 글자체를 다르게 나타내면 다른 것으로 인식할 수 있다. 즉, 위치와 배경에 따라 크기와 형태가 달라 보이지만 같은 글자와 도형이라는 인지가 어렵다.

⑤ 전경-배경 지각
  ㉠ 뇌성마비의 경우 전경-배경 지각의 곤란으로 주자극과 배경자극의 선택에 어려움을 겪으며 이는 학생의 주의를 산만하고 혼란스럽게 한다. 책의 페이지나 사물 찾기가 어눌하고 글의 행을 건너뛰곤 한다.
  ㉡ 뇌성마비 학생은 전반적으로 일반학생에 비해 전경보다 배경에 더 반응하는 경향이 높게 나타난다.

출처 ▶ 박화문 외(2011: 85-87)

10
2010 중등1-20

정답) ①

해설
ㄱ. 머리가 뒤로 젖혀지면 양팔은 펴지고(신전근의 증가) 양쪽 다리는 구부려진다(굴곡근의 증가).: 대칭 긴장성 경반사
ㅁ. 개인용 학습 자료를 제시할 때는 학생 A의 정면 중심선 앞에서 제시해야 한다.
ㅂ. 스위치로 조작하는 의사소통판을 사용할 때, 스위치를 세워주어 A가 조작을 위해 머리를 숙여 반사가 활성화되지 않도록 한다.: 대칭 긴장성 경반사

11

2010 중등1-34

정답 ②

해설
ㄱ. 뇌성마비의 조건에서 합병증으로 인해 후천적으로 척추 측만이 나타난 경우 척추 측만의 유형 중 신경근성 척추 측만증으로 분류되는 것이지 뇌성마비가 발생학적으로 신경근성 척추 측만인 것으로 분류하는 것은 아니다.
ㄹ. 척추 측만증 교정을 위해 맞춤화된 앉기 보조 도구를 제공하여 가장 편하고 바른 자세를 잡아 주되, 그 자세를 일정 시간마다 바꿔주는 것이 좋다. 한 자세를 오랜 시간 동안 유지하는 것은 욕창 또는 정형외과적 변형을 가져올 수 있기 때문에 바람직하지 않다.
ㅁ. 척추 주위의 운동 자극점을 지속적으로 눌러주어 비정상적인 자세긴장도를 정상화하는 것 : 보이타 치료법에 대한 설명이다.

Check Point

(1) 지체장애의 원인 증후별 분류

교육적인 입장에서 보면 중복·지체장애는 질환을 가지고 있는 환자가 아니고 일반 학생과 같은 교육 대상자로 보며 신체 기능 장애를 가진 증후군이다. 이러한 증후군은 매우 다양하게 나타나는데, 크게 신경성 증후군과 운동기 증후군으로 나눌 수 있다. 그중 주된 증후군은 다음과 같다(전헌선 외, 2006 : 29-31).

① 신경성 증후군 : 마비성 증후군
  ㉠ 뇌성마비
  ㉡ 진행성 근위축증
  ㉢ 척수성 소아마비
② 운동기 증후군
  ㉠ 결핵성 증후군
  ㉡ 골 증후군 : 골형성 부전증, 연골무형성증, 골수염 등
  ㉢ 관절 증후군 : 선천성 고관절탈구, 병적 탈구, 관절염, 관절구축 등
  ㉣ 외상성 증후군 : 절단, 반흔구축 등
  ㉤ 형태 이상 증후군 : 만족골, 내반슬, 외반슬, 척추측만, 척추후만, 척추전만, 단지증 등

(2) 척추 측만증의 원인

① 척추 측만증의 특징은 그 원인에 따라 결정된다. 소아과 연령대에서 발병되는 변인의 대부분은 다섯 가지 범주로 분류될 수 있다. 즉, 특발성, 선천성, 유전성 증후군, 비기능적인 것, 그리고 신경근성이다(Heller et al., 2012 : 277-280).

```
척추 측만증 ─ 비구조적 척추 측만증 : 고정된 기형 아님, 단순 만곡, 일시적
            └ 구조적 척추 측만증 ─ 특발성 척추 측만증 : 원인 불명
                                ├ 선천성 척추 측만증 : 출생 시
                                ├ 신경근성 척추 측만증 :
                                │   신경질환, 근육질환으로 발생
                                └ 기타
```

② 대다수의 환자에서는 그 원인을 알 수 없는 특발성 척추 측만증으로 분류되나 발생학적 척추의 이상을 가진 선천성 척추 측만증과 여러 가지 신경 질환 또는 근육질환에 이차적으로 발생하는 신경근성 척추 측만증이 있다(특수교육학 용어사전, 2018 : 453).

12

2010 중등1-36

정답 ②

해설
① 기동성을 높이기 위해서는 앞바퀴와 뒷바퀴 모두 작을수록 좋다. 뒷바퀴의 경우 크기가 클수록 지면에 전달되는 힘은 적어지기 때문에 기동성이 떨어진다.
③ 등받이의 재질은 다소 딱딱한 것이 좋다.
④ 랩 트레이(≒ 휠체어용 책상)는 몸통과 머리의 안정성에 도움이 된다.
⑤ 팔걸이는 상지의 지지를 도와 몸무게를 지지할 수 있으므로 몸통의 안정성에 도움이 된다.

Check Point

수동 휠체어의 구성

머리받침대	머리 조절이 어려운 학생에게 필요하며 머리의 자세, 근긴장, 목의 자세 또는 연하작용을 보조해 준다.
등받이	• 접을 수 있도록 제작된 형태가 대부분이다. • 학생의 자세를 위해서는 딱딱한 재질이 더 바람직하다. • 고개를 가누는 정도에 따라 높이 조절이 필요하다.
의자	• 자세의 지지를 위해 단단한 것일수록 좋다. • 엉덩이의 크기에 적절하게 맞추는 것이 좋다.
좌석 벨트	이동 시 안정성을 제공하며, 몸통 및 골반의 위치를 잡아 주고, 미끄러짐 현상을 방지한다.

팔걸이	• 상지의 지지를 도와 몸무게를 지지할 수 있으므로 척추의 기형을 예방할 수 있다. • 의자에서 휠체어로 이동 시 팔걸이를 잡고 이동하게 되므로 적절한 높이와 안정성이 필요하다. • 팔걸이를 지지하여 체중을 분산시키거나 체중 이동 훈련을 할 수 있으므로 둔부의 압력을 줄이고 욕창 등의 문제를 예방할 수 있다.
뒷바퀴	플라스틱 소재의 딱딱한 바퀴보다는 공기가 들어가는 바퀴가 충격 흡수 면에서 우수하여 승차감이 좋으나 공기주입 장치 및 바퀴 수리 등 보수 관리가 필요하다.
손 조절바퀴 (핸드림)	이동 시 손으로 잡는 둥근 손잡이 부분으로, 직경이 클 경우에는 힘을 이용하여 출발 및 가속이 쉽고, 직경이 작을 경우에는 속도의 유지가 용이하다.
브레이크 및 조절장치	전동 휠체어의 경우 조이스틱형 조절장치가 적합하며 헤드스틱이나 입을 이용하는 스위치로 된 장치도 사용된다.
앞바퀴 (보조바퀴)	• 앞바퀴의 크기가 큰 경우에는 이동 시 충격을 흡수하여 승차감이 좋고 장애물 통과가 쉽다. 그러나 기동성이 떨어지고 앞바퀴의 크기가 발의 배치를 방해할 수 있다. • 앞바퀴가 작은 경우에는 회전이 쉽고 바퀴 흔들림이 적으며 이상진동이 덜하다. 그러나 충격 흡수가 나빠 승차감이 좋지 않으며 틈에 빠지기 쉽다.
발 받침대, 다리 받침대	무릎과 다리, 발의 각도를 올바르게 위치할 수 있도록 한다.
휠체어용 책상	• 휠체어를 이용하는 학생의 섭식과 의사소통 기기를 놓는 등 학습활동에 사용이 편리하다. • 독립적인 이동을 방해하며 휠체어의 무게와 전후 좌우의 길이를 증가시켜 불편을 초래한다.

13 2011 유아1-16

정답 ④

해설

ㄷ. 낮 동안의 훈련이 성공적으로 끝나면 밤 동안의 배변패턴 조사와 훈련을 실시한다(김영한 외, 2022 : 156).
  • 독립적인 화장실 사용 단계에서는 가정과 연계하여 학교에서 이루어지는 낮 동안의 화장실 사용 습관이 가정에서의 밤 시간의 화장실 사용 습관으로 이어질 수 있게 지도한다(김영한 외, 2022 : 160).

Check Point

📝 용변기술 지도 단계

단계	지도 내용
[1단계] 습관 만들기	• 1단계의 목적은 학생이 규칙적인 계획표에 따라 변기에 앉는 경험을 하게 하는 것이다. - 용변 패턴을 파악한 후 학생에게 시간에 맞춰 용변을 보도록 하는 것으로, 예측되는 시간 10분 전에 화장실에 가도록 하며 5분 동안 변기에 앉아 있도록 한다. • 훈련을 돕기 위한 환경 조절 방법은 학생의 습관 만들기에 도움이 된다. • 화장실에 가는 것을 꺼리거나 공포를 느끼는 학생들의 경우에는 강제로 실시하지 않는다.
[2단계] 스스로 화장실 사용 시도하기	• 화장실에 가야 할 필요를 인식하고 징후를 나타내도록 하는 단계이다. 학생이 용변을 보자마자 칭찬해 줌으로써 방광이 가득 찬 것과 배설하는 것의 관계를 인식하도록 돕는다. • 아동이 젖어 있다는 느낌을 방해하는 것(예 기저귀)을 몸에서 제거하고, 입고 벗기 편한 속옷을 입도록 지도한다. 처음에는 바지를 정기적으로 점검하며 마른 채로 있을 때에는 강화하고, 실수 시에는 관심이나 강화를 하지 않고 옷을 갈아입히는 등의 단계를 통해 훈련을 시작한다. • 다리를 꼬거나, 얼굴을 찡그리거나, 구석으로 가는 등과 같이 화장실에 가고자 하는 학생의 행동 표현에 대해 민감한 관찰이 요구된다.
[3단계] 독립적으로 화장실 사용하기	• 3단계의 목적은 화장실에 가야 한다는 것을 깨닫게 하고, 화장실에서 이루어지는 모든 과정을 스스로 해야 한다는 것을 알게 하는 것이다. • 변기에 앉아 있는 시간이 많을수록 배변할 확률이 높으나 학교에서는 자주 화장실에 갈 수 있는 여건이 안 되므로 시간당 10~15분 정도 화장실에 머물면서 훈련하는 것이 효과적이다. • 용변기술을 일반화하고 좀 더 숙달되게 하는 것이 중요하며, 낮 시간 동안에 이뤄지는 기술들이 점차로 밤 시간 동안에도 이뤄질 수 있도록 가정에서도 같이 시작한다.

14   2011 유아1-23

정답 ①

해설

① 턱 조절을 돕기 위해서는 아동의 구강과 안면의 과민반응을 줄이는 것이 필요하다. 구강운동을 촉진하는 활동은 입술, 안면, 뺨 주변 두드리기, 잇몸과 입 천장 마사지하기, 씹기, 삼키기, 입술 닫기 등과 관련한 부위의 피부 문지르기, 입 주위에 얼음을 대 보고 감각 느끼기, 입술과 뺨 주위의 근육 스트레칭하기, 구강과 안면근육 진동시키기, 혀를 입 안에서 여러 방향으로 움직이기 등이 있다.

② 편안하게 누운 자세를 취하게 한 다음: 앉거나 비스듬히 기댄 자세를 취하게 한 다음

③ 실리콘 소재나 플라스틱 소재가 적절하다. 그러나 일회용 플라스틱 숟가락은 부러지기 쉽기 때문에 사용하지 않는다.

④ 신체적 보조를 과다하게 사용하는 것은 학생이 스스로 식사하는 기술을 방해하며 의존적인 태도를 형성하게 한다. 가능하면 아동의 머리나 턱, 얼굴부위를 고정해 주는 등의 신체적 보조보다는 쿠션같은 자세 보조공학기기를 이용하여 머리의 움직임을 고정해 주거나 유지해 주는 것이 좋다(박은혜 외, 2019: 446).

⑤ 컵을 시용히여 음료 마시기를 지도할 때에는 컵의 가장자리를 아동의 아랫입술에 놓아서 깨무는 자극을 줄인다. 음료가 입 안으로 잘 들어가도록 충분히 기울이되, 아동의 윗입술이 음료에 닿을 수 있도록 한다.

Check Point

(1) 식사 관련 비정상적인 반사

설근반사	• 유아가 입을 음식 쪽으로 향하는 반사이다. • 생후 초기에 나타나는 행동은 정상이나, 생후 몇 달이 지나도 계속되면서 식사 시간에 자발적인 머리 조절을 방해하게 된다.
강직성 씹기반사	• 입안에 음식을 넣어 주면 의도하지 않게 갑자기 입을 다무는 강직성이 나타나, 숟가락으로 음식을 먹이는 것을 방해하고 씹는 것을 극도로 어렵게 한다. • 입안에 들어오는 자극에 대한 민감도가 강하고 비자발적이다.
혀 밀기/ 혀 돌출행동	• 음식을 씹거나 삼키는 행동을 해야 할 때에 치아 사이로 혀를 밀어내는 비자발적 행동이다. • 입 밖으로 음식이나 음료를 밀어내거나 치아의 위치를 본래 위치에서 밀어낸다.
빨고 삼키는 행동	• 음식을 씹지 않고 빨다가 삼켜버리는 행동이다. • 신생아 시기에 가지고 있던 빨기 행동을 그대로 유지하고 있어서 고형의 음식물 섭취를 방해한다.

(2) 식사 자세의 교정

① 식사하는 데 가장 좋은 최적의 자세는 주의 깊은 관찰을 통해 개인적으로 결정되어야 한다.

② 안정성을 보장하기 위해 적절한 높이의 의자와 식탁을 제공하고 가능한 한 직립 자세로 앉게 하는 것이 좋다.
  • 앉은 자세에서 식사하는 것이 힘든 아동의 경우라도 상체를 30도 이상 세워서 먹도록 하고, 식사 후 반쯤 기댄 자세나 앉은 자세가 역류 예방에 도움이 된다.

③ 자연스러운 자세를 유지할 수 있도록 해주는 것이 좋으며, 새로운 자세에 적응하고 편안하게 되기 위해서는 식사 시간 10~15분 전부터의 자세가 중요하다.

④ 아동이 스스로 식사를 하지 못하는 경우에는 다른 사람의 도움을 통해 음식을 섭취하게 되는데, 이때 음식을 제시하는 태도는 매우 중요하다.
  ㉠ 음식이 아동의 얼굴 아래에 오는 것이 좋고 먹이는 사람의 얼굴이 눈높이, 또는 눈 아래에 있도록 하기 위해 낮은 의자에 앉는다.
  ㉡ 아동의 목은 뒤로 젖혀 있는 것보다는 목을 약간 구부리게 하는 자세가 질식 없이 쉽게 삼키도록 하며 비정상적인 반사작용을 최소화한다.
  ㉢ 먹이는 사람은 아동과 가능한 한 가깝게 위치하고 아동의 옆, 또는 뒤에서 신체적 도움을 주는 것이 좋다.
  ㉣ 입 안에 음식을 넣어 줄 때는 혀의 중앙 부분에 넣어 준다. 그러나 턱의 움직임에 제한이 많은 경우에는 쉽게 씹을 수 있도록 치아 사이에 직접 음식을 놓아 준다.

(3) 음식의 수정

① 지체장애 아동 중 일반 음식을 먹지 못하는 경우에는 채소 등을 삶아 걸쭉하게 만든 음식인 퓌레(puree)형 음식을 제공한다.
  • 퓌레형 음식은 삼키는 자극 없이 쉽게 넘어가므로 기도폐쇄의 위험이 높으며, 변비와 충치를 일으키고, 구강 구조를 약하게 하며, 비타민 결핍을 가져올 수 있음에 유의해야 한다. 또한 고형의 음식을 먹을 때 습득할 수 있는 기능을 경험하지 못하게 되므로 가능한 한 고형 음식을 먹도록 지도하는 것이 필요하다.

② 위식도 역류를 보이는 아동들은 더 자주, 보다 조금씩 작은 조각으로 음식을 나누어 주는 것이 도움이 되며, 걸쭉한 음식을 주거나 식사 후에 약 1시간 정도는 비스듬히 앉은 자세를 통하여 위에서 음식물이 비워지도록 해주는 것이 좋다.

③ 음식의 형태를 수정해 줄 때는 다음 사항에 유의한다.
  ㉠ 작은 알갱이 형태의 음식보다 으깬 바나나 등 부드러운 음식부터 먹을 수 있도록 지도한다.

ⓒ 당근, 완두콩과 같은 채소를 감자에 으깨서 먹게 하고 좀 더 단단한 음식을 먹을 수 있게 되면 점차로 다른 종류로 확대한다.
　　ⓒ 일반유아의 경우 치아가 없어도 씹는 기능을 배우므로 음식을 입에 넣었을 때 씹지 않아도 삼킬 수 있도록 익힌 야채 등을 먼저 제공한다.
(4) 식사 방법 및 도구의 수정
① 스스로 식사하기를 시도조차 하지 않는 아동은 손을 이용하여 음식을 먹는 행동을 지도한다. 손으로 먹기를 지도하는 것은 식사도구를 바르게 사용하기 위한 전 단계이며, 반드시 적절한 시기에 도구 사용 방법을 중재해야 한다.
② 컵 사용과 관련한 중재 방법은 다음과 같다.
　　ⓐ 컵을 사용하여 음료 마시기를 지도할 때는 컵의 가장자리를 아동의 아랫입술에 놓아서 깨무는 자극을 줄인다. 음료가 입 안으로 잘 들어가도록 충분히 기울이되, 아동의 윗입술이 음료에 닿을 수 있도록 한다.
　　ⓑ 컵 안의 음료가 보이도록 컵 윗부분을 잘라낸 컵은 목이 뒤로 젖혀지는 것을 막아 주고 음료가 코에 닿지 않게 한다.
　　ⓒ 컵을 사용하여 음료 마시기를 지도할 때 유의해야 할 사항을 추가적으로 살펴보면 다음과 같다.
　　　• 처음에는 물이나 맑은 음료보다는 걸쭉한 상태의 음료를 이용하여 지도한다. 이후 보통의 음료 농도에 가깝게 조금씩 묽게 한다.
　　　• 처음에는 컵을 아동의 얼굴에 가까이 접근시킨 후 숟가락을 사용하여 음료를 떠서 먹게 한다. 이것이 습관화된 후 숟가락으로 음료를 입에 넣을 때 동시에 컵이 입술에 닿게 지도한다. 위의 과정이 익숙해지면 컵에 입을 대고 천천히 마시게 한다.
　　　• 컵에 음료를 조금만 담아준 뒤 컵을 쥐는 방법을 가르친다.
　　　• 음료를 마시기 위해 고개를 들었을 때 몸의 균형을 잃는 아동의 경우에는 컵의 윗부분이 대각선으로 잘라진 형태의 컵을 사용한다.
③ 숟가락 사용과 관련한 중재 방법은 다음과 같다.
　　ⓐ 숟가락을 사용하기 위해서는 식사행동에 대한 정확한 과제 분석이 필요하다. 과제 분석 단계에 따라 수정된 식사도구를 이용하면 좀 더 쉽게 지도할 수 있다.
　　ⓑ 입 부위의 감각이 예민하거나 강직성 씹기반사를 가진 아동의 경우 금속 재질의 숟가락은 적당하지 않다. 자극을 최소화하기 위해서는 플라스틱이나 실리콘 소재가 좋다. 그러나 부러지기 쉬운 일회용 플라스틱 숟가락은 적절하지 않다.

(5) 신체적 보조 방법
① 식사를 돕는 신체적 보조 방법은 자세의 교정, 음식의 수정, 식사도구 및 환경을 먼저 수정한 후에 되도록 적게 사용하는 것이 좋다.
② 가능하면 아동의 머리나 턱, 얼굴부위를 고정해 주는 등의 신체적 보조보다는 쿠션같은 자세 보조공학기기를 이용하여 머리의 움직임을 고정해 주거나 유지해 주는 것이 좋다.
③ 아동이 스스로 씹는 능력이 부족한 경우는 턱의 움직임을 촉진하되 아동의 뒤 또는 옆에서 최소한의 방법으로 보조한다.
④ 중지는 턱, 검지는 턱과 입술 사이, 엄지는 눈 주변의 얼굴 옆에 위치하고 아래턱의 개폐를 보조하고 조절할 수 있게 한다.
⑤ 턱의 움직임을 조절해 줄 때 윗입술을 아래로 당기는 것은 입술 수축을 자극할 수 있기 때문에 피해야 한다.

15   2011 초등1-10

정답 ②

해설

지문 돋보기

이름	장애 유형	관찰 내용
수지	뇌성마비	(가) 어떤 동작을 수행하면 자신의 의지와 상관없는 불필요한 동작이 수반된다. : 불수의 운동의 증상 ※ (가), (나)의 관찰 내용을 종합해 볼 때 수지의 뇌성마비 유형은 불수의 운동형임
현우	근이영양증	(다) 종아리 부위의 근육이 뭉친 것처럼 크게 부어올라 있다. : 가성비대 ※ (다), (라)의 관찰 내용을 종합해 볼 때 현우의 근이영양증 유형은 듀센형임
영수	이분척추	• (마) 척추 부위에 혹과 같은 모양으로 근육이 부어올라 있다. : 수막류, 척수수막류의 외형적 특징 • (바) : 뇌수종 증상의 일부로, 척수수막류를 가진 사람의 경우 뇌수종으로 발전할 가능성이 70~90%임 ※ (마), (바)의 관찰 내용을 종합해 볼 때 영수의 이분척추 유형은 척수수막류임

ㄴ. 뇌성마비는 비진행성이다.
ㄷ. 듀센형에서 볼 수 있는 가성비대에 대한 설명이다.
- 듀센형은 X 성염색체에 위치하고 있는 디스트로핀의 부재(디스트로핀의 끝 부분)로 발생한다.
ㅁ. "척추 뼈가 완전히 닫히지 않아 분리된 척추 사이로 척수액이나 신경섬유가 돌출된 것이 원인"은 척수 수막류에 대한 설명이다.

Check Point

(1) 뇌성마비의 개념
① 뇌성마비 : 미성숙한 뇌 혹은 뇌의 손상으로 말미암은 운동장애와 자세의 이상을 보이는 비진행성 증후군
② 이상의 정의는 다음과 같은 의미를 내포하고 있다.
    ㉠ 뇌성마비는 근육의 긴장 상태, 자세를 바꾸기 위한 조절 및 운동에 영향을 미친다.
    ㉡ 뇌성마비는 비진행성이기 때문에 기능을 변화시키는 결과를 유발하지 않는다.
        ※ 비진행성 : 두뇌 손상이 진전되지 않는다는 것을 의미한다 (일부 임상적 유형은 성장함에 따라 변화할 수 있다).
    ㉢ 뇌성마비는 태어나기 전 혹은 아동기 초기에 뇌를 미성숙 상태로 만드는 손상이라는 뜻을 포함하고 있으므로 '발달장애'에 속한다.

(2) 근이영양증의 형태
① 듀센형 근이영양증
    ㉠ 듀센형은 X염색체의 결함으로 나타나며, 반성 열성으로 유전된다.
    ㉡ 듀센형은 디스트로핀의 부재(디스트로핀의 끝 부분)로 발생한다.
        • 디스트로핀 단백질의 유전자는 X 성염색체에 위치하고 있으며 주로 2~6세 정도의 남아에게 많이 발생한다.
    ㉢ 듀센형은 가장 일반적인 근이영양증의 형태이며, 가장 증상이 심하고 진행 속도도 빠르다.
    ㉣ 듀센형의 근력 약화는 대부분 다리와 고관절 부분에서 시작되고, 어깨와 목 근육으로 진행된다. 마지막으로 호흡 근육의 기능 장애를 일으키고 마침내 사망에 이르게 된다. 듀센형은 이러한 근력의 약화 정도가 빠르게 진행되어 대부분 20대 초반에 사망한다.
    ㉤ 듀센형은 다음과 같은 신체적 특성이 나타난다.

가우어 징후	듀센형 근이영양증 아동들은 근력이 약화되기 때문에 앉기와 서기 동작의 독특한 특성을 나타낸다. 하지 근육이 약해지기 시작하는 초기에는 앉는 자세에서 일어서기가 어려워서 손을 사용하는 형태가 나타난다.
가성비대	종아리 부위의 약해진 근육을 보상하기 위해 근육이 지방섬유로 대치되어 마치 건강한 근육조직처럼 보이는 것을 말하는데, 실제로 비대해지는 것이 아니고 근섬유가 괴사한 자리에 지방 및 섬유화가 진행되어 단단해지고 커진 것처럼 보이는 것을 말한다.
트렌델렌 버그 보행	둔근의 약화로 둔부의 요동성 보행인 트렌델렌버그 보행이 나타날 수 있다. 트렌델렌버그 보행에서는 아동이 걷는 동안 몸체 각각의 사지를 앞뒤로 흔들기 위해 다리 위 상체의 무게를 이용한다.
멀온 증후	상지와 견갑대까지 근력의 약화가 진행되면 겨드랑이 아래에 손을 넣어 들어 올릴 때 상지가 위로 올라가는 멀온 증후가 나타난다.

② 베커형 근이영양증
　㉠ 베커형은 X염색체의 결함으로 나타나며, 반성 열성으로 유전된다.
　㉡ 베커형은 근디스트로핀이 전혀 존재하지 않는 듀센형과는 달리 근디스트로핀의 양이 부족하거나 비효과적이고 비정상적인 형태로 존재한다(디스트로핀의 중앙 부분 결손). 베커형은 디스트로핀의 양에 따라 증상의 정도와 진행속도에서 차이를 보인다.
　㉢ 베커형 역시 듀센형과 마찬가지로 다리와 고관절의 약화부터 시작된다.
　㉣ 베커형은 발병시기가 보통 5~20세로 듀센형보다 조금 늦고 질환의 진행도 느리다. 20대 이후에도 생존하며 심근장애를 갖지 않는다.

③ 안면 견갑상완형 근이영양증
　㉠ 안면 견갑상완형 근이영양증: 안면근, 견갑근(어깨근), 상완(어깨와 팔꿈치 사이 근육)과 허리, 엉덩이 근육 등이 약화되기 시작하며 날개 모양의 어깨를 특징으로 하는 질병
　㉡ 안면 견갑상완형의 원인은 우성유전과 단백질 이상으로 밝혀졌다.
　㉢ 다른 유형과는 달리 안면 견갑상완형 근이영양증의 대부분은 10대에서 20대 청소년기에 처음 증상이 나타나서 느리게 진행되고 수명에는 영향을 미치지 않는다.

④ 지대형 근이영양증
　㉠ 지대형 근이영양증은 상염색체 우성유전으로 발생한다.
　㉡ 지대형 근이영양증의 발병 연령은 유아기부터 50세 이후까지 매우 넓다.
　㉢ 증상은 다양하지만 근력 저하와 같은 임상적 증상은 나타나지 않으며, 전체적으로 볼 때 듀센형보다는 증상이 가볍고 진행도 늦다.
　㉣ 듀센형과 마찬가지로 보행의 어려움이 발생하며 잘 넘어지고 달리기나 계단 오르내리기를 힘들어하게 된다. 일어설 때 손으로 무릎을 짚고 몸을 일으키는 움직임의 특성이 나타난다.
　㉤ 관절 구축으로 인해 보행 시 발뒤꿈치를 들고 걸으며, 전신의 관절이 굳으며 보행의 어려움은 있으나 호흡부전과 심부전은 적기 때문에 생명에는 지장이 없다.

(3) 이분척추의 유형 및 특성

잠재 이분척추	• 척추뼈의 결손만 일어난 것으로 눈에 띄는 장애를 유발하지 않는다. • 마비나 감각 손상은 없으나 기형인 추골을 덮는 피부가 변색되거나 털이 나는 등의 증상이 있을 수 있다.
수막류	• 수막류는 분리된 척추 사이로 척수막이 돌출된 상태를 말하는 것으로 척수 자체가 손상된 것은 아니다. • 척수 신경은 영향을 받지 않기 때문에 운동마비나 감각 손상은 나타나지 않는다. • 수막류는 대부분 외과적 수술을 통해서 완치될 수 있다.
척수 수막류	• 척수 수막류는 이분척추의 유형들 중 가장 심각한 유형으로, 척추를 둘러싸고 있는 척추뼈의 뒷부분이 완전히 닫히지 않아 분리된 척추뼈 사이로 척수 신경과 수막이 탈출하여 손상된 상태를 말한다. 이분척추를 언급할 때는 척수 수막류를 중심으로 고려한다. • 손상된 척수 신경 아래쪽이 뇌와 교류되지 않기 때문에 운동마비와 감각손상을 나타낸다. 　- 신경손상으로 인해 하지 마비와 항문 및 방광 괄약근의 마비가 수반되는 경우가 많다. • 외과적 수술을 받을 수도 있으나 영구적인 장애를 가질 수도 있다. • 척수 수막류를 가진 사람의 70~90%는 뇌척수액이 뇌에 고이는 수두증(同 뇌수종)으로 발전된다. 이러한 경우에는 뇌실 내에 축적된 뇌척수액을 다른 신체부위로 흘려보내는 션트(shunt) 삽입 수술을 고려할 수 있다.

16 2011 초등1-19

정답 ②

해설

ㄱ. 쉼표, 물음표, 마침표의 문장부호 사용에 오류를 보이고 있다.

ㄴ. 사용된 모든 문장의 종류를 구분하면 다음과 같다.

지문 돋보기

영수의 표현	문장의 종류	학교문법에 의한 문장의 짜임
오늘은 어린이대공원에 소풍가는 날이다.	단문	홑문장
나는 너무 아파서 학교에 안갔다.	복문	겹문장(종속적으로 연결된 이어진 문장)
엄마가 참 좋다.	단문	홑문장
나는 집에 있는데 집에 있는 친구는 아무도 없겠지.	중문	겹문장(대등하게 연결된 이어진 문장)
슬슬 아파서 눈을 감는다.	복문	겹문장(종속적으로 이어진 문장)

- 모든 문장을 분석할 경우 단문 2개, 중문 1개, 복문 2개로 된 일기이다.
- 맞춤법 등 쓰기 과정에 어려움을 보이고 있다.

ㄷ. 정음법이란 파닉스를 의미한다.
  - '어리니', '아팟고', '안가따', '조타', '칭구', '업겠지' 등은 정음법적 전략을 사용한 철자 오류에 해당한다.

ㅁ. 페그워드 전략(또는 말뚝어 방법)은 순서에 맞게 외워야 하는 내용을 학습할 때 사용하는 기억전략이다.

Check Point

📝 **문장의 종류**

① 단문
  ㉠ 주어와 서술어의 구성이 한 번만으로 이루어진 문장을 의미한다.
  ㉡ 단문 중 가장 간단한 구조는 주어 하나와 서술어 하나로 이루어진 구조이다. 여기에 목적어나 보어 등이 덧붙을 수 있다. 즉, "눈이 온다."나 "설악산은 국립공원이다."도 단문이요, "아이들은 눈을 좋아한다."나 "대구는 항구가 아니다.", "아우는 등산을 낙으로 삼는다."도 단문이다. 그리고 이들에 다시 관형어나 부사어가 덧붙어도 단문임에는 변함이 없다. "하얀 눈이 곱게 내린다."나 "저 아이들이 눈을 훨씬 더 좋아한다." 등도 모두 단문인 것이다.

② 중문
  ㉠ 두 개의 문장이 대등한 관계로 접속하여 이루어진 문장을 의미한다.
  ㉡ "겨울이 가고, 봄이 온다."는, "겨울이 간다."는 문장과 "봄이 온다."는 문장이 대등한 관계로 접속, 병렬된 문장인데 이러한 문장을 "봄이 오면, 건강이 좋아지겠지."와 같은 문장과 구별하여 중문이라 부른다.
  ㉢ "봄이 오면, 건강이 좋아지겠지."는 역시 "봄이 온다."와 "건강이 좋아지겠지."의 두 문장이 접속된 문장이나, 이들은 대등한 관계로 만난 것이 아니고 뒤쪽이 주절로, 앞쪽이 종속절로 만난 것이다.
  ㉣ 이에 비하여 "겨울이 가고, 봄이 온다."는 두 문장이 대등절로 만나는 것이다. 중문의 두 대등절은 대등한 관계이므로 두 절의 자리를 서로 뒤바꾸어도 의미의 변동이 거의 생기지 않는다. "봄이 오고, 겨울이 간다."라고 하여도 자연스러운 문장일 뿐만 아니라 "겨울이 가고, 봄이 온다."라고 할 때와 근본적으로 동일한 의미를 나타낸다.

③ 복문
  ㉠ 한 문장 속에 다른 문장이 종속되어 있거나 포유되어 있는 문장을 말한다.
  ㉡ 주어와 서술어의 관계, 즉 주술관계(主述關係)가 한 번만 이루어지는 단문(單文)이 확대되는 방식은, ⓐ 서로 대등한 단문들끼리 연결되는 방식, ⓑ 하나의 문장이 다른 문장에 대해 종속적으로 연결되는 방식, ⓒ 하나의 문장이 다른 문장을 문장성분으로 포유하고 있는 방식, ⓓ 이 모든 방식이 다 나타나는 방식 등이다. ⓐ의 문장을 중문(重文), ⓑ번과 ⓒ번 방식의 문장을 복문, ⓓ의 문장을 혼성문(混成文)이라고 부른다.

⟨학교문법에 따른 문장의 짜임⟩

1. 홑문장과 겹문장

학교 문법에 의하면 문장은 주어와 서술어의 관계가 몇 번 나타나느냐에 따라 홑문장과 겹문장으로 나뉜다. 주어와 서술어의 관계가 한 번 나타나는 문장은 홑문장, 두 번 이상 나타나는 문장은 겹문장이라 한다.

```
문장 ─ 홑문장
    └ 겹문장 ─ 안은 문장 ─ 명사절을 가진 안은문장
              │           ├ 관형절을 가진 안은문장
              │           ├ 부사절을 가진 안은문장
              │           ├ 서술절을 가진 안은문장
              │           └ 인용절을 가진 안은문장
              └ 이어진 문장 ─ 대등하게 연결된 이어진문장
                            └ 종속적으로 연결된 이어진문장
```

2. 겹문장

① 안은문장

㉠ 한 문장이 그 속에 홑문장을 한 성분으로 안아서 겹문장을 이룰 때 안은문장이라 한다.

㉡ 큰 문장 안에 한 성분으로 안겨 있는 문장을 안긴 문장이라고 한다. 안긴 문장은 하나의 '절'이 되는데 크게 '명사절, 관형절, 부사절, 서술절, 인용절' 다섯 가지로 나뉜다.

예 • 수학 문제 풀기가 어렵다.
  • 나는 집으로 가는 철수를 만났다.
  • 영희가 내가 읽던 책을 가져갔다.

② 이어진문장

㉠ 두 개 이상의 홑문장이 연결 어미에 의해 결합된 문장을 이어진 문장이라고 한다.

㉡ 의미 관계가 대등한 두 홑문장이 이어진문장을 대등하게 이어진문장이라고 한다.

• 두 홑문장은 의미적으로 대등하기 때문에 두 홑문장의 순서를 바꾸어도 의미의 변화가 없다.
  예 산이 높고 물이 맑다. 철수는 서울로 가고 민호는 부산으로 갔다.

㉢ 앞 절과 뒤 절의 의미가 독립적이지 못하고 종속적인 문장을 종속적으로 연결된 이어진문장이라고 한다.

• 앞 절이 뒤 절에 대하여 '이유, 의도, 목적, 배경, 조건, 양보, 선택' 등의 여러 가지 의미 관계를 가지며 이에 따라 다양한 종속적 연결 어미('-아서/-어서, -(으)려고, -는데, -(으)면, -(으)니까, -(으)ㄹ지라도' 등)가 사용된다.
  예 냇물이 깊어서 아이가 건널 수 없었다. 날씨가 좋으면 산책을 하자.

출처 ▶ 김홍범 외(2021 : 39-51)

17

2011 중등1-23

정답) ③

해설

지문 돋보기

제시된 그림은 나쁜 껴안기 방법을 보여줌

ㄱ. 학생 A의 머리나 체간을 수직이 되게 하고, 양다리는 벌려 교사의 허리에 걸치며 팔 안으로 손을 넣은 후 교사의 다리를 구부려 학생을 힘껏 들어 올려서 안는다.

[바른 껴안기법]

ㄷ. 학생 A를 쉽게 들어 올리기 위해 학생의 앉은 자세를 먼저 잡아 주고, 학생의 근육이 이완된 상태를 유지하며 들어 올린다. 이동 전 근육의 긴장 여부를 확인하고 아동이 이완하는 것을 돕기 위해 가슴 부분에 손을 평평하게 하여 강한 힘을 준다. 아동 몸의 긴장이 풀리고 바른 자세가 되는 것을 확인할 때까지 기다린다.

Check Point

(1) 들어 올리기와 이동시키기 과정

단계	활동	기대되는 반응
접촉하기	아동의 팔이나 어깨에 손을 얹고, 이동할 곳에 대해 이야기한다.	아동이 긴장을 풀고 편안해질 때까지 기다린다.
의사소통하기	아동에게 이동할 장소의 사진이나 사물을 제시한다.	얼굴 표정과 소리로 반응할 때까지 기다린다.
준비하기	이동 전 근육의 긴장 여부를 확인하고 아동이 이완하는 것을 돕기 위해 가슴 부분에 손을 평평하게 하여 강한 힘을 준다.	아동 몸의 긴장이 풀리고 바른 자세가 되는 것을 확인할 때까지 기다린다.
들어 올리기	• 아동이 서 있지 못할 경우는 앉은 자세 그대로 앉은 채로 옮기도록 한다. • 이동할 장소에 대해 이야기하고 아동의 등과 무릎 아래를 팔로 감싸고 편안한 자세를 유지할 수 있도록 가슴 쪽으로 무릎을 구부린다.	아동이 스스로 팔을 내밀 때까지 기다리고 10초 이내에 팔을 내밀지 못한다면 아동의 어깨를 사용한다.

이동하기	• 아동이 어디로 움직이는지 볼 수 있도록 아동과 거리를 두고 몸을 지지할 수 있도록 아동이 등을 기대도록 한다. • 아동의 다리가 앞으로 향할 수 있게 하면서 골반 아래 쪽을 잡도록 한다. • 다리가 경직되면 다른 팔을 사용해서 다리를 떼어 놓은 후, 부드럽게 지탱할 수 있도록 한다.	아동은 자신이 이동하는 방향을 보고 자신의 팔로 그 위치를 나타낸다.
다시 자세 잡기	다음 활동에 참여할 수 있도록 자세를 잡고 무엇을 할 것인지 이야기하도록 한다.	아동은 다음 활동에 참여할 준비하기

(2) 들어 올리기와 이동시키기 전략
① 아동에게 무엇을 할 것인지 설명하고 아동이 가능한 한 적극적으로 참여하도록 하기
② 들거나 이동시킬 아동에게 직접 다가가서 자세 취하기
③ 몸통을 똑바로 세우고 허리를 구부리기보다는 다리를 구부리고 안을 자세 취하기
④ 아동에게 몸을 밀착하여 안을 준비하기
⑤ 자신의 몸을 회전하지 말고 아동을 안을 준비하기
⑥ 바닥에 평평하게 발을 대고 편안하게 한 쪽 발을 다른 발 앞에 놓기
⑦ 이동할 때 가능한 한 많은 무게를 아동 스스로 지지하게 하기
⑧ 들어 올리기가 어렵거나 약 16kg 이상 무게가 나가는 아동의 경우 도움을 요청하여 두 사람이 함께 들어 올리기

(3) 껴안기 방법에서의 기본적 유의점
장애의 정도는 개개인 모두 다르기 때문에 바람직한 껴안기 방법도 사람마다 달라진다. 껴안기 방법의 기본이 되는 몇 가지 원칙은 다음과 같다.

> 첫째, 대체적으로 어떤 아동이라도 머리나 체간을 수직이 되게 하고, 팔 안으로 해서 안고 있으며 허리에 걸치고 있는 자세가 되는 것이 좋은 껴안기 법이다. 옆으로 누운 형태의 껴안기 법은 피해야 한다.
> 둘째, 아동의 특징이 되어버린 나쁜 자세 패턴과 반대의 자세를 취하도록 한다. 다리를 서로 교차시키는 경향이 있는 아동이라면 다리를 가지런히 하고, 뒤집기가 강한 아동은 둥글게 껴안는 것이 좋다.
> 셋째, 일반 유아에게는 아동의 팔꿈치와 손은 신체의 앞으로 내밀고 있다. 손을 뒤로 하고 있는 자세는 이상 자세 패턴이나 병적인 긴장 원인이 되는 자세이다.
> 넷째, 체간을 비튼 자세는 손발이나 신체가 경직된 자세로, 이러한 상태로는 껴안기를 피하는 것이 좋다.
> 다섯째, 껴안는 동작은 껴안아 올리는 것부터 시작한다. 바른 껴안기를 위해서는 먼저 바르게 껴안아 올리기 위한 방법이 중요하다.

출처 ▶ 정재권 외 2000 : 163-164

18 2011 중등1-24

정답 ①

해설

(나) 빨대로 음료를 마실 수 없는 이유가 빨대 이용 방법을 모르는 것이 아닌 삼킴의 문제 때문인 것으로 제시되어 있다. 따라서 삼킴의 문제가 무엇인지에 대해 파악하는 것이 우선이다.
• 의학적으로 삼킴의 문제가 없는 경우, 빨대 이용 방법의 습득을 위해서는 최대-최소 촉구체계 방법을 이용하여 지도하는 것이 더 효과적일 수 있다.

(라) 방광 기능의 문제로 배뇨 조절이 안 되고 있다. 따라서 학생에게 생리적인 요인이 있을 경우 우선적으로 의학적으로 치료를 실시하는 것이 필요하다.
• 빠른 기간 내에 집중적인 연습을 통해 용변기술을 지도할 수 있다. 이는 지체장애 학생이나 일반 비장애 학생에게도 성공률이 높고 빠른 효과를 보이는 것으로 알려져 있다. 훈련방법은 건강상의 문제가 없는 범위 내에서 자주 소변을 보도록 평소보다 음료 섭취를 증가시키고, 약 10분 정도 정해진 시간 동안 변기에 앉게 한다. 촉진을 통해 용변보기를 도와줄 수 있으나 용암법 절차에 따라 차츰 줄여 나간다. 성공적인 화장실 사용과 마른 속옷 유지 상태에 따라 강화를 제공하고, 촉진 없이 용변보기를 수행하면 자기주도적 훈련을 시작한다. 그러나 집중적인 용변 훈련은 교사나 부모가 계획에 따라 치질 없이 진행할 수 있어야 가능하며, 오랜 시간 변기에 앉아 있는 것이 오히려 용변 기술 습득을 방해할 수 있음을 유의해야 한다. 또한 중증 지체장애 학생에게 과잉 교정이나 지도는 긍정적인 행동을 이끌어 내지 못할 수도 있다(정동훈 외, 2018 : 367).

19 2011 중등1-25

정답 ③

해설

지문 돋보기

그림은 일차 운동 피질에 손상이 있음을 나타낸 것으로 특히 일차 운동 피질의 양쪽 위쪽이 심각한 손상이 있는 것으로 표현되어 있음. 따라서 양쪽 상지보다는 양쪽 하지에 심각한 손상이 있음을 유추할 수 있음

	운동 특성	말 특성
①	운동실조형	• 말하는 속도가 느리고: 경직형, 운동실조형 • 음절을 한 음 한 음씩 끊어서 말한다.: 운동실조형 ※ 전체적으로 운동실조형에 해당함
②	• 몸의 같은 쪽 상지와 하지의: 편마비 • 근육 긴장도가 높아 발끝으로 걷는다.: 경직형	• 억양이 거의 없어 단조로우며: 경직형, 운동실조형 • 과대비음이 나타난다.: 경직형 ※ 전체적으로 경직형에 해당함
④	진전형	진전형
⑤	불수의형	불수의형

Check Point

✎ 추체계

① 구성

추체계(피라미드 체계)는 운동 피질과 운동 피질에서 척수로 내려오는 경로(추체로로 알려진)로 구성되어 있다. 운동 피질은 전두엽의 뒷부분 1/3 정도를 차지하며, 주운동 피질, 보충운동 영역, 전운동 영역의 세 부분으로 나눈다. 주운동 피질의 운동 뉴런(상단 운동 뉴런으로 알려진)은 수의적인 움직임을 조절한다. 보충 그리고 전운동 영역은 복잡한 형태의 동작(외과의사의 손동작)과 같은 동작기능을 지원한다. 운동 피질의 부분으로서 특정한 기능을 하는 영역에는 발화에 필요한 동작을 조절하는 브로카 영역이 있다.

② 일차 운동 피질

일차 운동 피질의 영역은 특정 신체 부분의 동작을 조절한다. 이것은 거꾸로 된 이상한 사람의 그림인 운동 호문쿨루스로 나타나기도 하는데, 일차 운동 피질 위에 신체의 조절하는 부분을 그린 것이다. 호문쿨루스는 라틴어로 '난쟁이'를 의미하기 때문에 보통 '두뇌 안의 작은 사람'으로 불린다. <그림>에서 보는 것과 같이, 주운동 피질의 윗부분에는 다리와 고관절의 동작을 조절하는 뉴런이 있고 바닥 부분에는 입술과 턱을 조절하는 뉴런이 있다. 호문쿨루스의 손은 손으로 할 수 있는 미세운동 움직임에 기여하는 일차운동 피질 위의 수많은 뉴런으로 되어 있기 때문에 특별히 큰 영역을 차지한다.

③ 축색돌기

추체로는 일차 운동 피질의 축색돌기로 구성되어 있다. 이러한 축색돌기는 두뇌에서 내려와서 뇌간 정도의 수준에서 대부분은 반대편으로 교차한다. 여기서부터 계속 내려와서 척수의 뉴런(하단 운동 뉴런으로 알려진)과 이어진다. 하단 운동 뉴런에서 나온 축색돌기는 척수를 떠나 다양한 신체 근육으로 내려간다. 대부분의 축색돌기는 교차하기 때문에 두뇌의 좌측은 신체의 우측 움직임을 조절하고, 그 반대도 마찬가지다.

만약 사람이 공을 차기 위해 오른쪽 다리를 움직이고자 한다면 좌측 일차 운동 피질의 윗부분에 위치한 상단 운동 뉴런이 자극을 받게 될 것이다. 자극은 축색돌기를 타고 내려와 척수의 아랫부분에 있는 하단 운동 뉴런으로 가게 된다. 자극은 척수를 빠져나가 하단의 운동 뉴런 축색돌기를 따라 다리 근육에 도착하여 근육이 수축하고 움직이도록 한다. 두뇌에서 공을 찼다는 것을 인지하도록 하기 위해 감각 뉴런으로 알려진 다른 뉴런의 연결고리가 정보를 다리에서 두뇌의 체지각 피질로 전달하여, 두뇌가 다리의 움직임과 공을 찬 감각을 알 수 있게 한다.

④ 경직형 뇌성마비의 발생

생애 초기나 분만 시 추체계에 손상을 입게 되면 경직형 뇌성마비가 발생한다. 경직형 뇌성마비는 뇌성마비의 가장 흔한 형태로 뇌성마비 중 70% 이상을 차지한다. 피라미드 체계의 손상은 일차 운동 피질의 손상된 뉴런에 위치한 부분과 대응하는 신체 부분의 근긴장을 증가시키는 결과를 초래한다. 예를 들어, 양쪽 일차 운동 피질의 윗부분 쪽에 손상이 발생했다면 두 다리는 경직성이 될 것이다(양하지마비). 두뇌의 왼쪽 운동 피질이 손상될 경우에는 신체 오른편에 경직성이 생기게 된다(박은혜, 외, 2012: 151-152).

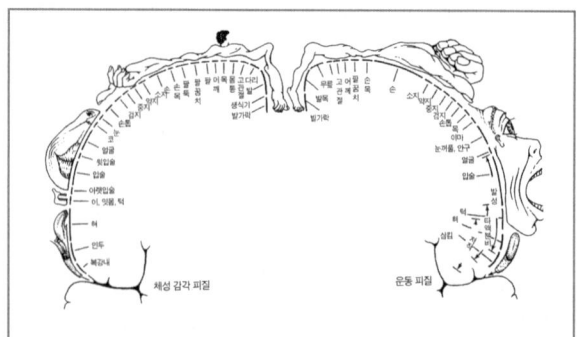

[운동 피질과 체지각 피질의 지각과 운동에 대응하는 운동 호문쿨루스와 감각 호문쿨루스]

20

2011 중등1-26

정답 ②

해설

그림은 비대칭 긴장성 경반사의 자세 특성을 나타낸다.
(가) 학생 A를 매트에 똑바로 누이고 양 다리 밑에 지름 20cm 정도인 롤(roll)을 받쳐 준 후 양손으로 책을 잡도록 한다.
- 다리가 신전되어 있다면 양 다리 아래 쿠션을 받쳐 고관절과 무릎 관절을 굽혀준다(김혜리 외, 2021 : 206).

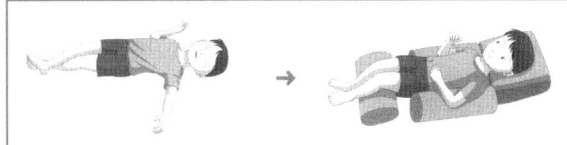

[바로 누운 자세 지도 예시]

출처 ▶ 김혜리 외(2021)

- 뇌성마비 아동의 경우에는 복와위 자세로 잠을 재우지 않으면 안 되는 경우가 상당히 있다. 그래도 하루 중 옷을 갈아 입히고, 이불도 정리하고, 집안을 청소할 때 움직이게 해야 한다. 그래야 마음도 신체도 생기 있게 해서 자발적인 움직임이 유발되기 때문이다. 뇌성마비 아동에게는 앉아위 자세를 하면 하지를 교차시키려고 하는 것이 종종 발견된다. 양 무릎 사이에 베개라도 넣어 다리가 벌어지지 않으면 점차적으로 굳어져 고정될 수 있다. 허벅지가 붙어 있기 때문에 허벅지 사이가 불결해서 피부병의 원인이 되기도 하며 고관절 탈구를 일으키는 경우가 많다(정재권 외, 2000 : 96-97).

(마) 책상에 앉을 경우 겹쳐 있는 다리를 외전시켜 주는 외전대를 사용하면 다리의 정렬을 도와줄 수 있다.

Check Point

☑ 비대칭 긴장성 경반사(ATNR)

① 목(경부)의 움직임에 의해서 반사가 활성화되며, 반사가 활성화되면 근육 긴장도가 높아지고(긴장성), 자세는 좌우를 기준으로 비대칭의 형태(비대칭성)가 되는 원시반사의 유형이다(동 비대칭 긴장성 경부반사).
② ATNR은 목의 좌우 움직임에 의해 발생한다. 목이 움직여 시선이 향하는 쪽의 상지와 하지는 신전되고, 반대쪽 상지와 하지는 굴곡된다.
③ ATNR은 앉은 자세나 등을 대고 누운 자세(앙와위)에서 쉽게 유발된다.
④ ATNR이 나타나는 아동은 다음과 같은 어려움을 겪을 수 있다.
 ㉠ 머리 조절, 눈과 손의 협응, 신체의 대칭성 유지, 식사, 시각적 추적, 신체의 중앙부분에서 양손 사용하기 등에 어려움이 있다.
 ㉡ 고관절이나 좌골에 욕창을 유발하며, 비대칭적 앉기 자세, 척추 측만증 등이 나타날 수 있다.
 ㉢ 근육조절의 비협응으로 언어장애가 나타날 수 있다.
⑤ ATNR의 영향을 통제하기 위해 ATNR을 보이는 아동에게 과제를 제시할 때는 측면이 아닌 아동의 정면 중심선 앞에서 제시한다.

21

2012 유아1-22

정답 ②

Check Point

☑ 프래더-윌리 증후군

① 부계 유전된 15번 염색체 장완의 부분적 결손이 주원인
② 작은 키, 다양한 정도의 인지적 문제

행동표현형
• 손상된 포만감, 탐식행동과 비만
• 시각적 처리와 퍼즐을 해결하는 데 강점
• 모든 연령대에 걸쳐 흔한 강박장애와 충동조절장애
• 성인기에 간혹 정신 이상

22

2012 초등1-10

정답 ④

해설

ㄱ. 시각-운동 통합 발달검사(VMI)는 시지각 및 소근육 운동 협응 능력의 평가를 목적으로 한다. 대근육운동 능력은 오세레츠키 검사, 대근육운동기능 평가 도구(GMFM)를 사용할 수 있다.
  • GMFM은 뇌성마비 학생의 대근육운동기능 변화를 평가하기 위해 고안된 표준화된 관찰도구이다(박은혜 외, 2023 : 175).
ㄷ. 물리치료사는 특수학교 교사에게 자문 및 역할방출: 물리치료사가 민수에게 직접적으로 서비스를 제공하는 직접 서비스가 아닌 교사에게 전문적인 지식을 전달 후 대신 중재를 제공할 수 있도록 하는 것이므로 간접 서비스를 제공하는 것이다.

Check Point

대근육운동기능분류체계(GMFCS)

① 심각도에 따른 분류는 신뢰도와 타당성 부족이 꾸준히 논란이 되면서 표준화된 분류체계에 대한 요구가 있어 왔다.
② 대근육운동기능분류체계(GMFCS)는 현재 널리 사용되는 체계로, 뇌성마비 학생의 기능수준에 따른 분류체계이다.
③ GMFCS는 자발적으로 시작하는 동작을 평가하고 학생의 최대 능력치가 아닌 일상생활을 관찰하여 평가한다.
④ 일반 아동도 1세 미만에서는 제한 없이 걷지 못하므로 모든 나이에 같은 기준을 적용할 수 없기 때문에 GMFCS는 나이별로 그 기준을 달리하고 있다.
⑤ GMFCS는 5개의 연령군(2세, 2~4세, 4~6세, 6~12세, 12~18세)으로 나누고, 일상생활에서의 운동기능을 기준으로 I수준에서부터 독립적인 이동이 심각하게 제한된 V수준에 이르는 5단계 수준으로 구분되어 있다. 각 수준별 구체적인 내용은 다음과 같다(박은혜 외, 2018 : 163-166).
  ㉠ 제한 없이 걷는 I단계 수준
  ㉡ 걷지만 제한적인 II단계 수준
  ㉢ 손으로 보행 보조기구를 잡고 걷거나 휠체어를 움직여 걷는 III단계 수준
  ㉣ 스스로 이동은 가능하지만 이동이 제한적이고 전동 휠체어 등의 이동기구를 사용하는 IV단계 수준
  ㉤ 수동 휠체어로 다른 사람이 이동시켜 주어야 하는 V단계 수준

23

2012 중등1-35

정답 ①

해설

㉡ 케톤 식이요법은 지방은 늘리고, 단백질과 탄수화물은 적게 섭취하는 식이요법이다.
㉣ 하임리히 구명법은 기도폐색이 된 학생을 뒤에서 팔로 안듯이 잡고, 명치 끝(또는 횡경막하, 배꼽과 흉골 사이)에 힘을 가해 복부 위쪽으로 쓸어올림으로써 이물질을 토하게 하는 방법이다.
㉤ 의식불명 등으로 뒤에서 안을 수 없는 상황이라면, 환자를 바닥에 반듯하게 눕게 하고 환자의 무릎 쪽에 앉아 두 손을 환자의 명치 끝(또는 횡경막하, 배꼽과 흉골 사이)에 놓은 다음 선 자세와 마찬가지로 압박을 가하게 된다.

Check Point

(1) 전신발작 시 대처 방법

해야 할 일	하지 말아야 할 일

• 학생 곁에 있는다.
• 발작 지속시간을 기록한다.
• 학생을 안심시킨다.
• 학생이 갑자기 쓰러지지 않도록 부축한다.
• 부상 위험을 최소화한다.
  - 부상을 입힐 수 있는 단단하고 날카로운 물체를 치운다.
  - 머리에 쿠션을 대 준다.
  - 안경을 벗겨준다.
• 호흡을 확인한다.
  - 학생을 옆으로 눕혀 사례가 들 위험을 줄인다.
  - 입을 아래쪽으로 향하게 하여 침이 기도로 들어가지 않고 흐르게 한다.
  - 호흡을 어렵게 하는 스카프나 넥타이 등을 풀어 준다.
• 다른 학생들을 다른 곳으로 안내해 프라이버시를 지켜 준다.
	• 학생을 혼자 있게 둔다.
	• 위험한 상황(예 계단, 수영장)이 아니면 학생을 옮긴다.
	• 움직이지 못하게 한다.
	• 입을 강제로 벌린다.
	• 입 안에 물체를 넣는다.
	• 혀를 잡아당기려 한다.
	• 의식과 자각 증세가 완전히 돌아올 때까지 음료나 음식을 제공한다.

출처 ▶ Brown et al.(2017 : 262)

(2) 케톤 생성 식이요법

① 케톤 생성 식이요법(통 케톤 식이요법)은 발작활동을 통제하기 위한 특정 상황에서 사용된다. 이 방법은 아동의 식사에서 탄수화물과 단백질의 양을 제한하는 대신에 대부분의 열량은 지방이 함유된 식품을 통해 제공하는 섭식 방법이다. 탄수화물과 지방은 보통 1:4의 비율이다. 음식은 반드시 가중치를 두어야 하며, 각 식사는 신중히 계산되어야 한다. 식사가 발작 감소에 어떠한 영향을 주는지에 대한 정확한 기제는 완전히 밝혀지지 않았지만, 식사에서 발생하는 케톤의 축적 때문에 항경련제 효과가 나타나는 것으로 밝혀졌다.

② 케톤 생성 식이요법은 전신발작이나 부분발작 등 다양한 발작에 효과적인 것으로 밝혀졌다. 약 30%의 사람들이 식이요법으로 발작이 현저히 억제되었으며, 약 60%는 주요한 효과를 경험하였다. 케톤 생성 식이요법은 그 효과 면에서 매우 우수한 방법이나, 불균형 식이를 지속하여 위험한 합병증이 따를 수 있고, 식사를 준비하는 보호자의 철저한 교육이 필요하다는 점에서 많은 어려움이 있다. 일부 부모는 식이요법이 너무 어렵다고 지적하며, 많은 아동이 식사가 즐겁지 않으며 군것질에 끌리는 등의 문제점을 나타냈다(Heller et al., 2012 : 490).

24 2012 중등1-36

정답 ④

해설

ㄱ. 학생 A는 경직형이며 착석 자세에서 몸통이 전방굴곡되므로 책상 높이를 높여주는 것이 좋다. 외전대는 하지의 외전을 돕는 역할을 하는 것으로, 가위 모양의 다리와 같은 자세 특성을 보이므로 경직형의 경우 휠체어에 외전대를 사용하여 양다리를 곧게 뻗게 하면 신체의 정렬을 도울 수 있다.

ㄴ. 관절의 운동범위가 제한되면 필수적으로 활동 범위도 제한된다. 따라서 제한된 활동 범위만으로도 과제에 참여할 수 있도록 보조기기나 교수적 수정이 필요하다.

ㄷ. 선택의 기회를 제공하는 것은 선행자극의 조정 방법 중 하나로 자기결정력을 향상시키고 문제행동을 감소시킨다.

ㄹ. 다면적 점수화는 학생의 능력, 노력, 성취 영역을 모두 평가하는 것이다. 아동이 학습동기가 낮기 때문에 노력에 대한 평가로 아동이 성공경험을 가져 학습참여에 대한 동기를 높일 수 있도록 한다.

ㅁ. 자극 촉진은 정반응을 높이기 위해 제공되는 자극을 변화(수정)시키는 것이고 반응 촉진은 정반응을 높이기 위해 학생에게 제공하는 교사의 부가적인 도움을 의미한다. 따라서 자극 촉진만 교수 자극을 수정하는 유형에 해당한다.

Check Point

선행사건 중재 전략

기능	중재 전략	예시
관심 끌기	성인의 관심 시간 계획	• 성인과 함께 작업한다. • 성인이 주기적으로 관심을 제공한다.
	또래의 관심 시간 계획	• 또래와 짝을 지어 준다. • 또래가 교수한다.
	아동에 대한 접근성 증가	• 좌석 배치를 바꿔 준다. • 주기적으로 교실을 돌아다닌다.
	좋아하는 활동 제공	교사가 자리를 비울 때는 더 좋아하는 과제를 하게 한다.
회피하기	과제의 난이도 조절	쉬운 과제를 제시한다.
	선택 기회 제공	• 아동에게 선택의 기회를 제공한다. - 수행할 과제 - 수행할 과제의 순서 - 사용할 재료 - 과제 수행 장소 - 과제 수행 시기 - 함께 수행할 사람

	아동의 선호도와 관심사를 활동에 추가	아동의 취미나 관심사를 활동에 포함시킨다.
	활동을 통하여 의미 있고 기능적인 성과를 얻게 함	가치 있는 성과가 이루어질 수 있는 활동을 제공한다.
	과제의 길이 조절	• 짧은 활동을 제공한다. • 쉬는 시간을 자주 제공한다.
	과제 수행 양식 조절	• 자료/매체를 변경한다. • 필기도구 대신 컴퓨터를 사용하도록 한다.
	행동적 모멘텀 및 과제 분산 사용	어려운 과제를 제시하기 전에 쉬운 과제를 제시한다.
	예측 가능성 향상	앞으로 할 일이나 활동의 변화에 대한 교수적·시각적·청각적 단서를 제공한다.
	교수 전달방식 변경	즐거운 톤의 목소리를 사용한다.
물건/활동 획득	미리 알려줌	활동을 마칠 시간이 다 되어 감을 알려준다.
	전이 활동 계획	아주 좋아하는 활동과 좋아하지 않는 활동 사이에 보통으로 좋아하는 활동을 계획한다.
	접근성 증진시키기	매우 선호하는 물건을 아동의 손이 닿는 범위에 둔다.
자기조절 (감각자극 얻기)	대안적 감각 강화 제공	청각적 자극을 강화하기 위하여 라디오를 제공하거나 시각적 강화를 제공하기 위하여 시각적 자극을 제공한다.
	풍부한 환경 제공	흥미롭고 자극이 많은 활동으로 환경을 구성한다.

25 2012 중등1-38

정답 ②

해설

ㄱ. 뇌성마비는 비진행성 질환이다.

ㄷ. 관절 주위 근육의 경직으로 인해 골격이 관절에서 이탈된 상태를 의미하는 용어는 '탈구(dislocation)'이다.
 • '관절 구축'이란 근긴장도의 지속적인 증가로 근육, 인대, 관절막의 길이가 단축되어 나타나는 현상이다.
 • 성장할수록 통증과 척추 측만증을 유발하는 것은 관절 구축의 영향에 해당한다.

ㅁ. 비정상적인 근긴장은 근골격 구조의 변화를 유발하는데 스스로 자세를 바꾸거나 팔을 이용하여 신체를 지지하는 것과 같은 보상적 운동 패턴을 통해 이차적 장애를 유발한다.: 비정상적인 근긴장은 보상운동 패턴의 사용을 촉진하게 되며, 이는 빈약한 운동협응 패턴을 유도하고, 근육과 골격 구조의 신체적인 변형을 가져오게 하며, 정형외과적인 기형을 가져오게 되는데, 이는 또 다른 보상운동 패턴과 더 심한 정형외과적 결함으로 연결된다. 운동장애를 가진 많은 아동들은 시간이 흘러 학령기가 되면 태어날 때와 아동기에 나타났던 운동장애 외에 이차적인 운동장애와 정형외과적인 기형을 유발하게 된다.

Check Point

비정상적인 근긴장의 영향

① <그림 1>은 시간이 흐를수록 자세와 움직임이 비정상적으로 변화해 갈 수 있다는 것을 보여주는 설명이다. 아래의 순환 모형은 비정상적인 근육 긴장도를 가진 신생아가 태어났을 때, 사고나 상해로 인한 뇌손상 때문에 얻은 비전형적인 근육 긴장도를 가진 경우이다. 특별히 머리와 몸통에서의 근육 긴장도는 미성숙아로 태어나는 신생아의 대다수에게 과소긴장형의 형태로 나타난다. 운동 능력에 문제가 있는 다른 신생아들도 초기발달과정에서 머리와 몸통 부분에서 낮은 긴장도를 가지게 된다. 시간이 지나면 이들 신생아의 많은 수가 발달하면서 신체 말단부위의 긴장도가 증가한다. 학령기가 되면 이들의 근육 긴장도는 과다긴장형이나 경직형으로 나타난다.

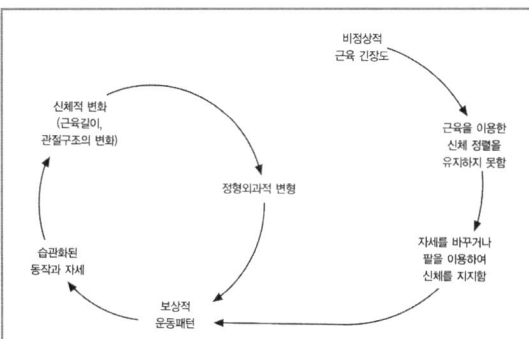

이 그림은 시간이 흐를수록 자세와 움직임의 발달이 비정상적으로 진행되고 있는 것을 나타낸 그림이다. 자세에서의 일탈은 중력에 대해 신체를 바르게 유지하려는 보상작용에서 나오는 것으로 자세의 적응 결과이다. 이러한 적응은 순환하여 여러 종류의 움직임에 영향을 준다.

[〈그림 1〉 비정상적인 움직임 발달에 대한 순환 모형]

아동이 나이가 들어가면서 태어날 때는 없었던 다양한 이차적인 운동장애가 나타날 수 있다. 비정상적인 운동의 순환 모형은 비정상적인 근육 긴장도를 가진 아동이 시간이 지나면서 어떻게 이차적인 장애를 가지게 되는가를 설명하고 있다. 먼저 반중력적 자세를 지지하기 위해 신체를 사용하거나 팔을 사용하게 되면 보상운동 패턴의 사용을 촉진하게 되며, 이는 빈약한 운동협응 패턴을 유도하고, 근육과 골격 구조의 신체적인 변형을 가져오게 하며, 정형외과적인 기형을 가져오게 되는데, 이는 또 다른 보상운동 패턴과 더 심한 정형외과적 결함으로 연결된다. 운동장애를 가진 많은 아동들은 시간이 흘러 학령기가 되면 태어날 때와 아동기에 나타났던 운동장애 외에 이차적인 운동장애와 정형외과적인 기형을 유발하게 된다.

② 이차적인 신체적 변화

이차적인 장애는 관절 움직임의 범위에 있어서의 신체적인 제한성을 포함한다. 예를 들어 아동은 팔을 곧게 펼 수 없게 될 수도 있다. 움직임의 제한성은 경직성이라 불리는 근육의 긴장도라는 또 다른 이차적인 장애와도 관계가 있다. 긴장된 근육은 쉽게 뻗지 못하기 때문에 움직임의 범위를 제한하게 된다. 예를 들어 엉덩이와 무릎의 근육이 긴장되고 짧아지게 된 학생은 거의 모든 시간 두 관절이 구부러져 있기 때문에, 사춘기나 성인기가 되어서는 의자에 앉은 자세에서 화장실 변기로 이동을 할 때나, 학교버스를 탈 때, 차를 탈 때, 혹은 다른 자세로 이동할 때 두 사람의 도움이 필요하게 될지도 모른다. 어떤 아동들은 근육의 긴장도로 인해 다리의 안쪽 근육이 당겨져서, 두 다리가 꼭 붙어 있게 되거나 어떤 아동들에게는 한쪽 다리가 교차되는 형태로도 나타난다. 심한 근육의 긴장도와 움직임의 범위의 제한성은 정형외과적인 변형을 가져온다. 예를 들어 아동의 다리 골격은 근육이 짧아지고 경직되면서 골반으로부터 탈구되기도 한다. 근육은 지나치게 길어지거나 늘어나기도 한다. 등 윗부분이 굽은 학생의 경우는 어깨 근육이 경직되어서 어깨를 앞쪽으로 당김으로 인해 등 윗부분의 근육이 늘어나게 된 것일 수 있으며, 근육이 약한 것도 특정 근육을 잘 사용하지 않음으로 인한 이차적 장애일 수 있다. 근육의 취약성은 근육의 경직성과 저긴장성 양쪽 다 연관될 수 있다. 경직성과 근육의 취약성을 함께 가진 아동은 경직성이 감소된 후에도 움직이는 데 어려움이 남게 된다.

③ 보상적 운동

대부분의 신생아와 유아는 본능적으로 움직이고자 하기 때문에 장애를 가진 아동도 어떠한 방법으로든지 움직이려고 한다. 기본적인 신체적인 제한성을 보상할 수 있는 움직임의 방법은 몇 가지가 있다. 흔한 예로, 다리 근육의 경직성이 심한 아동의 경우에는 바닥에 앉을 때 다리를 쭉 뻗고 앉기보다는 무릎을 구부리고 앉는 아동들이 있다. 또는 <a>처럼 팔을 이용하여 신체를 지지하고 앉는 경우도 있으며, <b>처럼 어깨 앞쪽으로 팔을 당겨서 앉는 경우도 있다. 다리 근육이 짧아진 것이나 경직성을 보상하기 위한 자세이다. 또 다른 보상 방법으로는 팔을 이용하여 앉는 방법이다. 예를 들어 어린 아동은 바닥에 앉을 때 <c>처럼 양팔을 지지하지 않고 몸을 똑바로 세워 자세를 유지하고 몸통 근육의 부족함을 보상하기 위해 양팔을 이용하여 지지하기도 한다. <그림 2>의 아동들은 어느 정도 바닥에 독립적으로 앉기가 가능한 아동들이다. 그러나 아동들은 앉아 있기 위해 고도의 신체적 노력을 하고 있다. 대근육 운동 발달이나 기술수행이 즉각적인 관심의 초점이 되는 동안 각 아동의 앉기 자세가 초래하는 장기적인 부정적 결과를 잊어버리게 된다. 아동 스스로 독립적인 수행을 한다는 사실이 어떤 방법으로 수행하는가에 대한 문제를 덮어주는 것은 아니다. <그림 2-a>에서 보는 아동은 머리와 팔의 긴장도가 증가되어 있고, 이러한 높은 긴장성이 신체 윗부분을 세우도록 하여 성인의 도움으로 앉을 수 있게 한다. 아동은 몸통 신전 근육의 충분한 근육 긴장도가 부족하여 몸이 앞으로 기울어지고, 중력에 대항하여 몸을 바로 세우지 못하고 정렬이 흐트러지게 된다. 몸통 신전 근육이 충분한 긴장도를 가지고 있다면 몸통을 똑바로 세우고 바르게 앉을 수 있다. <그림 2-b>는 성인의 보조 없이 앉아 있는 아동인데 균형을 유지하기 위해 등을 앞으로 구부린 상태에서 고개는 거북이처럼 어깨 속으로 들어가고 양팔은 가슴 안쪽으로 당기듯 앉아 있게 된다.

<그림 2-c>에서 아동은 균형과 안정성을 유지하기 위해 팔을 이용한 보상운동을 하고 있는 것을 알 수 있다. 각각의 아동의 앉기 자세에서 어깨와 몸통의 낮은 근육 긴장도로 인한 보상을 위해 팔을 이용하고 있는 것을 볼 수 있다. 그들은 모두 앉아 있지만 중력에 대하여 똑바로 정렬된 자세로 앉아 있는 아동은 없다. 이러한 자세는 앉을 수는 있지만 다음과 같은 문제점을 가지고 있다. ㉠ 아동은 앉기 자세를 취하기 위해 경직성을 이용하고자 하므로, 근육 긴장도가 높아진다. ㉡ 중력에 대해 정렬되지 못한 자세를 나타낸다. ㉢ 몸을 똑바로 유지하기 위해 팔을 사용하여 지지하고 있다(장난감 가지고 놀기나 다른 기능적 활동을 하기 위해 팔을 유용하게 사용하지 못하는 자세이다). 대부분의 아동들은 의자에 앉는 것 자체가 목적이 아니다. 아동들은 사물을 가지고 놀고, 그들 주변의 것들을 탐색하고, 구르거나 서기, 걷기 등과 같은 다른 자세로 이동하기 위해서 앉은 자세를 취한다. 운동장애를 가진 아동들도 앉을 수는 있으나, 앉아서 이러한 기능들을 잘 수행할 수 있는 것은 아니다.

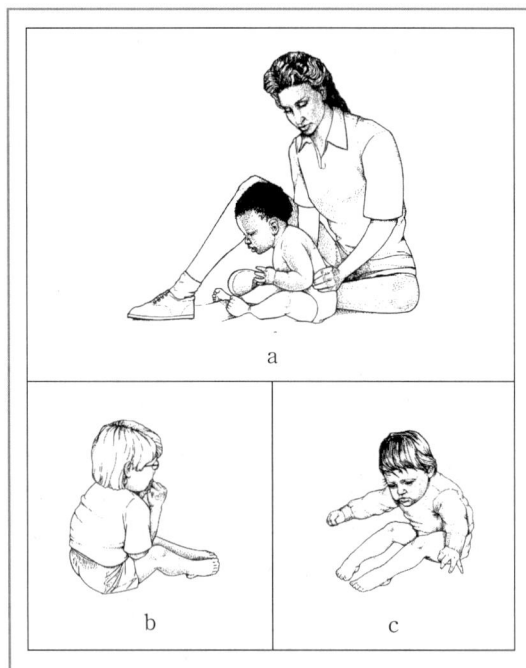

[〈그림 2〉 근육 긴장도 유형과 신체 부위의 적응]

26   2013 유아B-2

모범답안

| 4) | 흡인되는 것(또는 기도로 흡입되는 것) |

27   2013 초등B-1

모범답안

2)	앉아서 하는 모둠 활동에서 민수가 또래들과 상호작용하기 위해서는 휠체어가 더 효과적이기 때문이다.
3)	다음 중 택 1 • 바른 자세를 통해 비정상적인 근육의 긴장도를 최소화시켜서 신체의 안정감을 높여 주기 때문이다. • 신체의 좌우 대칭을 유지하면서 움직임을 도울 수 있어 기형과 이차적인 장애를 방지할 수 있기 때문이다.

Check Point

(1) 서기 자세 보조공학기기

프론 스탠더	• 프론 스탠더는 스스로 서기가 어려운 아동에게 엎드린 자세로 다리와 몸통을 고정시킨 후 전동이나 수동 장치를 이용하여 각도를 세워 바로 설 수 있도록 하는 기기이다. • 머리를 스스로 가눌 수 있는 경우 사용할 수 있으며, 특히 상체의 조절이 어느 정도 가능한 경우는 상지 기능 강화를 위해 사용할 수 있다.
수파인 스탠더	• 수파인 스탠더는 상체와 하체의 조절 능력이 저조하여 세우기가 힘든 경우 등을 대고 누운 자세에서 다리 및 몸통을 고정시킨 후 전동이나 수동 장치를 이용하여 각도를 세워 바로 설 수 있도록 보조하는 기기이다. • 머리를 스스로 가누지 못하는 아동은 수파인 스탠더를 사용하여 기립 자세를 유지한다.
스탠딩 테이블	• 스탠딩 테이블은 몸통이나 다리 근육의 제한으로 스스로 서기 어려운 아동을 세울 수 있게 지원하는 보조공학기기이다. • 아동의 신장에 따라 높이와 각도를 조절할 수 있으며 테이블이 있어 서기 자세에서 상지를 활용한 활동을 한다.

(2) 적절한 자세지도 및 신체 관리의 목적
① 바른 자세는 신체의 정렬과 안정성을 제공한다. 비정상적인 근긴장도는 정상치보다 낮은 저긴장성과 정상치보다 높은 수준의 과다긴장성에 의해 발생하므로, 바른 자세를 통해 비정상적인 근육의 긴장도를 최소화시켜서 신체를 바르게 유지하며 균형 있는 자세를 취하게 해 주어 신체의 안정감을 높인다.

② 바른 자세는 근긴장도를 적절하게 유지시켜 준다. 잘못된 자세는 과다긴장 상태를 유발하여 자발적인 움직임을 제한한다. 예를 들면, 경직형 뇌성마비 학생의 경우 적합하지 않은 자세로 방치하면 근육의 긴장도가 높아져서 스스로 할 수 있는 신체활동도 점차 할 수 없게 된다.
③ 바른 자세는 기형과 이차적인 근육의 장애를 예방한다. 신경학적 손상이 있는 지체장애 학생은 근육 긴장도의 불균형과 고정된 자세 습관으로 인한 기형과 이차적인 근육 문제가 나타난다. 바른 자세의 지도는 신체의 좌우 대칭을 유지하면서 움직임을 돕기 때문에 기형과 이차적인 변화와 장애를 방지한다.
④ 불안한 자세로 인한 심리적인 두려움을 줄여 주며, 눈맞춤을 하고 타인의 표정을 읽음으로써 정서적 안정과 상호작용을 촉진할 수 있다. 부적절한 자세에서는 신체적인 두려움으로 인해 근육의 긴장도가 증가하고 이로 인해 움직임의 제어 기능을 악화시킬 수 있다. 자세 지도용 보조기기를 사용하면 물리적인 안전성을 제공하므로 공포감을 줄이고 신체적인 안정감을 높일 수 있다.
⑤ 안정된 자세는 상지 사용 기능을 극대화한다. 손을 최대한 사용 가능하게 하여 환경과의 능동적인 작용을 이끌어 내고 몸통과 하지의 안정된 자세는 학생의 머리, 팔, 손의 사용 능력에 직접적인 영향을 준다.

이 외에도 적절한 자세 지도를 통해 시각이 확보되어 환경으로부터 보다 다양한 정보를 얻을 수 있고, 호흡과 발성, 구강 운동 기능의 발달을 촉진할 수 있으므로 적절한 자세 지도는 매우 중요하다(박은혜 외, 2018: 388-389).

28 2013 초등B-4

모범답안

2)	다음 중 택 1 • 자세를 자주 바꾸어 준다. • 욕창 방지 쿠션을 깔아준다. • 피부를 청결하게 유지한다.
3)	창가로 이동하기 쉽도록 공간을 확보해 준다(또는 창가와 책상 사이의 간격을 넓혀준다).

해설

2) 욕창을 예방하기 위해서는 피부를 청결하게 유지하고, 에어 매트리스를 사용하거나 자세를 자주 변화시켜 주는 것이 필요하다.

29 2013 중등1-11

정답 ②

해설

ㄷ. 친근한 대화 상대자에서부터, 상호작용할 사람의 범위에 포함되지 않을 수 있는 덜 친근한 대화 상대자까지 모두 고려한다.
ㄹ. 상징과 비상징이 결합된 다중양식을 사용한다. 의사소통 방법은 하나의 방법을 선택하기보다는 개별 학생의 의사표현과 소통의 효율성을 고려하여 필요한 경우 구어를 이용한 의사소통의 지도 외에 다양한 양식의 사용을 허용하는 접근이 이루어져야 한다. 뇌성마비 학생의 의사소통 지도는 학생이 가지고 있는 모든 잔존 능력, 즉 구어, 발성, 제스처, 수화, 도구를 사용하는 의사소통 방식을 포함하여 지도하는 것이 효과적이다. 의사소통은 쌍방 간의 소통이며, 적절한 시간 내에 정확하게 표현하는 것이 의사소통의 성패를 좌우하기 때문에 비상징적·상징적 의사소통 양식 중 상황에 더 적합한 양식 체계를 사용할 수 있도록 지도한다. 이러한 다중양식체계를 활용한 AAC 방법은 뇌성마비 학생들의 의사소통 효율성을 높일 수 있다(박은혜 외, 2018: 282-286).

Check Point

의사소통을 위한 교수 기회의 제공

교수 기회를 확인하기 위해서는 ① 교수가 일어나는 환경, ② 의사소통 상대, ③ 교수 기회를 시작할 사람, ④ 중재 회기의 빈도/회기당 기회의 횟수와 같은 여러 요소를 고려해야 한다.

① 교수가 일어나는 환경
  ㉠ 교수가 일어나는 환경은 의사소통 행동이 발생하도록 기대되는 자연적인 환경에서부터 분리된 환경까지 연속선상에서 개념화될 수 있다.
    • 자연적 환경에서 교수를 제공하는 것의 이점은 관련된 환경적 특성의 맥락에서 기술이 획득되기 때문에 학습된 기술이 일반화되고 유지될 가능성이 더욱 증가하는 점이다.
    • 자연적인 환경으로부터 분리된 교수를 제공하는 것의 이점은 학생의 기술 획득에 영향을 미칠 수 있는 방해요소와 다른 변인들을 통제할 수 있다는 것이다.
  ㉡ 교수가 일어나는 환경에 관해 결정할 때, 하나의 환경만을 선택해야 하는 것이 아니며 여러 환경에서 가르칠 수 있음을 인식해야 한다.
    예 자연적 및 분리된 환경에서의 상대적인 이점을 최대화하기 위해 팀은 점심시간 동안 학교 식당(자연적 환경)에서 교수를 일부 제공하고, 교실(약간 덜 자연적인 환경)에서 소집단

활동 중에 교수를 일부 제공하고, 일대일 회기(분리된 환경) 동안에 교수를 일부 제공하기로 결정했다.

② 의사소통 상대
㉠ 의사소통 상대는 일단 의사소통 행동이 습득되면 아동이 상호작용할 상대의 범위에 포함되는 자연스러운 의사소통 상대(예 학교의 또래)에서부터, 상호작용할 사람의 범위에 포함되지 않을 수 있는 덜 자연스러운 의사소통 상대(예 학급의 보조교사)까지 연속선상에서 개념화될 수 있다.
- 자연스러운 의사소통 상대를 활용하는 이점은 그 기술이 일반화되고 유지될 수 있는 가능성을 더욱 증가시킨다는 것이다.
- 덜 자연스러운 의사소통 상대를 활용하는 이점은, 후속결과, 촉진 등의 변인을 통제할 수 있다는 점이다.

㉡ 의사소통 상대에 관한 의사결정을 할 때도 하나만 선택해야 한다고 생각하지 않아야 하며, 팀은 다양한 의사소통 상대를 사용하거나 교수를 제공하기 위해 자연스러운 의사소통 상대를 훈련시킬 수 있다.
  예 자연스럽거나, 덜 자연스러운 의사소통 상대들의 상대적 이점을 최대화하기 위해 점심시간 동안 학교식당 직원을 자연스러운 의사소통 상대로 활용하고, 학급에서 소집단 활동 동안에 교수를 제공하기 위해 또래를 훈련시키고, 일대일 회기 동안에는 의사소통 상대로 보조교사가 역할을 할 수 있도록 결정할 수 있다.

③ 교수 기회를 시작할 사람
교수 기회를 시작할 사람을 결정할 때 학생, 의사소통 상대, 또는 학생과 의사소통 상대가 함께 교수 기회를 시작하도록 선택할 수 있다.
㉠ 학생이 기회를 시작하는 것의 장점은 학생이 그 자극에 집중하고 동기가 부여된다는 점이다.
㉡ 의사소통 상대가 기회를 시작하는 것의 장점은 교수 기회의 수를 조절할 수 있다는 점이다.
㉢ 학생과 의사소통 상대가 함께 기회를 시작하는 데는 두 장점이 모두 포함된다.

④ 중재 회기의 빈도/회기당 기회의 횟수
중재 회기의 빈도와 회기당 기회의 횟수에 관한 결정은 다음과 같은 요인에 따라 달라질 수 있다.
㉠ 교수할 행동 : 보다 복잡한 행동은 더 많은 시행/회기를 필요로 할 수 있다.
㉡ 개인의 기술/능력 : 일부 학생은 다른 학생보다 더 많은 시행/회기를 필요로 할 수 있다.
㉢ 기술 습득의 긴급성 : 개인의 안전성과 의사소통 상대에 대한 영향 때문에 빨리 습득될 필요가 있는 기술은 더 많은 시행/회기를 필요로 할 수 있다.

출처 ▶ Brown et al.(2017 : 401-403)

30   2013 중등1-27

정답 ④

해설

① 위식도 역류란 위에 있는 음식이 식도로 역류되는 것이다. 이는 내용물이 식도(목의 뒷부분과 위가 연결된 통로)로 밀려나오는 것으로 잦은 구토와 염증을 유발한다.

> 위식도 역류를 보이는 학생에게 제공되는 음식의 질감에 대한 다양한 표현 : 거친 질감의 음식, 걸쭉한 음식, 뻑뻑한 질감의 음식
> - 위식도 역류를 보이는 학생은 작은 조각으로 음식을 잘라 주거나 거친 질감의 음식 또는 고체 형태의 음식을 제공하는 것이 적절하다(박은혜 외, 2019 : 442).
> - 위식도 역류를 막기 위해서는 더 자주, 보다 조금씩 음식을 나누어 주는 것이 도움이 되며 걸쭉한 음식을 주거나 식사 후에 약 1시간 정도는 비스듬히 앉은 자세를 취하여 위에서 음식물이 비워지도록 해 주는 것이 좋다(박은혜 외, 2019 : 77).
> - 위식도 역류는 위에 있는 음식이 식도로 역류되는 것이다. 이는 내용물이 식도(목의 뒷부분과 위가 연결된 통로)로 밀려 나오는 것으로, 잦은 구토와 염증을 유발한다. 식사 후에 약 1시간 동안 수직 혹은 반수직 자세를 취해 주거나, 작은 조각 또는 뻑뻑한 질감의 음식은 위식도 역류를 개선할 수 있고, 약물도 사용할 수 있다(Heller et al., 2012 : 127).

- 위식도 역류를 보이는 경우 식사 후 약 1시간(또는 45분) 정도는 바르게 앉거나 비스듬히 앉은 자세(또는 수직/반수직)를 취하여 위에서 음식물이 비워지도록 해 주는 것이 좋다.

② 금속재질보다는 플라스틱 소재나 실리콘 소재의 숟가락을 사용한다.

③ 입 안에 음식을 넣어 줄 때는 목구멍 쪽 혀의 뿌리가 아닌 혀의 중앙 부분에 넣어 주어야 한다. 그리고 턱의 움직임에 제한이 많은 경우에는 쉽게 씹을 수 있도록 치아 사이에 직접 음식을 놓아 준다.

- 혀 내밀기 반사는 혀를 강하게 밀어내는 현상으로 겉보기에 단단하고 경직되어 보이며 일반적으로 혀 수축에 대한 보상적 동작으로 시도하게 된다(Best et al., 2018 : 322).
- 생후 4개월의 영아에게 나타나는 '혀밀기 반사'는 모유나 분유를 주식으로 하던 영아가 다른 것이 입안에 들어오면 본능적으로 삼키지 못하고 뱉는 반사이지만, 소멸되지 않을 시 입술 닫기를 어렵게 하고 혀로 음식을 옮기거나 씹는 것을 방해한다(김혜리 외, 2021 : 240).

⑤ 고개를 뒤로 젖히고 턱을 들어 올리기(신전)보다는 목을 약간 구부리게 하는 자세가 질식 없이 쉽게 삼키도록 하며 비정상적인 반사작용을 최소화한다.

Check Point

📝 삼킴 동작

① 정의

일반적으로 음식물을 입에서 식도를 통해 위장으로 옮기는 과정에서의 장애를 말하지만, 넓은 의미로는 음식을 먹게 되는 상황에 대한 기대, 음식물에 대한 시각적·후각적 지각을 비롯하여 침의 분비 등 식사 전반에 걸친 모든 과정을 포함한다(심현섭, 2017: 326).

② 정상 삼킴이 단계

㉠ 전통적으로 삼킴 동작은 4단계로 설명된다.

구강준비단계	필요한 경우 음식을 씹거나 입 안에서 조작하여 삼킬 수 있는 농도와 형태로 만드는 단계
구강단계	혀가 음식을 뒤로 밀어 넘겨 인두삼킴이 유발되기까지의 단계
인두단계	인두삼킴이 유발되고 음식덩이가 인두 안으로 넘어가는 단계
식도단계	식도의 연동운동으로 음식덩이가 경부식도와 흉부식도를 통과하여 위장으로 옮겨가는 단계

㉡ 각 단계에 소요되는 시간이나 특성은 삼키게 되는 음식의 종류나 크기 그리고 이에 대한 자발적인 노력에 따라 달라진다. 따라서 삼키고자 하는 음식의 특성이나 수의적인 통제력에 따라 정상적인 삼키기의 유형은 다양하게 나타난다.

출처 ▶ 권미선 외(2007: 45-46)

31

2013 중등1-28

정답) ①

해설

ㄴ. 학생 A가 휠체어에 앉아 있을 때는 원시적 공동운동패턴을 최대한 줄여 구축과 변형을 예방한다.
학생 A는 비대칭 긴장성 경부반사를 보이는 뇌성마비이므로 주로 좌골과 고관절에 욕창이 나타난다. 천골과 미골에 욕창이 자주 발생하는 유형은 대칭 긴장성 반사 뇌성마비이다.

ㄷ. 모니터는 고개가 돌아간 방향이 아니라 정면 중심선 앞에 위치하도록 한다.
• 스위치는 반사의 활성화를 줄이기 위해 정면 중심선 배치가 선호된다.

ㅁ. 직접선택하기가 가능한 신체의 부위를 찾을 때는 조절하기 쉽고 사용하기에 더욱 우세한 손과 팔의 조절 능력을 평가한다. 그다음에는 머리와 목의 조절 능력을 평가하며, 마지막으로 신체적 손상이 있는 사람은 직접 선택 기술에 필요한 팔다리의 미세한 운동 조절 기능이 낮으므로 발과 다리의 조절 능력을 평가하는 것이 효과적이다.

Check Point

(1) 원시적 공동운동 패턴

무릎을 구부리면 고관절과 발목 관절, 발가락도 전부 구부러지고, 펴면 전부가 펴지는 패턴의 움직임을 원시적 공동운동 패턴(또는 공동운동 패턴)이라고 부른다. 유아에게는 보통의 패턴이지만, 뇌성마비 아동은 위와 같은 패턴이 종종 나타난다.

(2) 선택하기를 위한 평가 단계

① 직접선택

Lee와 Thomas는 직접선택하기를 평가할 때의 단계를 3단계로 설명하고 있다.

㉠ 첫 단계는 손이 가장 조절하기 쉽고 가장 사회적으로 수용되므로 손과 팔의 조절 능력을 평가한다.

㉡ 둘째 단계에서는 머리와 목의 조절 능력을 평가한다.

㉢ 신체적 손상이 있는 사람은 직접 선별 기술에 필요한 팔다리의 미세한 운동 조절 기능이 낮으므로 다음 단계에서는 발과 다리의 조절 능력을 평가한다.

② 간접선택

㉠ 사용자가 신체의 한 부위를 이용하여 직접선택하기를 하지 못할 경우 스캐닝을 위한 스위치 평가를 해야 한다.

㉡ 스위치를 작동할 신체 부위가 어느 부위인지 평가하기 위해서는 손가락, 손, 머리, 발, 다리, 무릎 순서로 평가한다.

32　　2013 중등1-29

정답) ①

해설

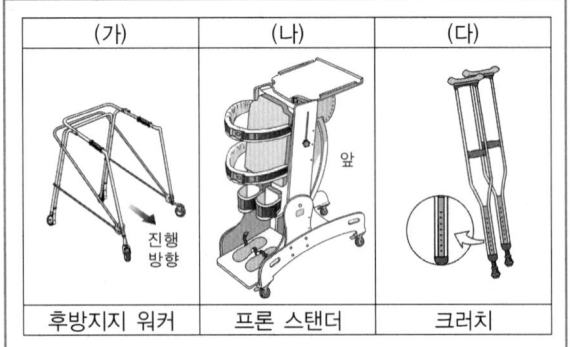

ㄷ. 프론 스탠더는 머리를 스스로 가눌 수 있는 경우 사용할 수 있으며, 특히 상체의 조절이 어느 정도 가능한 경우는 상지 기능 강화를 위해 사용할 수 있다.

ㅁ. 내려갈 때는 크러치와 불편한 발을 먼저 내딛고 불편하지 않은 발이 내려가도록 지도하는 것이 안전하다.
- 올라갈 때는 불편하지 않은 발을 먼저 내딛은 다음 크러치와 불편하지 않은 발을 내딛는다.

ㅂ. 어깨와 팔의 각도가 25~30도 정도 되도록 높이를 조절한다. 그리고 크러치의 길이는 겨드랑이에 손가락 2~3개가 들어갈 정도로 조절하는 것이 바람직하다.

Check Point

(1) 서기 자세 보조공학기기

프론 스탠더	• 프론 스탠더는 스스로 서기가 어려운 아동에게 엎드린 자세로 다리와 몸통을 고정시킨 후 전동이나 수동 장치를 이용하여 각도를 세워 바로 설 수 있도록 하는 기기이다. • 머리를 스스로 가눌 수 있는 경우 사용할 수 있으며, 특히 상체의 조절이 어느 정도 가능한 경우는 상지 기능 강화를 위해 사용할 수 있다.
수파인 스탠더	• 수파인 스탠더는 상체와 하체의 조절 능력이 저조하여 세우기가 힘든 경우 등을 대고 누운 자세에서 다리 및 몸통을 고정시킨 후 전동이나 수동 장치를 이용하여 각도를 세워 바로 설 수 있도록 보조하는 기기이다. • 머리를 스스로 가누지 못하는 아동은 수파인 스탠더를 사용하여 기립 자세를 유지한다.
스탠딩 테이블	• 스탠딩 테이블은 몸통이나 다리 근육의 제한으로 스스로 서기 어려운 아동을 세울 수 있게 지원하는 보조공학기기이다. • 아동의 신장에 따라 높이와 각도를 조절할 수 있으며 테이블이 있어 서기 자세에서 상지를 활용한 활동을 할 수 있다.

(2) 지팡이와 크러치

① 크러치 사용자의 체격이나 키에 따라 높이를 조절하여 사용하는데, 키의 16%를 감산하여 크기를 정하고, 어깨와 팔의 각도가 25~30도 정도 되도록 높이를 조절한다. 크러치의 길이는 겨드랑이에서 손가락 2~3개 아래에 있도록 조절하는 것이 바람직하다.

② 크러치를 이용하여 계단을 올라갈 때는 불편하지 않은 발을 먼저 내딛고 이후 크러치와 불편한 발을 내딛도록 지도하고 계단을 내려갈 때는 크러치와 불편한 발을 먼저 내딛고 불편하지 않은 발이 내려가도록 지도하는 것이 안전하다.

(3) 워커

① 워커는 독립적인 보행이 가능한 아동의 수직적 움직임을 가능하게 하는 이동 기기이다.

② 보행 훈련을 마친 후 크러치를 사용하기에는 적절하지 않은 경우에 사용한다.

③ 이동 방법에 따라 전방지지형, 후방지지형, 몸통이나 팔로 지지할 수 있는 워커 등이 있으며 장애 정도에 따라 선택이 가능하다.

33   2013추시 초등A-2

모범답안

1)	• 번호와 수정 내용: ①, 단순 모방 능력이 떨어지기 때문에 교사의 신체적 보조를 통해 턱을 조절하여 씹을 수 있도록 한다. • 번호와 수정 내용: ③, 지시 따르기에 어려움이 있으므로 청각적 자극을 제공하는 것보다는 보조공학기기를 제공하여 자세 유지, 움직임과 이동의 신체발달을 촉진하는 것이 바람직하다.
2)	① 청결 ② 수분
3)	• 번호와 수정 내용: ①, 식사 후에 약 1시간(또는 45분) 정도는 똑바로 있거나 비스듬히 앉은 자세를 유지하여 위에서 음식물이 비워지도록 해 주는 것이 좋다. • 번호와 수정 내용: ③, 거친(또는 뻑뻑한, 걸쭉한) 질감의 음식을 숟가락으로 떠먹인다.

해설

1) ① 단순 모방 능력이 매우 떨어져 기능 훈련에 어려움이 있는 만큼 교사 모델링을 통해 턱을 조절하여 씹기는 어렵다.

② 현우는 움직임과 이동이 곤란하기 때문에 스스로 환경을 탐색하고 경험하는 기회가 매우 제한적이다. 따라서 외부 환경 및 대상을 직접적으로 경험하게 함으로써 지각 및 상호작용 기술을 발전시킬 필요가 있다.

• 학생은 주어진 환경 내에서 스스로 이동하는 것을 통해 환경을 탐색하고 경험하게 되며, 지각과 인식 및 상호작용 기술을 발전시킨다(박은혜 외, 2023: 174).

③ 지시 따르기에 어려움이 있으므로 청각적 자극의 효과를 보장할 수 없으며 현우의 전반적 특성에 정서적 이상에 대해서는 언급된 바가 없다. 자세 유지, 움직임과 이동이 곤란한 만큼 보조공학기기 지원을 통해 신체 발달을 촉진하는 것이 바람직하다.

④ 용변 의사를 표현할 수 없기 때문에 침톡, 테크톡과 같은 음성 출력 의사소통기기를 통해 용변 의사를 표현할 수 있도록 하는 것이 필요하다. 다만 상징 이해 능력이 부족한 현우의 특성을 고려하여 음성 출력 의사소통기기에 사용되는 상징의 수를 제한할 필요가 있다.

3) ③ 일반적으로 위식도 역류가 있는 경우는 작은 조각의 음식이나 거친 음식을 제공하거나(2013 중등1-27 기출), 더 자주, 보다 조금씩 음식을 나누어 주는 것이 도움이 되며 걸쭉한 음식을 주도록(박은혜 외, 2019: 77) 하는 것이 바람직하다고 제시된다.

• 문제에서 현우는 씹기, 빨기, 삼키기 등의 섭식 기능에 문제가 있으면서 동시에 위식도 역류 증상도 있다. 따라서 섭식 기능의 문제를 해결하기 위해서는 씹기에 어려움이 있는 고형의 음식물은 피하는 것이 좋다. 그리고 위식도 역류 개선을 위해서는 거친 질감의 음식을 제공하는 것이 바람직하다.

④ 위식도 역류에 대해 약물을 사용할 수도 있으며 식도염증도 있기 때문에 건강상의 문제를 치료하기 위해서는 약물을 복용할 필요가 있다.

Check Point

(1) 요로 감염

뇌성마비 학생은 일반학생에 비해 요로 감염이 3배 정도 많이 나타난다. 요로 감염은 발열, 구토, 설사, 복통, 배뇨통 등을 유발할 수 있다. 요로 감염은 기저귀 사용과 청결 문제로 인해 일어나기도 한다. 항생제를 이용하여 요로 감염을 치료하나 학생에게는 충분한 수분 섭취, 청결 지도를 통해 요로계통을 깨끗하게 하는 것이 도움이 된다(박은혜 외, 2019: 77).

(2) 섭식과 위식도 역류

① 섭식 기능은 크게 씹기, 빨기, 삼키기 기능으로 나눌 수 있다. 씹기(chewing)는 음식물을 깨물어 씹어서 부수고 타액과 혼합하여 음식물 덩어리로 만드는 과정을 말하며, 빨기는 음식물을 컵이나 숟가락 등을 이용하여 구강으로 보내는 과정을 말한다. 삼키기는 저작된 음식물을 식도를 통해 위장으로 보내는 과정을 말한다(한경근 외, 2013: 210).

② 위식도 역류는 위에 있는 음식이 식도로 역류되는 것이다. 이는 위에 있는 내용물이 식도로 밀려나오는 것으로, 잦은 구토와 염증을 유발한다. 식사 후 약 1시간 동안 수직 또는 반수직 자세를 취해 주거나, 작은 조각 또는 뻑뻑한 질감의 음식은 위식도 역류를 개선할 수 있고, 약물도 사용할 수 있다(Heller et al., 2012: 127).

㉠ 위에서 식도로 음식이 역류하는 것을 방지하는 주임근의 문제로 나타나는 위식도 역류는 뇌성마비 학생에게서 흔히 볼 수 있다. 위로 들어간 음식물이 역류하고 때로는 입으로 나오고, 음식물로 인해 목이 자주 메고, 구역질, 기침 등이 나타난다. 뇌성마비 학생의 위식도 역류를 막기 위해서는 더 자주, 보다 조금씩 음식을 나누어 주는 것이 도움이 되며 걸쭉한 음식을 주거나 식사 후에 약 1시간 정도는 비스듬히 앉은 자세를 취하여 위에서 음식물이 비워지도록 해 주는 것이 좋다(박은혜 외, 2019: 77).

ⓒ 퓌레형 음식은 삼키는 자극 없이 쉽게 넘어가므로 기도폐쇄의 위험을 증가시키며, 변비와 충치를 일으키고, 구강구조를 약하게 하며, 비타민 결핍을 가져올 수 있다. 또한 고형 음식을 먹을 때 습득할 수 있는 기능을 경험하지 못하게 하므로 가능한 퓌레형 음식을 피하고 고형 음식을 먹도록 지도하는 것이 필요하다. 위식도 역류를 보이는 학생은 작은 조각으로 음식을 잘라 주거나 거친 질감의 음식 또는 고체 형태의 음식을 제공하는 것이 적절하다(박은혜 외, 2019 : 442).

(3) 삼킴장애와 음식 수정

① 일반적으로 구강 조절기능이 저하된 환자는 우선 진하게 만든 액체가 가장 용이할 것이고 그다음 연한 농도의 음식의 순이다.
② 인두삼킴이 지연된 환자는 사과잼이나 으깬 감자처럼 진한 농도의 음식이 가장 용이하다.
③ 혀의 기저부나 인두 벽의 수축이 저하된 환자는 액체에서 가장 양호하다.
④ 후두 상승이 저하되었거나 상부식도조임근의 이완이 저하된 환자는 액체에서 좀 더 양호하다.
⑤ 후두 입구의 폐쇄가 저하된 환자는 진한 농도의 음식이 가장 양호하다.
⑥ 여러 기능저하가 합병되어 있을 때는 음식의 선택이 더욱 어려워진다. 가령 구강기능에 장애가 있고 인두삼킴이 지연되는 환자는 액체와 으깬 음식 사이의 어느 정도의 농도에서 가장 양호할 것이다.
⑦ 각 삼킴장애에서 가장 쉬운 음식의 농도와 피해야 할 음식의 농도는 다음의 표와 같다.

삼킴장애	가장 쉬운 음식농도	피해야 하는 음식농도
혀 움직임의 범위 저하	진한 액체	된 음식
혀 협응운동 저하	진한 액체	된 음식
혀의 근력 감소	액체	되거나 다루기 힘든 음식
인두삼킴의 지연	진한 액체, 된 음식	묽은 액체
기도폐쇄의 감소	푸딩, 된 음식	묽은 액체
후두 움직임의 감소로 인한 반지인두근 기능장애	액체	되거나 점도가 높은 음식
인두벽 수축의 저하	액체	되거나 점도가 높은 음식
혀의 기저부의 뒤쪽 움직임 저하	액체	점도가 높은 음식

출처 ▶ Logemann(2007 : 28, 241)

34 2014 유아A-7

모범답안

1)
- 번호 : ③
- 이유 : 발음을 반복 연습하는 것보다는 자세 조정 훈련을 실시하는 것이 효과적이기 때문이다.

해설

1) ③ /ㅅ/와 /ㄹ/(치조음), /ㅈ/(경구개음) 등은 조음 위치에 따른 조음 오류인 만큼 단순한 반복 훈련이 아닌 자세 조정 훈련을 통해 이루어져야 한다.
- 지체장애 중 특히 뇌성마비는 발성기관인 인두 및 후두, 혀, 구강 등의 근육 운동이 원활하지 못하고, 경직과 불수의적인 움직임은 머리, 목, 입, 얼굴, 혀, 가슴 등의 운동을 방해해 호기량의 불규칙, 호흡 속도와 조절을 어렵게 한다. 이는 발달적 마비말장애를 초래할 수 있는데 성인 마비말장애와 달리 진행성은 아니다. 발달적 마비말장애는 조음, 호흡, 음성, 유창성, 운율에서 문제를 보일 수 있으며, 일반적으로 모든 발음이 제대로 되지 않지만, 특히 혀끝에서 나는 소리(예 /ㅅ/, /ㅈ/, /ㄹ/) 산출이 가장 어렵다(김혜리 외, 2021 : 267).

Check Point

(1) 뇌성마비 유형별 구어 산출 특성

경직형	• 과도한 근긴장 때문에 매우 경직된 발화 특성을 보인다. • 말더듬의 '막힘'과 같이 쥐어짜는 듯한 긴장된 발성과 비정상적인 호흡은 경직형 뇌성마비 아동들의 주요한 발성 특성이다. • 말이 폭발적이고, 일시적인 호흡 이상으로 말이 끊어지거나 느리며, 소리의 크기나 높이 조절이 어렵다. • 연인두 개폐 기능의 부전으로 과대비성과 보상조음이 나타난다. • 치조음의 발성에 특히 어려움을 보인다.
불수의 운동형	• 가벼운 조음장애부터 말을 전혀 할 수 없는 경우까지 매우 다양한 언어 형태를 보인다. • 보통 음의 강도가 약해 속삭이는 듯한 소리를 내는 경우가 많다. 이러한 특성은 단어의 어미 음과 구의 마지막 단어에서 특히 자주 나타난다. • 불수의 운동형은 조음 오류가 많은데 미세한 협응이 필요한 음일수록 왜곡이 많고, 치조음의 조음이 어렵다. • 호흡이 거칠고 불규칙적이다. 호흡의 문제는 높이, 억양, 강세 등의 이상을 유발하고 명료하지 못한 음을 산출하게 한다. • 구어를 산출할 때 정상적인 자세 유지가 어렵기 때문에 발음이 명료하지 못하고 조음장애가 많다. 기식성, 가성대 발성을 나타내거나 헐떡거리는 듯한 호흡으로 잡음이 나타난다.

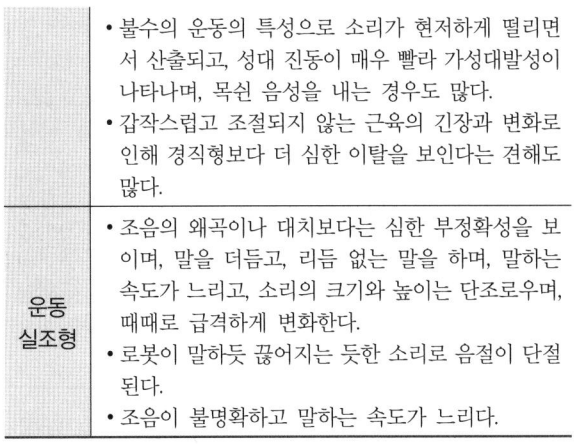

(2) 의사소통 지도

뇌성마비 아동들의 언어적 특성을 고려한 의사소통 지도는 호흡 능력을 강화하기 위한 지도와 자세 조정 훈련으로 구분된다.

① 호흡 능력 강화
  ㉠ 호흡근육 조절 능력의 부족으로 발생하는 역호흡은 호흡기량을 짧게 하고, 따라서 발화가 짧고 끊어질 듯한 현상을 가져온다.
  ㉡ 바람개비 불어 돌리기, 비눗방울 불기, 빨대로 물 불어 소리내기 등과 같은 활동은 역호흡을 억제하고 호흡량을 증가시킬 수 있다.

② 자세 조정 훈련
  ㉠ 뇌성마비 아동의 조음치료에 있어서 적절한 자세란 이상반사 패턴을 억제하고 조음기관의 최소한의 노력(움직임)으로 조음이 가능하도록 하는 자세이다.
  ㉡ 조음 위치에 따른 조음 오류를 수정하기 위한 대표적인 자세 조정 방법은 다음과 같다.

양순음	머리를 앞으로 숙여서 양 입술의 폐쇄가 쉽게 이루어지게 한다.
경구개음, 치조음	머리를 앞으로 숙여서 설첨 부위나 경구개가 치조에 보다 가깝게 위치하게 한다. 이를 통해 혀가 조금만 움직여도 조음위치에 닿을 수 있기 때문에 정상 조음에 도움을 받을 수 있다.
연구개음	목을 뒤로 젖혀 혀뿌리가 중력 작용으로 구강의 뒤쪽으로 위치하게 한다.

35 2014 초등A-6

모범답안

1) (과도한 근긴장으로) 연인두 폐쇄 부전(또는 연인두 개폐 기능의 부전)이 발생하기 때문이다.

Check Point

(1) 연인두 폐쇄
① 구개는 경구개와 연구개로 나눌 수 있는데, 숨을 쉬는 동안에는 일반적으로 연구개의 위치가 후인두벽으로부터 떨어져 있어서 공기가 비강과 인두 사이를 이동하도록 한다. 그러나 연구개의 위치가 상승되면 후인두를 폐쇄시켜 구강과 인두강 사이를 막게 되는데, 그로 인하여 비음인 /m/, /n/, /ŋ/음을 제외한 소리를 산출한 경우 기류가 비강으로 새어 나가는 것을 막아 준다. 이것을 연인두 폐쇄라고 한다.
② 비음을 산출한 경우 연구개가 다시 낮아지면서 비강으로도 공기가 방출된다. 만약에 구개파열로 인하여 연인두 폐쇄 기능이 적절하게 이루어지지 않으면 과대비음이 발생한다(고은, 2014: 59).

(2) 보상조음
① 보상(적)조음이란 조음구조에 장애를 가진 아동이 구조적인 결함으로 인한 발음문제를 최소화하려고 자신도 모르게 개발한 조음형태다(심현섭 외, 2017: 235).
② 구개파열 아동에게서 나타나는 보상조음은 연인두 폐쇄 부전으로 인하여 기류가 비강으로 빠져나가고, 구강 내의 압력이 형성되지 못함에 따라 특정 말소리 산출을 잘못 학습하여 조음하는 것을 말한다(고은, 2014: 210).

(3) 기식성/기식성 음성
① 기식성이란 조음 시 성문 마찰이 동반되는 성질을 의미한다.

※ 기식성 음성은 목소리를 내는 동안 성문 사이로 공기가 빠져 나가면서 생기는 잡음이 귀에 들리는 것이다.

② 성문 사이를 통해서 과도한 공기가 빠져나간다는 것은 성대가 진동하는 동안 성문의 폐쇄가 불완전하다는 것을 의미한다. 성대가 진동하는 동안 성문을 완전히 닫지 못한다는 것은 성대 표면에 폐쇄를 방해하는 병소가 있거나 어떤 신경학적 문제가 동반되어 있는 것과 관련이 있을 수 있다(김화수 외, 2007: 296).
③ 성대의 구조(가성대/진성대)
  ㉠ 정상적인 음성 산출에는 진성대가 진동하고, 반면에 진성대(true vocal fold) 위에 자리잡고 있는 가성대(false vocal fold/ventricular folds)는 진동하지 않는다.

ⓒ 가성대는 음성장애가 있는 경우나 아주 낮은 소리를 낼 경우에 진동할 수 있다. 따라서 일반적으로 '성대'라고 할 때에는 진성대를 뜻한다(심현섭 외, 2017: 289).

36 2014 중등A-13

모범답안

㉠	가우어 징후
㉡	가성비대

해설

ⓐ 가우어 징후는 뒤셴형 증후군 아동이 바닥에 앉았다가 일어나려고 할 때 볼 수 있다. 대개 아동은 발과 손을 바닥에 넓게 벌려 짚은 상태에서 시작한다. 그리고 완전히 서기까지 손을 사용하여 무릎과 허벅지를 밀어 올린다. 이것은 근육의 약화로 인해 발생한다. 가우어 징후는 대개 3세까지 나타나지 않지만, 가장 이른 경우에는 15개월 만에도 발생한다.

ⓑ 가성비대증은 가성, 즉 '허위'라는 의미의 단어와 비대, 즉 '커지다'라는 의미의 단어에서 나오게 되었다. 이것은 근육질의 다리처럼 보이는 종아리의 증대를 나타내지만, 사실 지방 세포와 결합 조직과 섬유질 조직이 근육 조직으로 침입한 결과이다(Heller et al., 2012: 403-404).

37 2014 중등A-서4

모범답안 개요

㉠을 위한 보조기구	웨지(또는 삼각대)
㉡을 하는 이유	긴장성 미로반사는 머리를 신전시키고 바로 누워 있을 때에는 몸 전체에 신전근의 긴장이 증가하고, 엎드려 누워 있는 경우에는 굴곡근의 긴장이 증가하는 특성이 있기 때문에 반사의 영향을 피하기 위해서는 옆으로 눕는 자세를 취하는 것이 좋기 때문이다.
㉢의 장점	다음 중 택 1 • 학생 A는 또래와 분리되지 않고 상호작용할 수 있다. • 일반적인 환경에서 이루어지는 자연적 촉진과 우연성에 반응하는 법을 배울 수 있다.

해설

지문 돋보기

(다) 학생 A를 위한 지원 계획
ⓒ 특수교사가 미술 수업을 하는 동안 물리치료사는 학생 A가 '우리 마을 지도'를 잘 그릴 수 있도록 바른 자세를 잡아준다. : 서비스 유형은 '통합된 치료(또는 pull-in)'
ⓓ 물리치료사는 학교 내 치료 공간에서 학생 A에게 치료 지원을 제공한다. : 서비스 유형은 'pull-out'

ⓒ의 장점) 통합된 치료는 풀 인(pull-in) 서비스에 해당하는 것으로, 분리된 치료 공간에서 치료를 제공하는 것이 아닌 치료사가 교실에 들어와 교사와 협력하여 지체장애 학생이 활동에 참여하는 동안 치료를 제공하므로 지체장애 학생 측면에서는 자신이 또래와 분리되지 않고 상호작용할 수 있다는 장점이 있다. 치료가 자연적인 활동과 맥락 내에서 제공되므로 학생은 일반적인 환경에서 이루어지는 자연적인 촉진과 우연성에 반응하는 법을 배우고, 치료사에 의해서만 제공되지 않고 특수교사와 함께 실행할 수 있으므로 학생의 개인적 요구에 더 집중할 수 있다(박은혜 외, 2023: 327).

Check Point

(1) 긴장성 미로반사(TLR)
① 머리를 신전시키고 바로 누워 있을 때에는 몸 전체에 신전근의 긴장이 증가하고, 엎드려 누워 있는 경우에는 굴곡근의 긴장이 증가하는 반사이다.
② TLR은 미로가 중력의 균형 이상을 감지할 때 나타난다.
   • 중력에 대한 균형이 앞쪽으로 깨어지면 신체 전반에 걸쳐서 굴곡이 나타나고, 중력에 대한 균형이 뒤쪽으로 깨어지면 신체 전반에 걸쳐서 신전이 나타난다.

③ 앉은 자세에서 등받이를 뒤로 기울일 경우 이 반사가 나타나지 않도록 특히 주의해야 한다. 특히 휠체어가 뒤로 기울어지면 몸 전체에서 강한 신전 패턴이 나타나면서 갑자기 휠체어에서 움직이게 되면 앞으로 미끄러지므로 주의 깊게 평가한다.
④ TLR이 나타나는 아동은 다음과 같은 어려움을 겪을 수 있다.
  ㉠ 엎드린 자세 때는 머리를 들어 올릴 수 없고, 앉기나 무릎기기를 할 수 없다.
  ㉡ 등으로 누운 자세 때는 머리를 들어 올릴 수 없고, 몸을 일으키거나 신체 중심선으로 팔을 모으기 어렵다.
  ㉢ 머리조절과 호흡, 돌아눕기 등에 어려움을 겪는다.
⑤ 반사의 영향을 피하기 위해 누워 있을 때는 옆으로 눕는 자세를 취하는 것이 좋고, 앉은 자세에서는 적절한 자세를 잡아주는 기기를 이용하면 이 반사의 영향을 많이 줄일 수 있다.

(2) 자세를 위한 보조기기
① 누운 자세 보조기기

자세교정용 쿠션	머리 가누기, 균형 유지하기 외에 운동 활동과 독서 등의 편안한 자세를 제공해 준다.
웨지 (wedge)	높은 쪽으로 머리를 엎드리게 되면 고개 조절이 잘되며, 손과 팔에 적절하게 체중이 실리게 된다.

② 앉기 자세 보조기기

피더시트	주로 근긴장도가 낮은 아동에게 사용하고 각도 조절용 받침대를 이용하여 각도 조절이 가능하며 일상생활 중 편안함을 제공하기 위해 사용된다.
학습용 의자	일반 의자의 모양에 쿠션이나 벨트, 팔걸이, 발받침대 등을 부착하여 편안한 자세로 앉을 수 있도록 수정한 의자이다.
맞춤형 착석 시스템	• 개인의 신체적 특성과 용도에 맞게 맞춤 제작한 것으로 다양한 부속장치를 부가적으로 부착하여 의자, 휠체어 등에 앉을 수 있도록 수정한 보조공학기기이다. • 주로 머리나 몸통 조절이 어려운 경우나 경직이 심한 경우에 사용하며 장시간 착석으로 인한 욕창 발생 위험이 있을 경우 사용한다.
코너 체어	• 척추의 지지나 머리 조절을 도울 수 있는 모양의 의자로, 장소에 따라서 좌식생활 시 앉기 자세를 보조하며 이동을 위해 의자 밑에 바퀴를 달아 사용하기도 한다. • 근긴장의 이상으로 인해 온몸이 당겨지거나 어깨가 뒤로 끌리거나 하지의 벌림이 제한되는 등의 이상 자세 패턴을 보이는 뇌성마비에 대해서 이상 자세 패턴을 억제하기 위해 사용되는 의자이다.

③ 서기 자세 보조기기
  ㉠ 프론 스탠더
  ㉡ 수파인 스탠더
  ㉢ 스탠딩 테이블 등

(3) 서비스 전달 모델

개별적 풀아웃	치료사들은 교실에서 개별 학생을 교내의 다른 교실이나 운동장으로 데리고 나온다. 이 접근은 학생이 매우 특정한 필요가 있거나, 주변의 또래를 산만하게 하거나, 중재가 기자재나 공간 또는 다른 특별한 환경적 특성을 필요로 할 경우 사용된다.
소그룹 풀아웃	치료사는 교실에서 IEP에 비슷한 중재 목표를 가지고 있는 장애학생들의 소그룹을 교내의 다른 교실이나 공간 또는 운동장으로 데리고 나온다.
교실 내 일대일 중재	학생은 교실 환경 안에서 IEP에 명시된 구체적 필요에 대한 중재를 받는다. 중요한 점은 학생이 교실을 떠나지 않고, 치료사가 교실 환경 안에서 학생을 직접 치료한다는 점이다.
교실 내 그룹 활동	유사한 IEP 목표를 갖는 소그룹의 장애학생들이 교실 내에서 그들의 필요에 초점을 둔 중재를 받는다. 중요한 점은 학생들이 교실을 떠나지 않고 치료사가 교실 안에서 소그룹의 장애학생들을 직접 중재한다는 점이다.
학급 전체 활동	치료사나 다른 관련서비스 제공자는 1명 혹은 그 이상의 장애학생의 필요에 맞게 고안된 학급 전체의 활동을 진행하며, 이때 모두 같은 활동과 수업, 개별 학생과 학급 전체의 성과를 함께 살피면서 학급을 잘 운영하기 위해 함께 일할 수 있다.
자문	치료사나 관련서비스 제공자는 학생의 필요에 대한 문제를 파악하고 해결하는 데 교사를 도울 수 있는 전문가로 간주된다.

출처 ▶ Brown et al.(2017 : 292)

38 | 2014 중등B-3

모범답안

영양공급 시기	또래들과의 평상시 간식 시간, 식사 시간에 이루어지도록 한다.
자세	위루관을 통한 섭식 시 직립 자세나 45도 각도의 자세가 적절하다.
판단 근거	소변 보는 시간이 비교적 정기적이면서 소변을 한 시간 이상 참을 수 있기 때문에 소변 훈련을 받을 준비가 되어 있다.

해설

지문 돋보기

(나) 학생 B의 특성 및 소변 훈련 준비도 평가 결과
- 소변을 보는 시간이 5일 중 3일은 09:30, 11:30, 13:30으로 비교적 동일함
- 건조시간이 1~2시간인 구간을 많이 발견할 수 있음

Check Point

(1) 튜브를 통한 음식물 섭취
① 위식도 역류, 씹고 삼키기 등 연하 기능의 문제, 비정상적인 구강운동반사 등으로 인해 지체장애 학생이 구강으로 음식 섭취가 어렵거나 충분한 양의 영양분을 섭취하기 어려운 경우, 복부를 통해 위까지 연결된 위루관(G-tube) 또는 코, 목, 식도를 거쳐 위에 이르는 비위관(N-G tube)을 통해 음식물을 섭취한다.
② 튜브 섭식의 경우 직립 자세나 45도 각도의 자세가 음식물의 역류를 막으며, 식사 후 최소한 45분은 똑바로 있거나 반쯤 기대어 앉도록 지도한다.
③ 튜브를 통해 음식물을 섭취하는 학생이 상호작용에 참여할 수 있도록 튜브 섭식은 또래들과의 평상시 간식 시간, 식사 시간에 이루어지도록 한다.
④ 튜브 섭식 시 지체장애 학생이 음식에 대한 주의를 기울이게 하여 식사활동에 능동적인 참여자가 되도록 지도한다.
⑤ 위루관 삽입 부위의 피부상태를 점검하고, 위루관 막힘 등에 유의할 필요가 있으며, 학교에 있는 동안 튜브가 빠지는 상황이 발생하면 깨끗한 거즈로 입구를 덮어두고 즉시 병원에 연락을 취한다.

출처 ▶ 박은혜 외(2018 : 448)

(2) 용변기술의 평가
일반적으로 용변 훈련은 배설하는 시간이 비교적 정기적이고 예측 가능하며, 옷에 실수하지 않고 적어도 한두 시간은 버틸 수 있는 능력을 가졌을 때 시작할 수 있다. 용변기술을 지도하기 위해서는 훈련을 시작하기 위한 준비가 되어 있는지 다음과 같은 요소를 고려해야 한다(박은혜 외, 2018: 449-450).

① 준비도 평가
  ㉠ 생활연령은 2세 이상이어야 한다.
  ㉡ 기저귀의 마른 상태를 최소한 1~2시간 정도는 유지해야 한다.
  ㉢ 하루 평균 3~5번의 소변이 같은 시간에 보이는 정도로 일정한 패턴이 나타나야 한다.

② 배설 패턴 평가
배설 패턴에 대한 평가는 자연스러운 배변 습관을 알기 위한 것으로 부모의 참여를 통해 배설 형태와 장운동의 패턴을 확인하는 단계이다. 자료 수집을 위해서는 약 2~4주 정도의 기간 동안 매시간 15~30분 간격으로 적절한 기호를 사용하여 언제 교사가 학생을 화장실에 데려다 주었는지, 학생이 소변을 보았는지, 또 음식과 어떤 관계가 있는지 기록하며, 자료 수집을 통해 주된 배설 시간, 간격, 양 등을 평가한다. 이러한 기록은 규칙적인 배설 패턴이 정해지기 전까지 자료 수집을 한다. 처음에는 낮 시간 동안의 배설 패턴을 조사하고, 낮 시간 동안의 훈련이 성공적으로 끝난 후에는 밤 시간 동안에도 조사와 훈련을 실시한다.

③ 배변 관련 기술의 평가
배변과 관련한 기술에는 옷 입기, 벗기, 닦기, 물 내리기, 손 닦기 등의 행동과 배변에 대한 의사표현, 어휘 이해 능력 등이 모두 포함된다. 그러므로 화장실 훈련을 하기 위해서는 이러한 활동들을 하나의 분리된 목표로 설정하여 체계적으로 지도한다.

39   2015 유아A-8

모범답안

1)	① 준비 여부: 준비가 되어 있지 않다. ② 판단 근거: 진희는 소변을 1~2시간 참지 못하기 때문이다.
2)	안정성 확보

해설

1) 소변 간격을 보면 10~60분임이 제시되어 있다. 따라서 이를 근거로 볼 때 아직은 한 시간 이상은 버틸 수 없기 때문에 용변 훈련을 시작하기에는 이르다고 볼 수 있다.
2) 적절한 자세 잡기는 화장실 훈련에서 필수적인 요소이다. 골반과 엉덩이, 몸통 근육의 자세 조절과 근육의 긴장도와 신체 정렬을 통한 안정성 확보는 화장실 훈련을 위해 지도되어야 한다(박은혜 외, 2019: 450-451).
   • 중도·중복장애 학생의 신체 안정성 확보와 사지의 움직임 향상을 위해서는 적절한 자세잡기가 필수적이다(강혜경 외, 2023: 320).

Check Point

⊘ 용변기술 중재 방법

① 자세의 교정
   ㉠ 적절한 자세 잡기는 화장실 훈련의 필수적인 요소이다. 골반과 엉덩이, **몸통** 근육의 자세 조절과 근육의 긴장도와 신체정렬을 통한 안정성 확보 등이 지도되어야 한다.
      • 근긴장도가 높은 아동: 화장실을 사용하는 동안 골반과 엉덩이, 다리의 근긴장이 증가하게 되므로 긴장을 소거하는 것이 우선이다.
      • 근긴장도가 낮은 아동: 장이나 방광 등의 움직임을 나타내는 근육의 수축 능력이 부족하므로 화장실 훈련의 첫 번째 단계는 적절한 자세를 갖도록 도와주는 것이다.
   ㉡ 화장실을 이용하는 데 필요한 자세를 지도하기 위해 자세유지를 위한 보조공학기기들을 활용할 수 있다. 개인의 특성에 따라 약간의 지지만으로도 도움을 받을 수 있는 환경 수정 방법을 사용할 수도 있다.

② 관련 기술의 지도
   ㉠ 스스로 화장실에 가서 배변 처리를 하기 위해서 필요한 여러 가지 기능과 기술들은 자연스러운 환경에서 동시에 가르친다.
      • 화장실로 이동하기, 필요한 경우 변기 올리기와 내리기, 바지를 내리거나 치마 올리기, 물 내리기, 손 씻기, 화장실에서 돌아오기 등은 배변 훈련을 가르칠 때 필요한 기술이다. 이러한 기술들은 따로 분리하며 가르칠 수 있는 것이 아니라 배변훈련과 동시에 자연스러운 기회를 통해 지도한다.
   ㉡ 배변 기술은 신체적인 기능 외에 배변에 대한 의사를 표현하고 적절한 도움을 요청하는 것을 포함하여 지도한다.
      • 화장실에 가고 있을 때는 얼굴표정이나 손으로 지적하거나 일정한 제스처 등을 사용하여 다른 사람이 알아들을 수 있는 방법으로 표현하도록 지도한다.

40 | 2015 초등A-6

모범답안

1)	다음 중 택 1 • 교사는 션트가 감염되거나 막힐 수 있다는 것을 알고 학생을 주의 깊게 살펴야 한다. • 머리에 충격이 발생하지 않도록 유의한다.
2)	이동 시 충격을 흡수하여 승차감을 좋게 한다.
3)	경직된 왼손을 서서히 펴고 휘어져 있는 손의 자세를 바로잡아 주기 위해 사용하였다.

해설

2) 턱을 넘을 때, 몸통의 근긴장도가 높아지고 놀라는 반응을 보인다는 점을 고려할 때 승차감이 좋아야 한다.

3) 오른손 손가락은 상징을 지적할 수 있는 정도이나 왼손은 항상 주먹이 쥐어진 채 펴지 못하고 몸의 안쪽으로 휘어져 있다. 따라서 주먹 쥔 왼손을 펴고 휘어져 있는 손의 자세를 바로잡기 위해 스프린트가 사용되었다고 볼 수 있다.

Check Point

(1) 션트

① 뇌수종이 나타날 때 가장 흔한 처치는 뇌실복막 션트를 수술로 삽입하는 것이다. 션트는 측뇌실로 들어가는 근위부 도뇨관(관), 밸브(배액을 조절하는), 그리고 목과 가슴 피부 밑에서 복막(복부)강이나 대체 장소로 가는 원위부 도뇨관으로 구성되어 있다.

② 션트는 넘치는 뇌 척수액이 두뇌에서 나와 튜브를 타고 내려와 복막강으로 이동해서 몸에 재흡수되도록 하여, 두뇌에서 뇌 척수액의 축적을 막아 주고 뇌손상을 일으킬 수 있는 두뇌에 대한 압력을 막아준다.

③ 션트는 감염되거나 막힐 수 있다. 막힘이 발생했을 때 아동은 두통, 흐릿한 시야, 구역질이나 구토, 무기력, 팔 힘의 약화, 혹은 심할 경우 동공 확대를 경험할 수 있다. 그러한 실수가 자주 일어날 경우 정서장애(폭력 포함), 학교 수행 능력 감소 등과 같은 증상도 나타날 수 있다. 션트가 고장난 것은 응급 상황으로, 검사를 위해 병원에 보내야 한다. 아동이 성장하게 되면 성장에 맞추어 교정할 수 있도록 정기적인 션트 수정이 필요하다.

④ 션트의 밸브에도 고장이 생길 수 있다는 것을 인지하는 것은 중요하다. 어떤 션트 밸브의 경우 프로그램 될 수 있고 부주의로 압력 환경이 바뀔 때(예 장난감 마그넷에 노출되어서) 알려주므로 정기적인 측정이 필요하다. 뇌수종에 대한 다른 치료로 제3뇌실 개창술이 있는데, 막힌 곳 주변에 뇌 척수액이 흐를 수 있도록 입구를 만드는 수술과정이다. 그러나 이 수술 절차를 뇌수종과 척수수막류를 가진 사람에게 적용하는 것에 대해서는 아직 더 많은 정보가 필요하다.

출처 ▶ Heller et al.(2012 : 203-204)

(2) 보장구(보조기기)

보장구에는 브레이스(보조기), 스플린트(부목), 석고붕대 등이 있다.

구분	주요 특징
브레이스	• 사지나 체간 외부에 착용하여 교정 자세로 신체의 움직임을 유지하고 지탱해 주는 정형외과적 장치이다. • 단단한 플라스틱으로 만들며, 다리 또는 발의 안정화와 자세 잡기, 긴장도 감소를 위해 사용한다. 통증을 완화시켜 기능을 회복하고, 약화된 근 골격계를 고정하거나 보호하며, 체중을 지탱하게 하고 변형 발생 예방 및 변형의 고정, 마비된 근육의 작용을 대신하는 기능을 한다. • 종류: 척추 보조기, 상지 보조기, 하지 보조기(족부 보조기, 단하지 보조기, 장하지 보조기, 슬관절 보조기) 등
스플린트	• 보통 단단한 플라스틱 모형으로 만들며, 팔과 손의 자세를 잡기 위해 사용한다. 어떤 환경에서는 부드러운 스플린트가 사용될 수 있다. • 어떤 활동을 위해 밤에만 착용하거나 하루 대부분의 시간 동안 착용하거나 하루 중 일부 시간 동안 착용하거나 떼어낼 수 있다. • 일반적으로 손의 보장구를 스플린트라 하고 상지보조기는 브레이스라고 한다.
석고붕대	• 보통 비정상적으로 과도한 근긴장도를 줄이거나, 근육이 짧아져 생기는 관절 구축을 완화하여 근육을 펴기 위해 사용한다. • 석고붕대는 대체로 좀 더 중도의 장애를 가진 아동이 기능적인 자세 잡기를 취하도록 하는 데 사용되므로 브레이스와 스플린트는 그다음에 사용될 수 있다. • 일반적으로 팽팽한 근육을 좀 더 늘리기 위한 기능을 가지고 있으므로 몇 주마다 교체해 주는 것이 필요하다.

41 | 2015 중등B-논2

모범답안 개요

㉠	목이 움직여 시선이 향하는 쪽의 상지와 하지는 신전되고, 반대쪽 상지와 하지는 굴곡된다.
㉡	공간 속에서 자신의 신체 위치를 파악하는 데 어려움이 있다(또는 자신의 신체 위치, 자세, 평형 및 움직임에 대한 정보를 파악하여 중추신경계로 전달하는 데 어려움이 있다).
㉢	비대칭 긴장성 경반사를 억제하고 고유 수용성 감각을 촉진하여 전형적인 움직임 패턴을 유도한다.
㉣	• 학생 A의 정면 중심선 앞에서 교사, 칠판 등을 볼 수 있는 곳에 배치한다. • 이유: 반사의 영향을 최소화하기 위해서이다(또는 비대칭성 긴장성 경반사가 발생하지 않도록 하기 위해서이다).
㉤	• 높이를 높여준다. • 이유: 대근육 운동 능력 분류체계 5수준은 중력에 대항하여 머리와 몸통의 자세를 유지하기 어렵기 때문이다.
㉥	• 정면 중심선 앞에 배치한다. • 이유: 반사의 영향을 최소화하기 위해서이다(또는 비대칭성 긴장성 경반사가 발생하지 않도록 하기 위해서이다).

해설

㉢ 신경 발달 처치법은 비전형적인 운동 패턴에 해당하는 비대칭 긴장성 경반사를 억제시키고, 비정상적인 반사가 최대로 줄어드는 자세에서 정상적인 정위반사와 평형반응을 계속 유도하여 자세 정렬을 비롯한 움직임 전반에 도움을 준다.

• 신경 발달 처치법에서 치료사는 신체를 정렬하거나 원하지 않는 움직임을 막기 위해 특정 신체 부위를 손으로 다루는 직접적인 접근을 사용한다. 이는 억제 또는 촉진의 형태인 치료적 핸들링으로, 억제는 경련, 비정상적인 반사 및 자세, 비전형적인 움직임 패턴을 감소시키고, 촉진은 저긴장 아동이 자세를 취할 때 근육을 적절한 강도로 사용할 수 있도록 지원해 주는 등 자세 정렬을 비롯한 움직임 전반에 도움을 준다. 다시 말해, 아동이 움직이는 동안 조절점을 사용하여 자세조절을 촉진시키는데 몸통, 견갑골 부위(어깨), 골반, 위 팔, 아래 팔, 손이 조절의 핵심 위치이다(김혜리 외, 2021: 334).

Check Point

(1) 고유 수용성 감각 장애

① 고유 수용 감각에 문제가 있는 학생은 공간 속에서 자신의 신체위치를 파악하는 데 어려움이 있다. 그 결과 학생은 좌우를 비롯한 방향 개념의 구별이 어렵고, 책에서 읽어야 할 행을 찾아내지 못하고, 심지어 벽과 같은 단단한 표면에 부딪혀야만 움직임을 멈추어야 한다는 것을 알게 된다. 학습장애를 수반한 뇌성마비 학생에게는 정보처리과정과 고유 수용 감각의 결함을 극복할 특별한 보상 전략이 필요하다(Best et al., 2018: 87).

② 균형 및 협응 담당기관의 장애는 지체장애 학생에게 가장 방해가 되는 부분이다. 근긴장도, 근력, 그리고 주변의 다른 물건이나 사람들과 비교했을 때 자신의 신체가 어디에 위치하고 있는지 이해하는 능력이 움직임을 제어한다. 이 능력을 고유 수용성 감각이라고 하며 관절과 뇌의 수용기가 이 역할을 담당하고 있다. 고유 수용성 감각 장애가 있는 학생들은 이동 중 장애물을 피하기 위해 이동경로를 변경하는 데 어려움을 겪을 수 있다. 해당 학생들은 다른 학생과 너무 가깝게 서 있거나 부딪힘으로 인해 단체 활동 참여가 어려울 수 있다. 물건이나 사람의 위치를 비교하여 공의 궤적을 이해하고 따라갈 수 없기 때문에 공놀이 하는 것에도 제한이 있다(Orelove et al., 2019: 93-94).

③ 고유 수용성 감각 체계는 개인이 공간에서의 신체 자세 및 근육의 움직임을 인식하도록 돕는 역할을 한다. 고유 수용성 감각 체계의 수용기는 근육과 관절인데, 고유 수용성 감각을 통해 입력된 정보는 신경 체계에 입력되고 입력된 정보를 활용하여 공간 안에서 신체를 움직이는 데 활용한다. 학생들은 탐색 활동을 통하여 고유 수용성 감각 체계를 자연스럽게 자극하고, 공간에서의 신체 자세 및 근육의 움직임을 인식하고 조절하게 된다. 근긴장에 이상을 보이는 중도·중복장애 학생의 경우에는 근육, 관절을 통한 고유 수용성 감각에서 잘못된 정보를 받아들일 수 있고, 결국 움직임 조절에 어려움을 보일 수 있다(강혜경 외, 2018: 321).

(2) 신경 발달 처치법(동 신경발달치료법)

① 신경 발달학적 치료로도 알려진 보바스 치료법은 영국의 Berta Bobath와 Karel Bobath에 의해 알려졌으며, 미국에서 뇌성마비아동에게 가장 많이 사용되는 치료법 중 하나다.

② 치료법의 목표는 '기능적 움직임', 즉 식사하기, 옷 입기, 목욕하기 등과 같이 가능한 한 독립적으로 살아가는 데 필요한 동작들이 가능하도록 아이들의 자세와 움직임을 준비시키는 것이다. 즉, 치료를 통해 비정상적인 운동

패턴보다는 정상적인 운동 패턴을 사용하도록 권장하고 운동 기술의 발달을 저해하는 근육의 구축과 기형을 예방하도록 한다. 따라서 보바스 치료에서는 단순히 기능을 습득한다는 것보다는 동작의 질을 중요하게 여긴다.

③ 보바스 치료에는 억제, 촉진, 자극 기술이 사용되는데, 이는 아동들의 필요에 의해 조정된다. 단, 가능하면 아동을 울리지 않고 함께 놀아 주면서 비정상적 반사가 최대로 줄어드는 자세에서 정상적인 정위반사와 평형 반응을 계속 유도하되 정상발달 순서에 따라 머리 가누기, 잡기, 뒤집기, 배밀이, 앉아 있기, 네발서기, 기기, 서기, 걷기 등을 꾸준히 훈련하여 정상 동작이 완전히 몸에 배도록 한다.

출처 ▶ 한경근 외(2013 : 270~271)

42   2016 유아A-6

모범답안

| 3) | 고유수용성 감각 |

해설

3) 고유수용성 감각(동 자기수용감각, 고유감각)이란 자신의 신체 위치, 자세, 평형 및 움직임(운동 정도, 운동 방향)에 대한 정보를 파악하여 중추신경계로 전달하는 감각이다. 고유수용성 감각은 특징상 우리 몸이 움직이는 동안에 주로 발생하지만 서 있는 동안에도 자세 등에 대한 정보를 대뇌에 전달한다(특수교육학 용어사전, 2018 : 42).
- 자신의 신체 위치를 무의식적으로 인지하는 것으로, 신체 부위의 위치, 신체 부위 간의 관계, 다른 사람이나 사물과 신체 부위 간의 관계 등에 대한 위치 정보를 알게 한다(김건희 외, 2019 : 244).

43   2016 초등B-4

모범답안

| 2) | • 엉덩이(골반) : 골반이 등과 수직이 되게 하여 체중이 엉덩이 양쪽에 균형 있게 분산되도록 한다(또는 골반은 중립에 위치해 있어야 하며 앉아 있을 때 등과 수직이 되게 하고 체중이 양쪽 엉덩이에 고르게 지지되도록 한다).
• 무릎 : 무릎과 의자 밑판의 앞부분과의 거리가 손가락 1~2개(또는 1인치) 정도가 되게 하고, 외전대를 이용하여 다리를 가지런히 정렬시키며, 발판의 높이를 조절하여 슬관절이 약 90도를 유지할 수 있도록 한다.
• 발 : 족관절의 각도가 90도인 상태로 발바닥이 바닥이나 지면에 닿을 수 있도록 한다. |
| 3) | ① 은지의 눈높이에 맞게 배치한다.
② 은지의 오른쪽에 수직으로 배치한다. |

해설

3) ② 관절운동범위(ROM)와 자발적 신체 움직임을 고려하여 스위치의 위치를 정한다(2013 중등1-28 기출). 따라서 위치는 운동관절범위를 고려할 때 은지의 오른쪽이 되어야 하며 방향은 수직으로 배치하는 것이 바람직하다.

Check Point

(1) 신체 부위별 자세지도 전략

① 골반과 고관절
  ㉠ 골반은 중립의 위치에 있어야 하며, 앞으로 휘거나 좌우로 흔들리거나 몸이 앞으로 기울지 않아야 한다. 바른 자세는 골반이 등과 수평이거나 앉아 있을 때 수직일 때이다. 골반이 바르게 위치되었을 때 몸과 머리의 조절이 용이하다.
  ㉡ 골반은 의자 벨트로 지지해 줄 수 있고, 기형을 막기 위해 45도 각도로 제공하는 것이 좋다.
  ㉢ 좀 더 편안한 자세를 위해서는 팔걸이나 책상 등을 제공한다. 이때 책상은 휠체어를 이용하는 아동이 사용할 수 있는 높이가 되어야 한다.

② 하지
  ㉠ 아동의 다리가 바르게 정렬되고 교실 바닥이 휠체어 발판에 바르게 지지할 수 있도록 해준다.
  ㉡ 의자에 앉았을 때 무릎과 의자 밑판의 앞부분과의 거리가 손가락 1~2개 정도일 때 가장 적절한 의자의 깊이이다. 너무 깊으면 고관절의 정상 각도를 유지하지 못하고, 골반의 후방 경사가 일어나며, 슬과절도 과다신전된다.
  ㉢ 체중이 엉덩이에 고르게 지지되어야 하므로 비대칭적 엉덩이를 가진 경우에는 이를 고려한 특수 밑판을 제작하여 체중으로 인한 압력이 고르게 지지되도록 한다.

ⓔ 다리를 모으지 못하고 발판 밑으로 떨어뜨리거나, 다리를 바짝 붙이거나, 벌리지 못하는 등 다리를 적절히 정렬하지 못하는 경우에는 외전대 또는 내전대 등으로 다리가 정렬되도록 한다.

ⓜ 다리는 다리 분리대와 발을 고정할 수 있는 밸크로 등의 고정 끈을 이용하여 발바닥의 전면이 바닥에 닿도록 하는 것이 안정감을 유지하는 데 좋다. 이때 슬관절이 약 90도를 유지할 수 있도록 발판의 높이를 조절한다.

③ 어깨 및 상체의 지지
ⓖ 상체를 지지하는 어깨 벨트나 가슴 벨트를 이용하여 가슴의 압력을 제공하여 안정감을 준다. 몸통이 안정되어야 상지와 머리의 조절이 용이하므로 몸통을 적절히 고정하여 안정성을 확보하는 일은 매우 중요하다.

ⓛ 측방굴곡의 경우에는 몸통의 좌우에 지지대를 설치하는데, 이때 지나치게 특정 부위에 체중이 쏠려서 통증이나 피부의 손상을 초래하지 않도록 주의해야 한다. 또한 측방굴곡이 근육 자체의 잡아당김에서 비롯된 것이 아니라 앉은 자세에서의 중력의 힘에 의한 것이라면, 의자의 등판을 약간 뒤로 젖혀 주면 효과가 있다.

ⓒ 전방굴곡의 경우에 가장 흔히 사용되는 방법은 가슴, 혹은 어깨에 벨트를 두르는 방법이다. 벨트를 두르는 방법에는 나비형, H형, V형 등의 여러 유형이 있으며 벨트가 아동의 목을 스쳐서 자극하지 않도록 띠의 끝부분을 어깨보다 아래쪽에 고정시키는 것이 좋다.

ⓔ 휠체어에 부착하여 사용할 수 있는 책상을 사용하여 몸통을 지지하게 한다.

④ 머리 조절
ⓖ 머리를 똑바로 세우고 턱을 약간 밑으로 잡아당기는 듯한 자세가 가장 바람직하며 이러한 자세 유지를 돕기 위해 다양한 머리 지지대가 사용된다.

ⓛ 어느 정도 머리 조절 능력이 있는 경우에는 단순히 의자의 등판을 머리 뒤까지 오도록 연장시키는 것만으로도 도움이 된다.

ⓒ 조절 능력이 낮은 경우에는 그러한 보조대는 목근육의 굴곡을 초래하므로 바람직하지 않고 머리의 밑부분을 감싸듯 받쳐 주는 보조대가 바람직하다.

⑤ 상지의 지지
ⓖ 어깨와 팔꿈치가 적절한 각도를 이루고 편안한 자세로 의자의 팔걸이나 무릎판에 손을 놓는 자세가 바람직하다.

ⓛ 어깨 관절은 약간 굴곡되는 것이 좋으며, 주관절은 40~100도 정도로 굴곡되고, 손은 손바닥이 완전히 위나 아래로 향하도록 하지 않고, 손의 옆면을 바닥에 닿도록 하는 자세가 좋다.

(2) 신경운동장애

비대칭 긴장성 경반사	대칭 긴장성 경반사
• 촉진자나 AAC 디스플레이가 어느 한쪽에 위치해서는 안 된다. ⇨ 정면 중심선 배치 선호 • 스위치가 어느 한 쪽에 배치되어서는 안 된다. ⇨ 정면 중심선 배치 선호	• AAC 디스플레이나 스위치의 수평적 배치는 대칭 긴장성 경반사를 활성화할 수 있다. ⇨ AAC 디스플레이는 눈높이에 배치하고 스위치는 수직적으로 조정되어야 한다. • 촉진자가 위쪽 또는 아래쪽에서 접근하는 것은 대칭 긴장성 경반사를 활성화할 수 있다. ⇨ 촉진자는 눈높이에서 접근해야 한다.

44　　　　　　　　　　　　2016 중등A-5

모범답안

유형	부재발작
지원 방법	발작 후에 수업의 어느 부분을 학습하고 있는지를 찾도록 도와주는 또래도우미를 지정하여 지원한다.

해설

지문 돋보기

- 종종 전조나 전구 증상도 없이 : 부재발작은 갑작스럽게 시작하고 전조가 동반되지 않음
- 잠깐 동안 의식을 잃고, : 부재발작은 약 5~10초의 짧은 시간 동안 의식을 잃음
- 아무런 움직임 없이 허공만 응시하고 있었다. 말을 하다가도 순간적으로 말을 중단하고, 움직임이 없어지며 얼굴이 창백해졌다. 발작이 끝나면 아무 일도 없었던 것처럼 이전에 하던 활동을 계속 이어서 하지만 발작 중에 있었던 교실 상황은 파악하지 못하여 혼란스러워 했다. : 부재발작이 보이는 행동 특성에 대한 내용

Check Point

(1) 발작의 유형

① 부분발작

단순 부분발작	• 의식의 소실 없이 침범된 뇌 영역에 따른 다양한 증상이 나타난다. • 다음과 같은 증상이 나타날 수 있다. 　- 한쪽 손이나 팔을 까딱까딱하거나 입고리가 당기는 형태의 단순부분운동발작 　- 한쪽의 얼굴, 팔, 다리 등에 이상감각이 나타나는 단순부분감각발작 　- 속에서 무언가 치밀어 올라오거나, 가슴이 두근거리고 모공이 곤두서고 땀이 나는 등의 증상을 보이는 자율신경계증상 　- 이전의 기억이 떠오른다거나 물건이나 장소가 친숙하게 느껴지는 증상 등이 나타나는 정신증상
복합 부분발작	• 단순부분발작과는 달리 의식의 손상이 나타나는 것이 특징적인 소견이다. • 하던 행동을 멈추고 초점 없는 눈으로 한 곳을 멍하게 쳐다보는 증상이 대표적이다. • 비교적 흔하게, 입맛을 쩝쩝 다시던가 물건을 만지작거리거나 단추를 끼웠다 풀었다 하는 등의 의미 없는 행동을 반복하는 경우를 볼 수 있는데 이를 '자동증'이라고 한다. 가끔, 비우성반구(오른손잡이의 경우 우측 뇌)에서 발생하는 발작의 경우에는 자동증이 나타나면서 의식이 보존되어 있거나 말을 하는 경우도 있어 진단에 주의를 요하는 경우도 있다.
부분발작에서 기인하는 이차성 전신발작	• 발작 초기에는 단순부분발작이나 복합부분발작의 형태를 보이다가 이상 전위가 뇌반구의 양측으로 퍼지게 되면 쓰러져서 전신이 강직되고 얼굴이 파랗게 되며(청색증) 소변을 바지에 지리거나 혀를 깨무는 증세가 나타나다 팔다리를 규칙적으로 떨게 되는 발작이 나타나는 형태이다. • 누가 보아도 발작을 한다는 것을 쉽게 알 수 있다.

② 전신발작

전신 긴장성-간대성 발작	• 발작 초기부터 갑자기 정신을 잃고 호흡곤란, 청색증, 근육의 지속적인 수축이 나타나다 몸을 떠는 간대성 운동이 나타나는 형태이다. • 일반적으로 '뇌전증 발작'이라고 이야기할 때 이와 같은 발작을 상기하게 된다. • 사람에 따라서는 발작 전에 전조라고 불리는 평상시와는 다른 특유한 감각을 느끼기도 한다. • 발작이 시작되면 의식불명 상태에서 온몸이 경직되고, 호흡 곤란이 생길 수도 있으며, 배변 통제가 안 되고, 격렬한 발작으로 인해 신체적으로 상해를 입기도 한다. • 발작이 진정되면 기억을 못하기도 하는데, 대개는 졸려하며 휴식을 취하게 된다.
부재발작	• 갑자기 하던 행동을 중단하고 멍하니 바라보거나 고개를 떨어뜨리는 증세가 5~10초 정도 지속되는 발작이다. • 갑작스럽게 시작되고 전조가 동반되지 않는다. • 한곳에 시선을 정지한 채 쳐다본다거나, 눈을 깜박거리거나, 신체의 한 부분에 가벼운 경련을 일으키거나, 어떤 일정 행동을 반복적으로 나타내기도 한다. 가끔 눈 주위나 입 주위가 경미하게 떨리는 것도 관찰할 수 있다. • 발작 후에는 혼란이나 졸림 증상 없이 하던 활동을 계속할 수 있다. 그러나 아동은 발작 중에 교실에서 무슨 일이 있었는지 알 수 없으므로 매우 혼란스러워한다. 　- 지원방안 : 발작 후에 수업의 어느 부분을 학습하고 있는지를 찾도록 도와주는 또래도우미를 지정하여 지원한다.
간대성 근경련발작	• 깜짝 놀란 듯한 불규칙한 근수축이 양측으로 나타나는 발작이다. • 식사 중 숟가락을 떨어뜨리거나 양치질 시 칫솔을 떨어뜨리거나 하는 것을 볼 수 있다.
무긴장발작	근육의 긴장이 갑자기 소실되어 머리를 반복적으로 땅에 떨어뜨리던지 길을 걷다 푹 쓰러지는 발작의 형태로 머리나 얼굴에 외상을 많이 입는 것이 특징이다.

(2) 발작 아동의 학습요구
① 학업적 능력은 모든 유형의 발작에 의해 직간접적인 영향을 받는다. 심지어 심각하지 않은 정도의 발작도 발작 동안 또는 후에 학생이 학습 내용을 망각하게 하는 결과를 가져온다. 교사는 발작 때문에 놓친 학습 정보에 대하여 필요한 경우 추가 교수를 제공하는 것이 필요하다.
② 부재발작을 자주 하는 아동의 경우에는 발작 후에 수업의 어느 부분을 학습하고 있는지를 찾도록 도와주는 또래도우미를 지정하여 지원해 줄 수 있다. 또래도우미는 발작이 끝난 후 책의 어느 페이지를 읽고 있는지 찾아주는 것만으로도 학생을 지원할 수 있으며, 이는 읽기 활동 시 특히 유용하다.
③ 투여 중인 약물이 각성도와 피로에 영향을 주어 학습 문제가 나타날 수도 있다. 만약 학교 교사가 이 사실을 모른다면 아동을 학습부진아로 생각할 수 있다. 그러므로 교사는 이러한 약물의 부작용에 대하여 알아야 하며, 학습이 영향을 받게 된다면 부모와 의사에게 알려야 한다.

출처 ▶ Heller et al.(2012 : 497-498)

45 2016 중등B-4

모범답안

㉠	내전대를 사용하여 다리를 안쪽으로 내전시켜 정렬되도록 한다.
㉡	다음 중 택 1 • 가슴 또는 어깨에 벨트를 둘러 머리와 몸통이 앞쪽으로 굴곡되지 않도록 한다. • 머리 지지대와 어깨 지지대를 활용하여 신체를 정렬한다.
명칭	수파인 스탠더
장점	다음 중 택 1 • 신체의 적절한 근긴장도와 몸통의 안정성을 유지할 수 있게 하여 서기에 대한 두려움을 감소시킨다. • 신체의 정중선을 중심으로 신체부위의 정렬을 유지시킨다. • 스스로 앉거나 서지 못하는 아동에게 수직 자세의 대안적인 자세를 취하게 해줌으로써 신체의 건강 증진과 편안함을 가져온다. • 몸통 조절력이 향상되어 아동의 팔과 손의 사용 능력이 증가하게 된다. • 머리 조절과 손의 사용을 자유롭게 하며, 좀 더 쉽게 기능적 움직임을 가능하게 하고 활동과 일과에 참여를 촉진시킨다.

해설

장점) 제시된 내용 외에도 서기 자세 보조공학기기의 장점은 대부분 해낭된다.

Check Point

📝 내전대와 외전대
① 종류(기능에 따른 구분)

내전대	• 내전(근육이 몸통 중심 쪽으로 당겨지는 것)을 돕는 역할을 하는 것 • 도구가 몸의 중심으로 모아주는 역할
외전대	• 외전(몸통 정중선에서 바깥으로 당겨지는 것)을 돕는 역할을 하는 것 • 도구가 몸의 중심에서 바깥쪽으로 벌어지도록 유도하는 역할

② 활용
㉠ 내전근 경직으로 다리가 X자형으로(흔히, 외반슬이라고 함) 변형된 아동의 경우 외전대를 이용하여 X자형으로 모인 다리가 바르게 정렬될 수 있도록 한다.
㉡ 내전근 기능 약화로 다리가 바깥으로 신전된 학생의 경우(흔히, 내반슬이라고 하며 O자형 다리) 내전대를 사용하여 다리를 모아준다.

46   2017 유아A-1

모범답안

1)
① 경직형 사지마비
② ⓓ, 어깨 관절은 약간 굴곡되는 것이 좋다.

해설

지문 돋보기
- 근긴장도가 높아서: 과다긴장성
- 팔다리를 모두 움직이기가 어렵고,: 마비 부위에 따른 지체장애 유형 중 사지마비
- 근긴장도가 높아서, 몸을 움직이려고 하면 뻗치는 경우가 많잖아요.: 운동장애 형태 중 경직형 뇌성마비

47   2017 유아B-4

모범답안

3)
① ⓑ, 물이나 마실 것을 주지 않아야 한다.
② ⓓ, 유아를 옆으로 눕혀준다.

Check Point

📝 **발작 시 대처 방안**

교실 또는 학교에서 아동이 발작을 일으키면 교사는 적절한 단계에 따라 아동을 보호하기 위한 조치를 취해야 한다. 수업 중 아동이 발작을 보일 경우 교사는 상황에 따라 다음과 같이 대처해야 한다.

구분	학생의 행동	대처 방안	유의사항
발작 시	갑자기 바닥에 쓰러지면서 온몸이 뻣뻣해지고, 몸을 떨기 시작하며, 안색은 창백하거나 푸름	• 머리를 보호하고 편안히 누울 수 있도록 머리 밑에 부드러운 물건을 받쳐 줌 • 안경 등 깨지기 쉬운 물건을 치우고 옷을 느슨하게 풀어 줌 • 날카롭거나 딱딱한 물건을 치움 • 구토로 인한 질식을 예방하기 위해 학생을 옆으로 뉘어 입으로부터 침이 흘러 나오도록 함	• 학생의 입에 어떤 물건도 강제로 밀어 넣지 않음 • 발작을 억제하기 위해 학생을 흔들거나 억압하지 않음 • 학급 또래를 안정시킴
발작 후	발작 후 깨어났으나 기억력 상실과 정신착란을 보임	학생이 완전히 깰 때까지 한 사람이 곁에서 지켜봄	• 기도가 막힐 수 있으므로 학생에게 음식물이나 음료수를 주지 않음 • 상처 입은 곳을 살펴봄
비상 시	발작 후 숨을 쉬지 않음. 발작이 계속됨	발작이 끝나고 1분이 지나도 숨을 쉬지 않거나 대발작의 지속(5분 이상), 연이어 발작이 나타날 때는 구급차를 불러 즉각 병원으로 후송함	비상연락망 확보

48

2017 초등A-3

모범답안

2)	(왼쪽 손을 이용하여) 오른쪽 소매를 먼저 끼워 넣어 어깨까지 입힌 후 왼쪽의 소매를 끼워 넣는다.
3)	철수의 양 하지를 벌리고 무릎을 구부려 교사의 허리에 걸치도록 한다.

해설

3) 문제는 [A]의 그림에서 다리가 가위자 모양으로 되어 있음과 교사의 신체를 이용하여 안정적으로 안는 자세에 초점을 맞추는 것이며, 철수의 신체적 특성에 비춰 볼 때 철수의 머리가 체간과 수직이 되도록 머리를 뒤에서 받쳐 안는 자세 또한 중요한 요소이다.

- 누워 있을 때, 다리는 펴지고 팔은 앞으로 구부러져 있는 경직을 가지고 있는 뇌성마비 환아는 안아서 옮길 때 엉덩이와 무릎 관절은 구부러지고 팔은 펴지도록 자세를 취하여 이동시켜야 한다. 그리고 근육 긴장도가 낮은 뇌성마비 환아들은 관절의 가동성이 증가되어 있고, 자신의 머리와 몸통을 바로 세울 만한 근육 긴장도를 가지고 있지 않기 때문에 팔과 다리, 몸통을 한꺼번에 지지해 주어야 한다(정진엽 외, 2019: 125-130).

Check Point

지체장애 유형별 옷 입기

① 편마비

상의	입을 때	• 앞이 트인 셔츠: 마비쪽 소매를 먼저 끼워 넣어 어깨까지 입힌 후 마비가 없는 쪽의 소매를 끼워 넣는다. • 머리부터 입는 셔츠: 마비쪽 소매를 끼워 넣은 후 마비가 없는 쪽의 소매를 끼워 넣는다. 셔츠 뒤의 옷자락을 잡고 머리부터 씌운다.
	벗을 때	• 앞이 트인 셔츠: 마비쪽 어깨를 벗긴 다음 마비가 없는 쪽의 상지를 소매부터 빼고 이어서 마비쪽 소매를 뺀다. • 머리부터 입는 셔츠: 목 뒤의 옷자락을 잡아 앞으로 당겨 머리를 뺀 후 마비가 없는 쪽 상지를 빼고 마비쪽 상지를 뺀다.
하의		• 입을 때: 마비쪽의 바지를 대퇴 부위까지 먼저 입고 나서 마비가 없는 쪽을 입는다. • 벗을 때: 입을 때와 반대로 마비가 없는 쪽부터 벗으면 된다.

② 뇌성마비

불수의 운동형 뇌성마비	• 불수의 운동과 변화하는 근긴장의 문제로 일정한 자세를 유지하기 어렵다. 특히 하지에 비해 상지나 몸통의 마비가 심한 경우가 많아 상지에 의존하는 ADL 수행이 어려운데, 머리나 몸통을 고정하거나 벽에 기댄다든지 난간을 잡으면 불수의 운동이 감소하여 자세 안정성이 좋아진다. • 지적 능력과 운동 기능이 좋은 경우에는 스스로 옷을 입을 수 있으나 동작 시 움직임 패턴의 예측이 어렵기 때문에 전적으로 의존하거나 보조하는 수준에 머무르는 경우가 대부분이다.
원시반사	• 긴장성 미로반사가 나타날 때에는 옆으로 누운 자세에서 옷을 입히면 수월하다. • 긴장성 경반사가 나타나는 아동은 머리를 중립에 위치시키고 옷 입기를 수행하도록 한다.

③ 근이영양증

상의	• 휠체어에 앉는 자세 유지가 가능하며 좌우로 몸을 흔들어 체중 이동 시에도 넘어지지 않는 경우에는 시간이 오래 걸리지만 옷 입기가 가능하다. - 팔을 올리거나 옷을 입으려면 휠체어 랩보드 같은 받침이 필요하고, 받침 위에 옷을 올려 머리가 들어가기 쉽도록 옷을 벌리고 정리해 둔다. - 팔꿈치를 받침에 지지한 상태에서 양손으로 옷을 들고 머리 가까이 대면 몸을 앞으로 숙여 머리를 안에 넣는다. 양손을 머리끝까지 올려 옷을 붙잡은 후 목을 뒤로 젖혀 머리가 옷깃에 나올 때까지 조금씩 내린다. 그런 후에 한쪽씩 소매를 넣고 손가락을 움직여 소매를 걷어 올리고, 몸을 옆으로 움직이고 옷을 완전히 내린다. • 벗는 방법은 옷의 뒷자락을 잡고 앞으로 당겨 머리를 뺀 후 다시 잡아당겨서 벗는다.
하의	• 바지 입기는 몸을 앞으로 숙이고 손을 발로 가져가야 하므로 휠체어에서 수행하기는 어렵다. • 따라서 바닥에 무릎을 펴고 앉은 자세를 취한 채 한쪽 다리의 무릎을 구부린 후 발밑에 있는 바지 허리춤에 손을 가져간다. 손가락을 이용해 바지를 무릎까지 입히면 대퇴를 따라 미끄러져 간다. 몸을 옆으로 움직여서 지면과 엉덩이 사이에 공간을 만들고 손가락을 바지의 허리 부분에 걸어 끌어올리면 된다.

49   2017 초등B-2

모범답안

1)	다음 중 택 1 • 불필요한 키보드 사용 및 조작을 줄여 피로감을 감소시킬 수 있다. • 쓰기 및 입력 시 생산성과 정확성을 증가시킬 수 있다. • 단어 이해 증진을 통하여 어휘 사용 기능을 증가시킬 수 있다.
3)	① 단하지 보조기 ② 혈액 순환 문제나 피부의 궤양, 기형 등 이차적인 문제를 발생시킬 위험이 있다(또는 욕창, 기형 등의 이차적인 문제가 발생할 수 있다).

해설

1) 단어 예측 프로그램(word prediction program)이란 사용자가 화면상에 나타난 단어 목록에서 원하는 단어를 선택하여 문장을 완성할 수 있게 하는 프로그램으로, 일반적으로 워드프로세서 프로그램에서 많이 채용하고 있다. 이와 같은 단어 예측 프로그램은 인터넷 웹브라우저에서도 확인할 수 있는데, 인터넷 주소를 쓰는 부분에 웹 사이트 주소를 쓸 경우, 예전에 입력한 주소인 경우는 첫 자만 입력하면 그와 유사한 사이트 주소를 보여 준다. 이뿐만 아니라 각 포털 사이트(portal site)에서 제공하고 있는 검색어 서제스트(search word suggest) 기능 역시 이에 해당한다.

3) ① 보조기기의 유형이 아닌 예를 묻는 질문이다. 단하지 보조기(AFO)는 아킬레스건의 단축으로 흔히 까치발 서기나 보행을 하는 아동들의 발목관절 구축을 예방하고 진행을 억제시킬 목적으로 가장 많이 사용한다(장동훈 외, 2018: 41).
② 지체장애 학생에게 보조기기를 적용하기 위해서는 몇 가지 유의사항이 있는데 그중 한 가지는 보조기기 사용 계획에 근거하여 사용의 한계 시간을 결정해야 한다는 것이다. 경우에 따라서는 오랜 시간 동안 고정적인 자세를 유지하는 능력이 부족하므로 잘 맞고 편안하더라도 한 가지 자세로 제한하는 것은 혈액순환 문제나 피부의 궤양, 기형 등 이차적인 문제를 발생시킬 위험이 있다. 바른 자세를 유지하더라도 피로를 감소시키며 휴식할 수 있도록 한다. 또한 지체장애 학생은 기기 사용으로 인한 고통이 있을 수 있고, 감각이 예민하지 못할 뿐 아니라 의사표현에 어려움이 있을 수 있으므로 잘 살펴야 한다(박은혜 외, 2023: 356).

지문 돋보기

• 높은 근긴장도로 인해 근육, 인대, 관절막의 길이가 짧아지고 : 관절 구축의 정의
• 첨족 및 내반족, 척추 측만 등이 나타나고 있습니다. : 관절 구축의 영향

Check Point

✎ 단어 예측 프로그램의 대안 – 단어 축약 프로그램

단어 예측 프로그램의 대안으로 컴퓨터에 내장하는 단어 축약 프로그램이 있다. 예를 들면, 고빈도 단어를 축약 프로그램을 사용하여 축약어로 추가 수정할 수 있다. 가령, 학생이 'sw'를 입력한 후 스페이스바를 누르면 'Stephen Williamson'이라는 그의 이름으로 재빨리 자동 대체된다. 다른 예로는 학생이 자유의 여신에 대하여 학습하기 위하여 'sl'을 입력하면 자동으로 'Statue of Liberty'가 출력된다. 이 프로그램은 시간을 절약하고 불필요한 신체적 노력을 감소시킨다. 쓰기 소프트웨어 프로그램 중 대부분은 이와 같은 축약기능이 있다(Best et al., 2018: 504).

50   2017 중등A-4

모범답안

- ㉠ 척추 측만증
- ㉡ 골절

Check Point

(1) 척추 측만증의 유형별 원인과 특성

```
척추 측만증 ┬ 비구조적 척추 측만증: 고정된 기형 아님, 단순 만곡, 일시적
           └ 구조적 척추 측만증 ┬ 특발성 척추 측만증: 원인 불명
                              ├ 선천성 척추 측만증: 출생 시
                              ├ 신경근성 척추 측만증:
                              │   신경질환, 근육질환으로 발생
                              └ 기타
```

특발성 척추 측만증	• 원인을 알 수 없는 척추 측만을 의미 • 척추 측만증을 갖고 있는 사람의 약 80%가 해당하며, 가장 일반적인 형태 • 발병 시기에 따라 유아기(3세까지), 아동기(3~9세), 청소년기(10세~성숙기), 성인기로 분류 • 장애가 없는 청소년에게 종종 발견되며, 10~16세 아동의 약 2~3% 정도로 나타남 • 경도 척추 측만증이 청소년기에 나타나더라도, 척추 성숙이 완성된 후에는 일반적으로 진행되지 않음
선천성 척추 측만증	• 출생 시 척추의 구조적 비정상이 나타나고, 그 결과로 척추 측만증이 되는 것 • 임신 기간 동안 추골이 완만한 형태가 되는 데 실패하는 것이 원인 • 단독으로 나타나지만, 척수 결함을 가진 척추 측만이 있는 사람의 수치도 높음 - 선천성 척추 측만증은 이분척추에서 발견됨. 이것은 가장 양성의 이분척추 형태(잠재 이분척추)뿐만 아니라 신경근육 척추 측만이 발병할 수 있는 가장 심각한 형태(척수수막류)를 모두 포함
신경근성 척추 측만증	• 신경운동장애와 근육 질병으로 발생하는 척추 측만증 • 뇌성마비, 척수 손상, 척수 종양, 척수 수막류, 소아마비, 다발성 관절구축증, 듀센형 근이영양증, 척수성 근위축증과 같은 조건에서 합병증으로 나타남 • 이러한 조건에는 자라나는 척추의 낮은 근육 조절력, 근육 불균형, 구축 등이 포함되고, 이들은 종종 척추 측만증을 일으키는 원인이 됨

(2) 골형성 부전증

① 뼈가 약하여 신체에 큰 충격이나 특별한 원인이 없어도 뼈가 쉽게 부러지는 유전질환이다.
② 일생 동안 몇 차례 정도의 골절을 겪기도 하며 아동에 따라서는 다발성 골절을 경험하기도 하지만 이러한 골절의 빈도는 나이가 많아짐에 따라 점차 감소한다.
③ 대부분 정상적인 지능을 가지고 있으며, 운동 발달이 늦고, 유스타키오관(동 이관)의 문제로 인해 귀가 자주 감염된다.
④ 척추문제로 인한 수술과 다리교정을 위한 보조공학기기가 필요하며 척추 측만을 예방하기 위한 자세교정이 요구된다. 그 밖에 운동을 통한 체중 조절과 물리치료 및 작업치료 제공이 도움이 된다.
⑤ 골형성 부전증을 갖고 있는 아동들을 위해 다음과 같은 교육적 지원이 요구된다.
  ㉠ 척추 측만을 예방하기 위한 자세교정이 요구되며 다리 교정을 위한 보조공학기기 및 운동을 통한 체중 조절이 필요하다.
  ㉡ 남아 있는 뼈 조직을 건강하게 하기 위하여 적당한 신체활동을 권장한다. 단, 뼈에 손상을 줄 수 있는 철봉이나 달리기 등의 활동은 제한한다.
  ㉢ 필요한 경우에는 청각재활 훈련을 실시한다.
  ㉣ 신체에 맞는 의자를 제공한다.
  ㉤ 교실은 1층에 배치하고, 교실 간 이동거리를 줄이기 위해 시간표를 조정한다.

51 | 2017 중등B-1

모범답안

㉠ 특징	뇌성마비 학생이 자발적으로 시작하는 동작을 평가하고 최대 능력치가 아닌 일상생활을 관찰하여 평가한 후 기능수준에 따라 5단계 수준으로 분류한다.
㉡ 이유	• 신체 기능적인 측면: 학생이 스스로 머리를 가눌 수 있는 GMFCS 4수준이므로, 머리의 지지가 필요 없는 프론 스탠더를 제공하는 것이 적절하다. • 교수·학습 측면: 체중을 앞으로 실은 채 기댈 수 있으므로 교수·학습 과정에 두 손을 기능적으로 사용할 수 있기 때문에 적절하다.
고려 사항	강직성 씹기 반사가 나타나므로 금속재질의 숟가락보다는 실리콘이나 플라스틱 재질의 숟가락을 사용하도록 한다.

해설

㉠ 대근육운동기능분류체계(GMFCS)는 현재 널리 사용되는 체계로 뇌성마비학생의 기능수준에 따른 분류체계이다. GMFCS는 자발적으로 시작하는 동작을 평가하고 학생의 최대 능력치가 아닌 일상생활을 관찰하여 평가한 일반 아동도 1세 미만에서는 제한없이 걷지 못하므로 모든 나이에 같은 기준을 적용할 수 없기 때문에 GMFCS는 나이별로 그 기준을 달리하고 있다. GMFCS는 5개의 연령군(2세, 2~4세, 4~6세, 6~12세, 12~18세)으로 나누고, 일상생활에서의 운동 기능을 기준으로 I수준에서부터 독립적인 이동이 심각하게 제한된 V수준에 이르는 5단계 수준으로 구분되어 있다(박은혜 외, 2018: 73).

㉡ Ⅳ단계인 경우 "대부분의 환경에서 타인의 신체적 도움을 받거나 전동 휠체어를 사용하고, 몸통과 골반의 자세 조절을 위해 개조된 의자가 필요하고 이동 시 대부분 신체적 도움이 필요하며, 가정에서는 바닥에서 구르거나 기어서 이동하고 신체적 도움을 받아 짧은 거리를 걷거나 전동 휠체어를 사용하고, 자세를 잡아 주면 학교나 가정에서 체간지지워커를 사용할 수 있고, 학교/야외/지역사회에서 타인이 학생의 수동 휠체어를 밀어 주거나 전동 휠체어를 사용하여 이동하고, 이동성의 제한으로 인해 체육 및 스포츠활동에 참여하기 위해서는 신체적 도움이나 전동 휠체어와 같은 장치가 필요"한 수준이다. 따라서 머리를 가눌 수 있는 경우에 사용할 수 있으며 상체의 조절이 어느 정도 가능한 경우 상지 기능 강화를 위해 사용할 수 있는 프론 스탠더가 적절하다.

Check Point

☑ GMFCS 단계별 수준

• 대상: 6세 이상~12세 미만

Level I	학생은 가정/학교/실외/지역사회에서 보행이 가능하고, 신체적 보조 없이 경계석을 오르내릴 수 있고, 난간을 잡지 않고 계단을 오르내릴 수 있고, 달리기와 뛰기 등 대근육운동 기능을 수행할 수 있으나 속도, 균형, 협응 면에서 제한이 있으며, 개인의 선택과 환경적 요인에 따라 체육 및 스포츠활동에 참여할 수 있다.
Level II	학생은 대부분의 환경에서 걸을 수 있고, 먼 거리 걷기/평평하지 않고 경사진 길 걷기/사람이 붐비는 곳이나 좁은 곳 걷기/걸으면서 물건을 옮기기에 제한을 보이고, 난간을 잡고 계단을 오르나 난간이 없으면 신체적 보조를 받아서 계단을 오르고, 야외와 지역사회에서 신체적 도움을 받거나 손으로 잡는 이동기구를 이용하여 걷고, 먼 거리는 휠체어를 사용하여 이동하고, 달리기와 뛰기 등 대근육운동 기술 능력은 매우 부족하며, 체육 및 스포츠활동 참여를 위해서는 수정이 필요하다.
Level III	학생은 실내에서 대부분 손으로 잡는 이동기구를 이용하여 걷고, 앉을 때는 골반의 정렬과 균형을 위해 좌석 벨트를 사용하고, 앉았다 일어나거나 바닥에서 일어날 때 타인의 신체적 도움이나 지지면이 필요하고, 먼 거리 이동 시 휠체어를 사용하고, 다른 사람이 옆에 서 있거나 신체적 보조를 제공하면 난간을 잡고 계단을 오르내릴 수 있고, 보행 능력이 제한적이므로 체육 및 스포츠활동에 참여하기 위해 수동 휠체어 및 전동휠체어와 같은 기구가 필요하다.
Level IV	학생은 대부분의 환경에서 타인의 신체적 도움을 받거나 전동 휠체어를 사용하고, 몸통과 골반의 자세 조절을 위해 개조된 의자가 필요하고 이동 시 대부분 신체적 도움이 필요하고, 가정에서는 바닥에서 구르거나 기어서 이동하고 신체적 도움을 받아 짧은 거리를 걷거나 전동 휠체어를 사용하고, 자세를 잡아 주면 학교나 가정에서 체간지지워커를 사용할 수 있고, 학교/야외/지역사회에서 타인이 학생의 수동 휠체어를 밀어 주거나 전동 휠체어를 사용하여 이동하고, 이동성의 제한으로 인해 체육 및 스포츠활동에 참여하기 위해서는 신체적 도움이나 전동 휠체어와 같은 장치가 필요하다.
Level V	학생은 모든 환경에서 수동 휠체어로 다른 사람이 옮겨 주어야 하고, 중력에 대항하여 머리와 몸통의 자세를 유지하기 어렵고 다리의 움직임 조절에 제한이 있고, 머리를 가누고/앉고/서고/이동하기 등을 위해 보조공학을 사용하나 이런 장비로 완전히 보완되지는 않고, 이동할 때에는 전적으로 타인의 신체적 도움을 받아야 하고, 가정에서 학생은 바닥에서 짧은 거리를 이동하거나 성인이 안아서 옮겨 주어야 하고, 좌석과 조작 방법을 수정한 전동 휠체어를 사용해 스스로 이동할 수도 있지만 이동성의 제한으로 체육 및 스포츠활동에 참여하기 위해서는 신체적 도움과 전동 휠체어와 같은 장치가 필요하다.

52　　　　　　　　　　　　　　　　　　2018 초등A-3

모범답안

1)	① 오른쪽으로 고개를 돌려 TV를 볼 수 있게 자리를 배치한다. ② 마비가 있는 오른쪽을 조금이라도 사용하도록 유도하는 것이 좋기 때문이다.
4)	ⓐ 등받이 ⓑ 휠체어용 책상(또는 랩트레이)

Check Point

(1) 수업 참여를 위한 뇌성마비 유형별 고려사항

① 경직형
　㉠ 앞자리보다는 (교사의 관찰이 용이한) 뒷자리에 배치하며 활동 가능한 아동 옆에 앉히는 것이 좋다.
　㉡ 수업 중 개별 지도를 할 때에는 가능한 한 많은 움직임을 요구한다.
　㉢ 움직임을 방해받지 않도록 책상을 낮추어 주되, U자형 책상을 제공한다. U자형 책상은 팔의 움직임을 지원할 수 있어 대부분의 지체장애 아동들에게 효과적으로 활용된다.
　㉣ 특히 경직형 편마비 아동을 교수할 때에는 다음과 같은 사항을 고려하도록 한다.
　　• 마비가 심한 쪽을 사용할 수 있도록 자리를 배치한다.
　　　예 오른쪽 편마비 아동의 경우라면 오른쪽으로 고개를 돌려서 칠판을 볼 수 있도록 자리를 배치한다.
　　• 마비가 심한 쪽을 사용할 수 있도록 학습교재를 배치한다.
　　　예 오른쪽 편마비 아동의 경우라면 책 또는 필통을 오른쪽에 배치하여 오른쪽이 조금이라도 사용되도록 유도해 주는 것이 좋다.
　　• 양손은 모두 사용하도록 한다.
　　　예 책을 펼 때 두 손으로 책을 잡도록 항상 주의하는 것이 좋다.

② 불수의 운동형
　㉠ 신체의 비대칭성이 가장 중요한 문제이므로 반드시 칠판을 정면으로 볼 수 있는 위치에 배치한다.
　㉡ 팔꿈치를 지지할 수 있도록 책상 높이를 조정해주고, 의자와 책상이 신체와 거의 밀착되게 앉도록 지도한다.
　㉢ 수업 중 개별 학습 지도를 할 때 신체의 중심(머리, 어깨, 골반)을 유지하고 두 손이 중심선상에서 교차되도록 유지하면서 교육하는 것이 좋다.

③ 운동실조형
　㉠ 몸통의 협응력과 회전운동이 자연스럽게 발생할 수 있도록 자리를 측면에 배치하는 것이 좋다.
　㉡ 주의가 산만하기 때문에 앞자리나 교사와 가까운 곳에 배치하여 아동의 산만성을 지도할 수 있도록 한다.
　㉢ 수업 중 개별 지도를 할 때에는 교사가 아동의 어깨를 잡아 안정된 자세를 유지시킨다.
　㉣ 보행을 방해하지 않도록 최대한의 공간을 확보해 준다.

④ 혼합형
　㉠ 움직임이 동반되도록 하면서 신체를 중심선상에 놓는 것이 바람직하다. 즉, 칠판을 정면으로 볼 수 있도록 하여 신체의 대칭성을 유지하고 활동 가능한 잔존 능력을 최대한 활용할 수 있도록 한다.
　㉡ 개별 학습 지도 시에는 두 손이 중심선상에서 움직이도록 하면서 어깨와 허리 골반이 움직일 수 있도록 하는 것이 바람직하다.

(2) 휠체어의 구성

의자	• 자세의 지지를 위해 단단한 것일수록 좋다. • 엉덩이의 크기에 적절하게 맞추는 것이 좋다.
등받침	• 접을 수 있도록 제작된 형태가 대부분이다. • 학생의 자세를 위해서는 딱딱한 재질이 더 바람직하다. • 고개를 가누는 정도에 따라 높이 조절이 필요하다.
팔걸이	• 상지의 지지를 도와 몸무게를 지지할 수 있으므로 척추의 기형을 예방할 수 있다. • 의자에서 휠체어로 이동 시 팔걸이를 잡고 이동하게 되므로 적절한 높이와 안정성이 필요하다. • 팔걸이를 지지하여 체중을 분산시키거나 체중 이동 훈련을 할 수 있으므로 둔부의 압력을 줄이고 욕창 등의 문제를 예방할 수 있다.
머리받침대	머리 조절이 어려운 학생에게 필요하며 머리의 자세, 근긴장, 목의 자세 또는 연하작용을 보조해 준다.
좌석 벨트	이동 시 안정성을 제공하며, 몸통 및 골반의 위치를 잡아 주고, 미끄러짐 현상을 방지한다.
브레이크 및 조절장치	전동 휠체어의 경우 조이스틱형 조절장치가 적합하며 헤드스틱이나 입을 이용하는 스위치로 된 장치도 사용된다.
뒷바퀴	플라스틱 소재의 딱딱한 바퀴보다는 공기가 들어간 바퀴가 충격 흡수 면에서 우수하여 승차감이 좋으나 공기주입 장치 및 바퀴 수리 등 보수 관리가 필요하다.
앞바퀴 (보조바퀴)	앞바퀴의 크기가 큰 경우에는 이동 시 충격을 흡수하여 승차감이 좋고 장애물 통과가 쉬우나 기동성이 떨어지며, 앞바퀴가 작은 경우에는 회전이 쉽고 바퀴 흔들림이 적으며 이상진동이 덜하나 충격 흡수가 나쁘며 틈에 빠지기 쉽다.

손 조절바퀴	이동 시 손으로 잡는 둥근 손잡이 부분으로, 직경이 클 경우에는 힘을 이용하여 출발 및 가속이 쉽고, 직경이 작을 경우에는 속도의 유지가 용이하다.
발 받침대, 다리 받침대	무릎과 다리, 발의 각도를 올바르게 위치할 수 있도록 한다.
휠체어용 책상	휠체어를 이용하는 학생의 섭식과 의사소통기기를 놓는 등 학습활동에 사용이 편리하나, 독립적인 이동을 방해하며 휠체어의 무게와 전후좌우의 길이를 증가시켜 불편을 초래한다.
기타	안전벨트, 주차 시 브레이크 장치, 기울임 방지 장치

53   2018 중등A-10

모범답안

- ⓒ 하지 및 오른쪽 상지 이용에 어려움이 있다.
- ⓓ 다음 중 택 1
  - 이동 시 충격을 흡수한다.
  - 승차감이 좋다.
  - 장애물 통과 능력이 좋다.

해설

ⓒ 휠체어가 제시된 것을 통해 하지 기능에 이상이 있음을 유추할 수 있다.
  - 휠체어의 왼쪽 바퀴뿐만 아니라 오른쪽 바퀴의 동력도 왼쪽에서 통제하도록 하고 있다. 이를 통해 오른쪽 상지 이용에 어려움이 있음을 유추할 수 있다.

Check Point

☑ 보조바퀴

① 보조바퀴가 클수록 부드럽게 움직이지만 반응성이 떨어지며 발의 배치를 방해할 수 있다. 보조바퀴가 작을수록 반응성이 증가하고 추진력의 효율이 좀 더 좋아지며, 발 위치의 유연성이 높아지지만 이러한 장점은 거친 승차감으로 인해 상쇄된다(오길승 외, 2014 : 601).
② Tracker와 Sprigle, 그리고 Morris는 캐스터의 흔들림을 줄일 수 있는 네 가지 방법을 제안하였다(Angelo, 2004 : 159).
  ⓐ 작거나 가벼운 캐스터 바퀴를 사용한다.
  ⓑ 트레일의 길이를 증가시킨다(캐스터의 회전축으로부터 캐스터의 지면 접촉점까지의 수직거리).
  ⓒ 회전축을 견고하게 고정시킨다.
  ⓓ 캐스터의 회전축이 지면과 수직을 이룬다.

54   2018 중등A-14

모범답안

- ㉠ 오른손으로 왼손을 받친 후, 양손을 이용하여 얼굴을 씻도록 한다.
  한쪽만 지나치게 사용할 경우 발작의 우려가 있기 때문이다.
- ㉡ 오른발을 먼저 내딛도록 한 다음 목발과 왼발을 동시에 내딛는다.
- ㉢ 타액 배출과 호흡을 위한 기도를 확보하기 위해서이다(또는 침의 흡입, 구토 발생으로 인한 사고를 방지하기 위해서이다 / 구토로 인한 질식을 예방하기 위해서이다).

해설

ⓛ 목발을 이용한 계단 오르내리기 방법 : 크러치를 사용할 때에는 미끄러운 양말, 신발, 슬리퍼 또는 굽이 높은 신발은 삼가고, 밑바닥은 평평하고 단단한 재질로 되어 있는 것이 좋다. 보행 전에 상지(팔)의 힘을 기르고, 몸의 균형을 잡는 훈련과 크러치의 크기를 조절하여 미끄럽지 않은 장소에서 연습하도록 한다. 평지에서 걷기가 익숙해지면 계단이나 언덕 내리막길 등에서 연습하여 다양한 환경에 적응하도록 한다. 계단을 내려갈 때는 크러치와 불편한 발을 먼저 내딛도록 한 다음 손상되지 않은 발이 내려가도록 한다. 이와 반대로 계단을 올라갈 때는 불편하지 않은 발을 먼저 내딛도록 한 다음 크러치와 불편한 발을 내딛는 것이 안전한 보행법이다. 특히 크러치 걷기 연습에는 헬멧을 착용하여 안전을 도모해야 하는데, 간질이 있는 아동의 경우는 반드시 헬멧을 착용하고 연습한다(구본권, 2007 : 218-219).

ⓒ 발작을 하는 동안 불충분한 삼킴으로 인한 침의 흡입, 자신의 혀 깨물기, 구토 발생으로 인한 사고를 방지하기 위해 몸을 옆으로 몸을 돌려주어야 한다. 발작 중에 방광 통제 기능을 상실하여 소변을 보는 경우도 자주 발생한다. 일반적으로 발작은 1~2분간 지속된다. 발작 후에 아동은 소진될 것이고 보통 30분에서 2시간 동안 잠들게 된다. 아동이 일어났을 때는 혼란해 하거나 무기력함을 나타낼 수 있으며, 근육통, 구토, 두통 등이 나타날 수 있다(Heller et al., 2012 : 483-484).

55
2018 중등B-3

모범답안
- ⓒ 물을 마시기 위해 목을 신전시킬 경우 상지는 신전되고 하지는 굴곡되는 반사의 활성화를 예방할 수 있기 때문이다.
- ⓔ 식사 후에 약 1시간(또는 약 45분) 정도는 똑바로 있거나 비스듬히 앉은 자세를 유지하여 위에서 음식물이 비워지도록 해 주는 것이 좋다.

Check Point

흡인의 예방과 처치
① 흡인이란 액체나 작은 음식조각이 폐로 가는 것을 말한다.
② 흡인은 음식물이나 액체가 위로 내려갈 때뿐만 아니라 위의 내용물이 식도로 역류할 때도 발생할 수 있다.
③ 흡인의 예방과 치료에 필수적인 전략은 자세교정이다. 구강으로 식사하는 아동은 머리를 약간 앞쪽으로 구부리고 바른 자세로 식사를 하게 한다. 이 자세는 능동적 삼키기를 촉진하고 수동적으로 음식물이 목으로 내려가는 것을 예방한다.
④ 식사를 마친 뒤 흡인이 발생할지 모르기 때문에, 식사 후 적어도 45분간은 똑바로 있거나 반쯤 기댄 자세를 유지하도록 한다.
⑤ 잘게 갈린 음식이나 묽은 액체는 아무런 자극 없이 목으로 넘어가기 때문에 흡인의 위험을 높일 수 있다. 반대로 고체나 반고체 혹은 거친 자연식품이나 진한 액체는 삼키는 데 도움이 되는 자극을 제공하며, 흡인의 위험을 줄일 수 있다.
⑥ 지체장애 아동은 흡인으로 인하여 기도폐쇄의 위험이 상대적으로 높은데, 응급 시 처치 가능한 방법으로는 '하임리히 구명법'이 있다.

56
2018 중등B-5

모범답안
- ㉠ 구강 주변을 충분히 마사지 해준다.
- ㉡ 부드러운 칫솔모의 칫솔을 이용하여 지도한다.

해설
(가)에 제시된 학생 G의 특성은 구강과 안면의 과민 반응, 구강 방어가 있음을 보여주고 있다.

지문 돋보기
- 입 주변에 사물이 닿으면 깜짝 놀라면서 피함: 구강과 안면의 과민 반응
- 거친 질감의 음식물이나 숟가락 등의 도구가 입에 들어오면 거부하는 반응을 보임: 구강 방어

Check Point

이 닦기 지도
① 중도·중복장애 학생들의 이 닦기는 세수할 때와 같은 자세를 취해 주고 환경을 만들어 주어 시작할 수 있다.
② 구강 방어가 심한 학생이 있을 수 있으므로 갑작스럽게 칫솔을 입 안으로 넣기보다는 구강 주변을 충분히 마사지해주고 어느 정도 안정된 상태에서 부드러운 칫솔모의 칫솔을 이용하여 지도한다. 시판되고 있는 전동칫솔이나 분사식 세정기를 사용할 때는 학생이 거부하지 않는 경우에 실시하되, 강하게 거부하는 경우는 구강 주변에 다양한 감각 자극을 주어 외부 자극을 수용할 수 있도록 하는 것이 도움이 된다.
③ 중도·중복장애 학생들의 경우에는 혼자서 이를 깨끗이 닦을 수 없는 경우도 있으므로 성인이 마무리를 해 주되, 가능하면 학생과 함께 하는 것이 좋다. 특히 장애 상태에 따라서 칫솔의 길이, 두께 등을 바꾸어 주어야 한다. 이는 상지의 움직임이 제한되어 있는 학생들에게는 많은 도움을 줄 수 있기 때문이다.
④ 이 닦기 지도를 할 때 혹시 씹기 어려운 학생이 항경련제를 복용한다면 충치에 매우 약하며 잇몸은 염증이 생겨 부을 수 있으므로 치아관리를 잘해야 한다. 치아는 음식을 먹는 데 있어 가장 중요한 역할을 한다.
⑤ 이를 닦을 때 머리를 뒤로 넘기면 기침을 하거나 사레가 들 수 있으므로 어깨와 머리를 앞쪽으로 약간 내밀게 한다(한경근 외, 2013: 258-260).

〈이 닦기 절차 안내〉

☐ 스스로 할 수 있는 학생은 교사의 양치질하는 시범을 보고 따라 하기
- 교사가 적당량의 치약을 묻힌 후 칫솔로 양치질하는 모습을 살펴본다.
- 학생은 교사의 시범에 따라 혼자 이를 닦는다.
- 교사는 보완할 사항에 대해 언어적·신체적 촉구 수준을 높여 접근한다.

☐ 교사의 보조하에 양치질하는 방법 익히기(전동칫솔 사용하기)
- 세면대 앞에서 안정감을 갖고 앉거나 선다(교사가 뒤에서 골반을 보조하거나 몸통을 밀착시켜 준다).
- 치약을 칫솔에 묻힌 다음 칫솔을 앞니에 갖다 댄다(과민 감각이 있거나 입을 여는 데 어려움이 있으면 구강 훈련을 실시해 준다). [그림①]
- 양치질은 치아의 뿌리 쪽을 향해야 하고 서서히 약간의 압력을 주면서 한다(교사가 어깨 및 팔꿈치를 보조하여 준다). [그림②, ③]
- 이의 바깥면, 안쪽 면, 어금니, 혀와 입천장, 잇몸을 부드럽게 닦는다(이때 턱은 고정하고 머리를 약간 앞으로 구부린 상태에서 실시한다).
- 컵에 물을 적당히 받아 입안을 헹굴 때 고개를 뒤로 넘기지 말고 컵을 기울인다.
- 물을 머금은 채로 교사가 턱을 조절하여 주면서 입 안을 씻어낼 수 있도록 도움을 준다. [그림④]
- 전동칫솔을 깨끗이 씻는다.
- 입 주위를 닦는다.

그림①   그림②   그림③   그림④

출처 ▶ 한경근 외(2013 : 259-260)

57 2019 초등A-6

모범답안

1)	① 전신 긴장성-간대성발작 ② 기도폐쇄
2)	다음 중 택 1 • 넓은 지지면을 제공하고 체중을 앞뒤로 옮기기 편하기 때문이다. • 앉기 자세에서 감소한 균형 능력을 보상하고 안정성을 얻기 위해서이다.
3)	ⓐ, 양쪽 다리 길이가 다르면 휠체어 발판의 높이를 다르게 한다.
4)	프론 스탠더

2)
- W자형으로 앉는 자세는 넓은 지지면을 제공하고 체중을 앞뒤로 옮기기 편한 자세여서 뇌성마비 학생이 선호하나 이러한 자세는 엉덩이와 무릎 관절의 긴장을 높이고 회전운동과 측면으로의 체중 이동을 어렵게 한다(박은혜 외, 2019 : 68).
- 앉기 자세에서 감소한 균형 능력을 보상하고 안정성을 얻기 위해 'W 앉기' 자세를 취하는 경우가 많으나 비정상적인 하지 정렬을 초래하고 관절에 무리가 가는 자세이므로 피해야 한다(정동훈 외, 2018 : 34).

Check Point

전신발작 시 대처 방법

해야 할 일	하지 말아야 할 일

• 학생 곁에 있는다.
• 발작 지속시간을 기록한다.
• 학생을 안심시킨다.
• 학생이 갑자기 쓰러지지 않도록 부축한다.
• 부상 위험을 최소화한다.
  - 부상을 입힐 수 있는 단단하고 날카로운 물체를 치운다.
  - 머리에 쿠션을 대 준다.
  - 안경을 벗겨준다.
• 호흡을 확인한다.
  - 학생을 옆으로 눕혀 사레가 들 위험을 줄인다.
  - 입을 아래쪽으로 향하게 하여 침이 기도로 들어가지 않고 흐르게 한다.
  - 호흡을 어렵게 하는 스카프나 넥타이 등을 풀어 준다.
• 다른 학생들을 다른 곳으로 안내해 프라이버시를 지켜 준다.
	• 학생을 혼자 있게 둔다.
	• 위험한 상황(예 계단, 수영장)이 아니면 학생을 옮긴다.
	• 움직이지 못하게 한다.
	• 입을 강제로 벌린다.
	• 입안에 물체를 넣는다.
	• 혀를 잡아당기려 한다.
	• 의식과 자각 증세가 완전히 돌아올 때까지 음료나 음식을 제공한다.

출처 ▶ Brown et al.(2017 : 262)

58 〔2019 중등B-6〕

모범답안

- ㉠ 경직형: 근긴장도가 높아서 근육이 뻣뻣하며 움직임이 둔하다(또는 근긴장도가 높아서 움직임이 둔하고 운동이 과장되어 나타난다).
  무정위 운동형: 근긴장도 변화가 심하여 불수의적인 움직임이 나타난다.
- ㉡ 추체로
- ㉢ 출생 시 존재하는 것으로, 신생아의 생존과는 관계없는 반사적이고 자동적인 반응을 보이는 것이다. 원시반사가 소실되어 나타나는 정위반응, 보호반응, 평형반응 등의 자세반사가 지연되거나 나타나지 않을 수 있다.

해설

㉠ 경직형은 근육이 뻣뻣하며 움직임이 둔한 특징을 갖는다. 근긴장도가 높아서 움직이기 어렵고 움직인다 해도 속도가 느리다(박은혜 외, 2019: 67).
- 경직형의 운동은 심하게 몸이 뻗치는 현상을 보이므로 정교한 움직임이 어렵고 계속된다. 뻗침반사와 간헐적 경련 증상이 일어난다. 뻗침반사로 인해 근육의 움직임을 통제하지 못하고 갑자기 움직이는 현상과 이 움직임을 방해하는 길항근의 폭발적인 움직임으로 간헐적 경련 현상을 보인다(박화문 외, 2011: 21).

Check Point

(1) 원시반사

생후 전형적인 유아의 움직임은 원시반사, 또는 다양한 종류의 외적 자극에 의해 나타나는 비자발적인 움직임에 의해 좌우된다. 이러한 반사는 유전적으로 프로그램화되어 있다. 어떤 기능은 아기를 보호하고, 다른 기능은 운동기술의 기초를 형성한다. 예를 들어, 아기가 자신의 손에 있는 물체를 움켜잡는 초기 반사 작용은 궁극적으로 수의적인 움켜쥐기 기술을 발달시킨다. 그리고 아기는 머리를 돌릴 때 시각 및 청각자극에 반응하여 팔을 밖으로 뻗치게 된다. 이것은 비대칭성 긴장형 목반사 또는 펜싱 자세로 불린다. 이 반사는 유아가 시각적으로 사물을 보고 손을 뻗는 기술을 촉진할 뿐만 아니라 등을 대고 누워있다가 옆으로 구르는 행동의 발달에도 기여한다.

중추신경계의 성숙으로 보통 생후 6개월쯤 되면 이러한 움직임의 원시반사 유형은 더 높은 수준의 자동적인 자세반응으로 서서히 통합되고 대체된다. 예를 들어, ATNR 반응은 사라지기 시작하고, 좀 더 성장한 유아는 앉은 자세에서 팔을 굽혔다 펴며 밀기, 손 및 무릎으로 밀기와 같은 좀 더 성숙한 신체 움직임을 가능하게 하는 자세 반응이 발달하기 시작한다.

전형적으로 발달하고 있는 아동에게 원시반사가 모두 필수적인 것은 아니다. 즉, 원시반사가 발생하지 않을 수도 있다. 적절한 자극을 통해 자동적인 반응을 이끌어낼 수 있지만, 정상적인 중추신경계 기능을 가진 아동은 다른 환경적 자극에 반응함으로써 기대되는 자동 반응으로 대체할 수 있다. 앞서 제시된 예에서 만약 강한 환경적 자극이 생기면 반사적인 ATNR 자세는 나타나지 않을 수 있다. 예를 들어, 엄마가 아동에게 장난감을 주었다면, 아동은 ATNR의 영향에 방해받지 않고 손을 뻗어 장난감을 잡을 것이다. 원시반사가 존재할 것이라고 기대되는 연령에서 나타나지 않거나, 존재할 것이라 기대되는 연령의 범위를 지나 계속하여 나타나는 것은 중추신경계의 미성숙이나 기능 이상을 보여주는 것이다(Heller et al., 2012: 117-118).

(2) 자세반응

중력에 저항하는 자세 조절을 돕기 위해 초기 원시반응은 중추신경계의 성숙에 따라 더 높은 수준의 반응으로 대체된다. 이 시기에 수립된 자세반응은 정위반응, 방위반응, 평형반응이다. 이러한 자세반응의 지연이나 결손은 중추신경계의 미성숙이나 손상을 보여주는 것이다(Heller et al., 2012: 119).

① 정위반응
  ㉠ 개념: 시각적 정보, 전정기관을 통한 정보, 촉각 및 고유 수용 감각수용기에서 얻은 정보 등을 활용하여 머리와 신체를 능동적으로 조절하는 것
  ㉡ 정위반응을 통해 이동할 때 정상적인 머리 위치를 잡아줄 수 있고, 모든 활동에서 머리, 몸통, 사지의 정상적인 자세 관계가 유지된다.
  ㉢ 정위반응이 수립되면 아동은 구르기, 손과 무릎으로 움직이며 탐색하기, 바른 자세로 앉기, 서기 등을 배울 수 있다.

② 보호반응
  ㉠ 개념: 중력의 중심이 깨어져서 지지면의 범위를 벗어나 넘어지는 것을 막기 위하여 이동하는 방향으로 팔이나 다리를 곧게 뻗고, 바깥 방향으로 움직이는 것
  ㉡ 보호반응에서 팔은 처음에는 앞으로 향하고, 다음에는 옆으로, 마지막에는 뒤로 향하는 순서로 발달한다.

③ 평형반응
  ㉠ 개념: 신체가 움직일 때 균형을 유지하기 위해 몸통의 상태와 근긴장도를 조절하는 것
  ㉡ 평형반응은 보호반응과 다르게 빠르지 않고, 아동이 지지하고 있는 영역의 범위를 넘어서지 않는다.

59
2020 유아A-2

모범답안

1) 불수의 운동형

해설

지문 돋보기
- 손바닥이 바깥쪽으로 틀어지며: 외전
- 의도하지 않는 방향으로 움직임이 일어남: 불수의적인 움직임
- 정위반응과 평형반응이 결여되어 자세가 불안정함: 지속적 원시반사의 문제점

60
2020 초등B-2

모범답안

1)
① 단백질 부족으로 안면근육을 조절하는 데 어려움이 있기 때문이다.
② 모든 환경에서 수동 휠체어로 다른 사람이 옮겨 주어야 한다.

2)
① 준우 뒤쪽에서 겨드랑이 사이로 팔을 넣어 준우의 양 손목을 단단히 잡는다.
② 목발과 좌측 발을 먼저 내딛은 다음, 우측 발을 내려놓는다.

해설

1) ① 안면 견갑상완형 근이영양증은 안면근, 견갑근(어깨근), 상완(어깨와 팔굽 사이 근육)과 허리, 엉덩이근육 등이 약화되기 시작하며 날개 모양의 어깨를 특징으로 하는 질병으로 우성유전과 단백질 이상이 원인으로 밝혀졌다.

② GMFCS(6~12세) Ⅴ수준: 모든 환경에서 수동 휠체어로 이동한다. 머리와 몸통의 자세를 중력에 대항하여 유지하는 능력이 부족하며, 팔과 다리 움직임을 조절하는 능력도 부족하다. 머리의 정렬을 개선하고, 의자에 앉기, 서기, 이동하기 등을 위해 보조공학이 사용되지만 이러한 도구로 완전히 보상되지는 않는다. 옮기기는 완전한 성인의 보조가 필요하다. 가정에서 아동은 짧은 거리를 바닥으로 이동하거나 성인이 안아서 이동시킨다. 앉기와 조작 방법을 많이 수정하여 전동 휠체어를 사용해 스스로의 이동성을 성취할 수도 있다. 이동성의 제한으로 인해 신체 활동이나 스포츠에 참여하기 위해서는 신체적 보조나 전동휠체어와 같은 적합화를 필요로 한다(박은혜 외 역, 2017: 286).

61
2020 중등B-10

모범답안
- 운동실조형
- ㉠ 근섬유가 지방세포로 대치되었기 때문이다(또는 종아리 부분의 약해진 부분을 보상하기 위해 근육이 지방섬유로 대치되었기 때문이다).
- ㉡ 가우어 징후
- ㉢ 오른쪽을 대퇴 부위까지 먼저 입고 나서 왼쪽의 바지를 입는다.

해설

지문 돋보기
- ㉠ 가성비대: 종아리 부분의 약해진 부분을 보상하기 위해, 근육이 지방섬유로 대치되어 마치 건강한 근육 조직처럼 보이는 것을 말함. 실제로 근육이 비대해지는 것이 아니고 근섬유가 괴사한 자리에 지방 및 섬유화가 진행되어 단단해지고 커진 것처럼 보이는 것(박은혜 외, 2019: 88)
- ㉡ 가우어 징후: 듀센형 근이영양증 아동들에게 나타나는 앉기와 서기 동작의 독특한 특성을 의미하며 근력이 약화되기 때문에 생김. 하지 근육이 약해지기 시작하는 초기에는 앉는 자세에서 일어서기가 어려워서 손을 사용하는 형태가 나타남
- 가우어 징후는 골반 주위 근육 약화로 인한 요추 전만과 척추, 다리 근육 등이 약해졌기 때문에 나타나는 현상(정동훈 외, 2018: 45)

62
2021 초등B-1

모범답안

1)
① 경직형 양마비
② (학교·야외·지역사회에서) 타인이 학생의 수동 휠체어를 밀어주어야 이동할 수 있다.

해설

1) ② GMFCS 4단계: 학생은 대부분의 환경에서 타인의 신체적 도움을 받거나 전동 휠체어를 사용하고, 몸통과 골반의 자세 조절을 위해 개조된 의자가 필요하고 이동 시 대부분 신체적 도움이 필요하며, 가정에서는 바닥에서 구르거나 기어서 이동하고 신체적 도움을 받아 짧은 거리를 걷거나 전동 휠체어를 사용하고, 자세를 잡아 주면 학교나 가정에서 체간지지워커를 사용할 수 있고, 학교/야외/지역사회에서 타인이 학생의 수동 휠체어를 밀어 주거나 전동 휠체어를 사용하여 이동하고, 이동성의 제한으로 인해 체육 및 스포츠활동에 참여하기 위해서는 신체적 도움이나 전동 휠체어와 같은 장치가 필요하다.

63

2021 중등B-6

모범답안

- 긴장성 미로반사
  ㉠ 옆으로 누운 자세로 과제에 참여할 수 있도록 지원한다(또는 누워 있을 때는 옆으로 눕는 자세를 취하도록 하고 앉은 자세에서는 적절한 자세를 잡아주는 기기를 이용한다).
- ㉡, 마우스 포인터를 따라가는 머리의 움직임에 의해 중력에 대한 균형이 앞쪽이나 뒤쪽으로 깨지면 몸 전체가 신전 또는 굴곡되므로 헤드포인팅 시스템을 활용해서는 안 되기 때문이다.
  ㉣, 한 번에 같은 키 값이 여러 번 찍히지 않도록 하는 것은 필터키 시스템의 기능이기 때문이다.

해설

㉠ 긴장성 미로반사의 영향을 받은 아동은 복와위 시 머리를 들어올릴 수 없고 앉기나 무릎으로 기기를 할 수 없다. 앙와위 시에는 머리를 들 수 없고, 앉기 위하여 몸을 일으킬 수 없으며, 신체 중심선에 팔을 모으기도 어렵다. 이러한 반사의 영향을 피하기 위하여 누워 있을 때에는 옆으로 눕는 자세를 취하는 것이 좋고, 앉은 자세에서 적절한 자세 잡기 기기를 이용하면 이 반사의 영향을 많이 줄일 수 있다(박은혜 외, 2019: 364-365).
㉡ 머리로 조절하는 헤드 포인팅 시스템은 마우스 포인터를 움직이는 등 다른 모든 마우스 기능을 위해 사용된다.
㉢ 앉은 자세에서 등받이를 뒤로 기울일 경우 긴장성 미로반사가 나타나지 않도록 주의해야 한다. 특히 휠체어가 뒤로 기울어지면 몸 전체에서 강한 신전 패턴이 나타나면서 갑자기 휠체어에서 움직이게 되면 앞으로 미끄러지므로 주의를 기울여야 한다.
㉣ 한 번에 같은 키 값이 여러 번 찍히지 않도록 하는 것은 필터키 시스템의 탄력키 기능 설정을 통해 가능하다.
㉤ 단어 예측 프로그램(word prediction program)이란 사용자가 화면상에 나타난 단어 목록에서 원하는 단어를 선택하여 문장을 완성할 수 있게 하는 프로그램이다.

64

2022 유아A-4

모범답안

2)	다음 중 택 1 • 워커 • 게이트 트레이너

해설

2) • 워커는 독립적인 보행이 가능한 학생의 수직적 움직임을 가능하게 하는 이동 기기이다.
  • 게이트 트레이너는 균형 잡기나 근육 통제에 문제가 있는 학생들의 걷기 훈련을 위해 사용되는 이동 기기이다. 주로 어린 학생들의 걷기 훈련을 위해 사용되는 이동 기기이다.

지문 돋보기

지문의 내용을 통해 보행 보조기기 선택 시 고려해야 할 사항은 다음과 같이 유추할 수 있음
• 독립보행은 가능
• 하지 근육의 약화로 자세가 불안정한 경우 사용할 수 있는 보행 보조기기가 요구됨
• 넘어질 우려가 없는 보행 보조기기가 요구됨

65

2022 초등B-2

모범답안

1)	① 양다리를 가슴 쪽으로 구부려 준다. ② 발목관절 구축을 예방하고 진행을 억제시킬 목적으로 착용한다.

해설

1) ① 긴장성 미로반사인 혜지를 옆으로 눕히고 팔을 이용하여 스위치를 누를 수 있는 자세가 되어야 한다. 긴장성 미로반사의 아동들은 누워 있을 때 활처럼 뻗치고, 엎드려 있을 땐 강하게 구부리는 모습을 보인다. 이때 아동을 옆으로 눕히고, 양팔은 앞으로 펴주고, 양다리는 가슴 쪽으로 구부려 준다. 양손을 가지고 놀지 못하는 아기에게 양손을 갖고 놀 수 있도록 유도해 주는 것이며 다리를 뻗대는 아동을 억제해 주는 자세가 된다(Bobath, 1993: 110).
  • 대안적 자세를 묻는 것이 아니라 대안적 자세를 유지하기 위한 방법을 묻고 있음에 유의한다.
② 단하지 보조기(AFO)는 아킬레스건의 단축으로 흔히 까치발 서기나 보행을 하는 아동들의 발목관절 구축을 예방하고 진행을 억제시킬 목적으로 가장 많이 사용한다(정동훈 외, 2018: 41).

66 | 2022 중등A-11

모범답안

- 경직형
- ㉠, 학생 옆에 서서 지도할 경우 목의 좌우 움직임에 의해 비정상적인 반사가 활성화되므로 학생의 정면 중심선 앞에서 지도하는 것이 바람직하기 때문이다.
  ㉣, 고개를 가누지 못하므로 수파인 스탠더를 이용하여 서기 자세를 취할 수 있도록 해야 하기 때문이다.
- ㉥ 후방지지 워커

해설

지문 돋보기

- ㉠ 비대칭 긴장형 목반사를 보인다는 특성 고려
- ㉡ 강직성 씹기 반사가 나타난다는 특성 고려
- ㉢ 고개를 가누지 못하고, 앉아 있을 때 머리와 몸통이 앞쪽으로 굴곡되는 특성 고려
- ㉣ 고개를 가누지 못하는 특성 고려
- ㉤ 뇌성마비로 대근육운동기능체계 3수준이라는 특성 고려

㉠ 비대칭 긴장성 경반사의 영향을 통제하기 위해 비대칭 긴장성 경반사를 보이는 아동에게 과제를 제시할 때는 아동의 정면 중심선 앞에서 제시한다. 그리고 대칭 긴장성 경반사를 보이는 아동에게 과제를 제시할 때는 목의 굴곡과 신전을 방지할 수 있도록 아동의 눈높이에 맞춰 제시한다.

㉣ 프론 스탠더는 머리를 스스로 가눌 수 있는 경우 사용할 수 있다.

㉤ GMFCS 2수준은 난간을 잡고 계단을 오르나 난간이 없으면 신체적 보조를 받아서 계단을 오르는 수준이다. 그리고 GMFCS 3수준은 다른 사람이 옆에 서 있거나(또는 다른 사람의 관찰하에 있거나) 신체적 보조를 제공하면 난간을 잡고 계단을 오르내릴 수 있는 수준이다. 따라서 GMFCS 3수준인 경우, 계단을 오를 때 난간을 잡고 이동할 수 있도록 지도하는 것은 타당하다.

㉥ 보행 시 신체의 무게중심이 앞으로 기울어지는 경향이 있기 때문에 후방지지 워커를 이용하는 것이 바람직하다.

67 | 2023 유아A-5

모범답안

1)	① ㉢, 가성비대가 나타나는 근육도 근력 유지를 위해 효과적으로 사용하도록 하는 것 ② ㉣, 힘들어서 피로하다고 하면 운동을 멈추도록
3)	① 욕창 방지 ② 자세 바꾸기

해설

1) ㉢ • 듀센형 근이영양증의 지원에서 가장 중요한 목표는 운동 기능 즉, 이동 및 자세 유지 기능의 향상이다. 이를 위해서는 기능 유지와 관절 구축의 예방이 필요하다. 근력 저하는 계속 진행되고 운동 기능도 점점 약해지기 때문에 매일 적당한 운동을 하며 근 관절 운동 부족에 의한 하반신 근력량의 저하, 즉 폐용성 위축을 가능한 피하는 것이 기본이다(김혜리 외, 2021 : 74).

• 근이영양증의 하위 유형에 따라 진행의 속도와 특성은 다르지만 이 학생들에게는 장애 상태의 개선보다는 유지하도록 지원해 주는 것이 중요하다. 그러므로 근육을 이완하고 근육의 협응을 강화하기 위한 매일의 적당한 스트레칭 운동이나 악기 연주, 수영, 자전거 타기 등을 통해 가능한 한 남아 있는 근력을 효과적으로 사용하고 서기, 걷기, 이동 능력을 유지할 수 있도록 지원한다(박은혜 외, 2019 : 91).

㉣ 운동하지 않는 것은 해가 되고 악화를 촉진하기 때문에 뒤센형 근이영양증을 가진 사람에게 운동은 중요하다. 그러나 잘못된 방법의 운동이나 지나치게 격렬한 운동은 해로울 수 있다. 현재 연구는 뒤센형 장애를 위한 근육운동은 질환 진행의 초기에 시작해야 한다고 제안하지만, 근육조직 손상과 심폐의 피로를 줄이기 위해 저항이 낮은 운동으로 제한되어야 한다고 말하고 있다. 모든 일상생활을 위해서도 과한 운동이나 피로를 피하고, 근육의 손상을 초래하는 격렬한 운동은 삼가도록 반드시 주의해야 한다(Heller et al., 2012 : 409).

Check Point

📝 **욕창 예방**

욕창은 다음과 같은 방법으로 예방할 수 있다.
① 욕창을 방지할 수 있는 특수 쿠션(욕창 방지 쿠션)을 이용한다.
② 자세를 자주 바꿔준다.
  ㉠ 누워 있을 때는 적어도 2시간마다, 휠체어에 앉아 있을 때는 30분마다 자세를 변화시켜 주어야 한다.
  ㉡ 욕창 방지 쿠션을 사용한다고 하더라도 자세나 체위를 자주 바꿔주어야 한다.
③ 실금으로 인해 기저귀를 착용하는 아동은 기저귀를 자주 점검하고 오염된 부위를 씻어 청결을 유지하도록 해야 한다.
  • 빈번하고 과도한 씻기는 마찰 저항력을 낮추어 피부 통증을 유발할 수 있으므로 주의해야 한다.
④ 단백질 등 균형 있는 영양섭취와 수분 공급이 필요하다.

68   2023 초등B-5

모범답안

| 1) | 수파인 스탠더 |

해설

1) 수파인 스탠더는 상체와 하체의 조절 능력이 저조하여 세우기가 힘든 경우 등을 대고 누운 자세에서 다리 및 몸통을 고정시킨 후 전동이나 수동 장치를 이용하여 각도를 세워 바로 설 수 있도록 보조하는 기기이다. 머리를 스스로 가누지 못하는 학생은 수파인 스탠더를 사용하여 기립 자세를 유지한다(박은혜 외, 2019 : 412).

69   2023 초등B-6

모범답안

| 1) | 다음 중 택 1
• 스위치
• 머리로 조절 가능한 조이스틱 |
| 2) | 모로반사 |

해설

지문 돋보기

| 세희 | • 뇌성마비를 가지고 있음
• 일상생활 중 근긴장의 변화를 자주 보이며, 상지와 몸통이 본인의 의지와 상관없이 움직임 : 불수의적인 운동 특성을 보임
• 대근육 운동기능 분류체계(GMFCS) 5단계에 속함
  - 중력에 대항하여 머리와 몸통의 자세를 유지하기 어렵고 다리의 움직임 조절에 제한이 있음
  - 머리를 가누고/앉고/서고/이동하기 등을 위해 보조공학을 사용하지만 완전히 보완되는 것은 아님
  - 좌석과 조작 방법을 수정한 전동 휠체어를 사용해 스스로 이동할 수 있음
• 현재 스캐닝 기법을 이용하여 보완대체의사소통기기를 사용하고 있음 : 방향지향 스캐닝에 사용되는 제어 인터페이스인 스위치 또는 스캐너 조작 가능
• 야외 활동을 할 때에는 특수 전동 휠체어를 사용함
  - GMFCS 5단계임에도 특수 전동 휠체어를 사용하고 있음
  - 상지의 불수의적인 운동 특성으로 인해 전동 휠체어에 기본적으로 부착되어 있는 조이스틱 사용에 어려움이 있으며, GMFCS 5단계의 특성상 다리의 움직임 조절에 제한이 있음을 고려할 것 |

1) 세희는 상지의 불수의적 운동 특성으로 인해 머리 움직임을 통해 전동 휠체어를 작동시켜야 한다. 머리 움직임으로 전동 휠체어를 이용할 수 있는 방법으로는 머리 받침대에 스위치를 설치하는 방법이 있으며, 또 머리 움직임이 가능한 자리에 조이스틱을 설치하는 방법 등을 생각할 수 있다.

  • 전동 휠체어를 제어할 수 있는 많은 방법이 있다. 동력 휠체어의 대부분 일반적인 제어 방식은 4방향 조이스틱을 사용한 직접선택이다. 일반적으로 조이스틱은 손이나 팔뚝으로 제어할 수 있도록 휠체어의 각 면이나 중앙선에 위치해 있다. 조이스틱은 아래턱, 발, 다리 머리로 사용할 수 있도록 배치할 수 있다 (Cooper et al., 2014 : 604-605).

- 머리받이의 헤드 어레이에 배열된 여러 가지 머리 제어 시스템도 사용할 수 있다. 일반적으로 사용자는 3개의 스위치를 이용하는데, 머리를 뒤로 이동하면 휠체어가 앞으로 가고 왼쪽으로 기울이면 휠체어가 오른쪽 방향으로 이동하며, 반대로 하면 왼쪽으로 이동한다. 머리를 앞으로 기울이면 휠체어가 멈춘다(Cooper et al., 2014: 605).

2) 모로반사는 Moro가 발견한 반사행동이다. 갑작스런 목의 신전으로 머리가 뒤로 떨어지면 팔을 신전하며 몸 밖으로 펼치는 동작(팔의 신전-외전)에 이어서 몸을 향해 팔을 다시 구부린다(팔의 굴곡-내전).
   - 모로반사는 놀람반사와 구별되어야 하는데, 놀람반사는 큰 자극에 의해 나타나고 반응 없이 곧바로 내전과 굴곡되는 양상을 보이며 평생 동안 지속된다(정진엽, 2013: 60).

70 2023 중등A-11

모범답안
- ㉠ 척수 수막류
- ㉢ 목을 왼쪽으로 돌리면
  ㉣ 목을 뒤로 젖히면
- ㉥ 전신 긴장성-간대성발작

해설

지문 돋보기

(가) 학생의 특성	
A	• 신경계 일부가 돌출된 상태로 태어남: 척수를 둘러싸고 있는 척추뼈의 뒷부분이 완전히 닫히지 않아 분리된 척추 사이로 척수나 신경섬유가 돌출된 상태 • 뇌수종으로 인한 지적장애: 척수 수막류를 가진 사람의 70~90%가 뇌척수액이 뇌에 고이는 뇌수종으로 발전함 • 방광 조절 기능장애: 척수 손상으로 인한 가장 큰 영향은 결함이 일어난 부분 아래의 기능 마비임. 장과 방광의 통제는 척수의 아랫부분에서 관장하기 때문에 척수 수막류를 가진 사람들은 대부분 배변 조절 기능의 문제가 있음 • 하지마비: 척수 수막류 학생은 하지마비로 인해 보조기구나 휠체어, 보행기, 목발을 이용하여 이동하게 되며 시각장애와 하지의 감각 상실을 포함해 중복장애가 있을 수 있음
B	• 대뇌피질(cerebral cortex) 손상: 추체로의 손상 • 비대칭성 긴장성 목반사(ATNR)가 남아 있음: 목(경부)의 움직임에 의해서 반사가 활성화되며, 반사가 활성화되면 근육 긴장도가 높아지고(긴장성), 자세는 좌우를 기준으로 비대칭의 형태(비대칭성)가 되는 원시반사의 유형
C	대칭성 긴장성 목반사(STNR)가 남아 있음: 목의 움직임에 의해서 반사가 활성화되며, 반사가 활성화되면 근육 긴장도가 높아지고(긴장성), 자세는 좌우를 기준으로 대칭의 형태(대칭성)가 되는 원시반사의 유형

71 2023 중등B-4

모범답안

- ㉢ 목을 뒤로 젖혀 혀뿌리가 중력 작용으로 구강의 뒤쪽으로 위치하게 한다.

해설

㉢ 뇌성마비와 같이 조음과 관련된 근육의 협응 문제로 조음기관의 기민성과 정확성이 떨어져 조음이 부정확한 경우, 적절한 자세란 이상반사 패턴을 억제하고 조음기관의 최소한의 노력(움직임)으로 조음이 가능하도록 하는 자세이다(고은, 2021 : 388). 연구개음의 경우 목을 뒤로 젖혀 혀뿌리가 중력 작용으로 구강의 뒤쪽으로 위치하게 한다.

Check Point

자세 조정 훈련

양순음	머리를 앞으로 숙여서 양 입술의 폐쇄가 쉽게 이루어지게 한다.
치조음/ 경구개음	머리를 앞으로 숙여서 설첨 부위가 치조나 경구개에 보다 가깝게 위치하게 한다. 이를 통해 혀가 조금만 움직여도 조음 위치에 닿을 수 있기 때문에 정상 조음에 도움을 받을 수 있다.
연구개음	목을 뒤로 젖혀 혀뿌리가 중력 작용으로 구강의 뒤쪽으로 위치하게 한다.

72 2023 중등B-5

모범답안

- ㉠ 정서・행동장애
  ㉡ 중도・중복장애가 아니라 시청각장애로 분류되기 때문이다(또는 시각장애 및 청각장애를 모두 지니면서 시각과 청각에 의한 학습이 곤란하고 의사소통 및 정보접근에 심각한 제한이 있는 경우는 시청각장애로 분류되기 때문이다).
- ㉣ 배변 시점 10분 전에 화장실에 가도록 하여 5분 정도 변기에 앉아 있게 한다.

해설

지문 돋보기

(나) 배변 훈련 계획

단계	내용	지도 중점
사전 단계	배변일지 작성	매 15~30분 간격으로 기록
1단계	습관 훈련하기	• 반복적 훈련을 지속적으로 실시 • 배변 패턴을 파악한 후 규칙적인 시간 계획에 따라 학생이 변기에 앉는 경험을 갖도록 지도하는 단계
2단계	스스로 시도하기	• 다양한 신호 관찰 • 화장실에 가야 하는 필요성을 인식시키고 학생이 스스로 배변 신호를 알아채고 화장실 사용에 대한 표현을 할 수 있도록 지도하는 단계
3단계	독립적으로 용변보기	• 일반화 및 유지 • 학생이 화장실 사용에 대한 신호를 알아채고 화장실을 이용하는 것까지 모두 스스로 할 수 있도록 지도하는 단계

㉠ 중도중복(重度重複)장애 : 다음의 구분에 따른 장애를 각각 하나 이상씩 지니면서 각각의 장애의 정도가 심한 경우. 이 경우 장애의 정도는 법 제14조 제1항에 따른 선별검사의 결과, 제9조 제4항에 따라 제출한 진단서 및 「장애인복지법 시행령」 제2조 제2항에 따른 장애의 정도 등을 고려하여 정한다.

1) 지적장애 또는 자폐성장애
2) 시각장애, 청각장애, 지체장애 또는 정서・행동장애

ⓒ 시청각장애: 시각장애 및 청각장애를 모두 지니면서 시각과 청각에 의한 학습이 곤란하고 의사소통 및 정보 접근에 심각한 제한이 있는 경우
- 「장애인 등에 대한 특수교육법 시행령」에 근거하여 시청각장애의 정의가 명확히 제시되었는지보다는 중도·중복장애로 분류할 수 없다고 답한 이유에 초점을 두는 것이 적절하다.

ⓔ 예측되는 시간 10분 전에 화장실에 가도록 하여 5분 정도 변기에 앉아 있게 한다. 화장실에 가까이 가는 것을 시작으로 변기에 앉기, 변기에 앉는 시간 늘려 가기 단계로 점진적으로 지도한다. 가장 중요한 것은 학생이 변기에 앉았을 때 편안해야 한다는 것이다(김영한 외, 2022 : 159).

Check Point

중도중복장애를 지닌 특수교육대상자의 선정

① '중도중복장애를 지닌 특수교육대상자'란 지적장애(또는 자폐성장애)를 지니면서 시각장애, 청각장애, 지체장애, 정서·행동장애 중 하나 이상을 가지고 있고, 지적장애(또는 자폐성장애)를 포함한 최소 두 가지의 장애는 장애의 정도가 심한 경우여야 함

요건 1 \ 요건 2	시각장애	청각장애	지체장애	정서·행동장애	의사소통장애	학습장애	건강장애	발달지체
지적장애 (또는 자폐성장애)	○	○	○	○	×	×	×	×

※ 요건 1과 요건 2에 해당하는 장애 모두 정도가 심한 경우여야 함

② '시청각장애를 지닌 특수교육대상자'란 시각과 청각 모두 장애의 정도가 심하여 두 감각에 의한 학습활동이 어려운 경우여야 함

출처 ▶ 교육부(2022)

73   2024 유아A-2

모범답안

2) 프론 스탠더

Check Point

서기 자세 보조공학기기

프론 스탠더	• 머리를 스스로 가누일 수 있는 경우 사용할 수 있으며, 특히 상체의 조절이 어느 정도 가능한 경우는 상지 기능 강화를 위해 사용할 수 있다. • 고관절 수술 후 관절 근육을 형성하거나 원시반사를 경감시켜 주는 효과가 있고, 체중을 앞으로 실은 채 기댈 수 있으므로 두 손을 기능적으로 사용할 수 있다.
수파인 스탠더	머리를 스스로 가누지 못하는 학생은 수파인 스탠더를 사용하여 기립 자세를 유지한다.
스탠딩 테이블	몸통이나 다리 근육의 제한으로 스스로 서기 어려운 학생을 세울 수 있게 지원하는 보조공학기기이다.

74　　　2024 초등A-2

모범답안

| 1) | ① 첫 글자에 대응하는 여러 가지 단어가 스크린 위에 나타난다.
② 체간지지워커 |

해설

1) ① 단어 예측 프로그램은 학생이 타이핑할 단어 목록을 제공한다. 학생이 단어의 첫 글자를 타이핑하면 여러 가지 단어가 스크린 위에 나타난다. 단어에 대응되는 번호를 타이핑하면 원하는 단어가 선택된다. 첫 글자에 대응하는 단어가 없는 경우 두 번째 글자를 타이핑하게 된다. 그러면 앞의 문자와 두 번째 문자가 같은 단어들이 동시에 배열되고, 학생은 단어의 나머지 글자들을 입력하는 대신 단어를 선택하기 때문에 자판을 두드리는 횟수가 감소한다.

② 대근육운동기능평가(GMFCS) 4단계의 구체적인 내용은 다음과 같다.
- 학생은 대부분의 환경에서 타인의 신체적 도움을 받거나 전동 휠체어를 사용하고, 몸통과 골반의 자세 조절을 위해 개조된 의자가 필요하고 이동 시 대부분 신체적 도움이 필요하며, 가정에서는 바닥에서 구르거나 기어서 이동하고 신체적 도움을 받아 짧은 거리를 걷거나 전동 휠체어를 사용하고, 자세를 잡아 주면 학교나 가정에서 체간지지워커를 사용할 수 있고, 학교/야외/지역사회에서 타인이 학생의 수동 휠체어를 밀어 주거나 전동 휠체어를 사용하여 이동하고, 이동성의 제한으로 인해 체육 및 스포츠활동에 참여하기 위해서는 신체적 도움이나 전동 휠체어와 같은 장치가 필요하다(박은혜 외, 2023 : 177).

75　　　2024 중등A-7

모범답안

- ⓒ 다음 중 택 2
  - 신체의 대칭성을 유지하기 위해서이다.
  - 신체의 기형을 예방하기 위해서이다.
  - 반사가 활성화될 경우 도움 없이는 정중선 위치로 돌아올 수 없기 때문이다.

해설

ⓒ 비대칭 긴장성 경반사가 유발되는 경우(조건)와 관련된 내용은 문제의 조건에 따라 제외되어야 한다.
- 비대칭 긴장성 경반사가 지속적으로 존재하게 되면 식사하기, 시각적 추적하기, 양손을 신체 중앙 부분에서 사용하기, 신체의 전반적 대칭성 유지를 저해하는 요인이 된다(박은혜 외, 2023 : 312).
- 비대칭 긴장성 경반사는 척추 측만증과 같은 기형과 함께 비대칭적인 앉기 자세를 발생시키며 좌골이나 고관절 부위에 욕창을 발생시킬 수 있는 비대칭적 체중 부하를 유발한다(박은혜 외, 2023 : 313).
- 비대칭 긴장성 경반사는 주로 생후 6개월 이내에 사라진다. 이 반사는 유아의 머리가 한쪽으로 돌려지면 활성화되는데, 머리가 돌아간 쪽의 팔다리는 쭉 뻗어지는 반면에 반대쪽 팔다리는 만곡하게 된다. 일단 이 반사가 활성화되면 많은 사람이 비징상적인 운동 패턴에 빠져 도움 없이는 정중선 위치로 돌아올 수가 없다. 따라서 비대칭 긴장성 경반사를 보이는 사람의 AAC 체계는 일단 머리를 돌리게 되면 직접선택을 위해 그 방향의 팔을 사용할 수 없기 때문에, 이들이 디스플레이를 스캐닝하기 위해 머리를 돌리지 않도록 설계되어야 한다(Beukelman et al., 2017 : 205).

76 2024 중등B-4

모범답안
- ⓒ 속도
- ⓔ 휠체어에 휠체어용 책상(또는 랩트레이)을 설치해 준다.
  교실에 높이 조절이 가능한 책상을 준비해 둔다.

해설

ⓒ 전동 휠체어를 제어하기 위한 제어 방식은 비례 제어와 비비례 제어의 두 가지로 구분되는데, 비례 제어란 휠체어가 조이스틱이 움직이는 방향이면 어디든 움직이며, 빠르게 움직일수록 휠체어도 빠르게 움직인다는 것을 의미한다. 전동 휠체어의 조이스틱이 갖는 기능을 고려할 때 방향과 관련된 내용은 제시되어 있으므로 "미는 정도"가 의미하는 것은 속도라고 볼 수 있다.

77 2024 중등B-8

모범답안
- ⓜ 행동 규칙 스크립트

해설

ⓜ 행동 규칙 스크립트는 교사가 학생에게 기대하는 행동에 대한 구체적인 목표가 있을 때 적용하는 것이 효과적이다. 학생이 스스로에게 기대되는 행동을 명확히 인지하고, 이를 시각적인 상징을 통해 자기점검하여 행동의 일반화와 유지를 촉진할 수 있다(강혜경 외, 2023 : 130).

78 2024 중등B-11

모범답안
- ⓒ, 고형 음식을 제공한다[또는 고형 음식을 작은 조각으로 잘라서 제공한다 / 죽(퓨레) 형태의 음식보다는 계속적인 저작 연습과 식사 습관 형성을 통해 점차 고형 음식을 먹을 수 있도록 지도한다].
- ⓜ, 학생 A의 옆 또는 뒤에서 지원한다.
- ⓢ 모로반사

해설

ⓒ 일반적으로 음식 섭취가 어려운 학생에게는 쌀, 채소, 등을 삶아 죽 형태로 제공하는 것이 좋다. 죽 형태의 음식은 삼키기에 용이하다는 장점이 있으나 저작 활동을 하지 않아도 쉽게 목 넘김이 가능하므로 기도 폐쇄의 위험성을 증가시키고 구강구조를 약하게 만든다. 또한 삶으면서 열을 가하므로 조리과정 중에 비타민이 파괴되어 비타민 결핍을 일으킬 수 있고, 변비와 충치를 일으키기도 한다. 따라서 죽 형태보다는 계속적인 저작 연습과 식사 습관 형성을 통해 점차 고형 음식을 먹을 수 있도록 지도하는 것이 중요하다(김영한 외, 2022 : 137).

ⓜ 학생 A는 목 조절이 힘들다는 점을 고려해야 한다.
- 비정상적인 반사작용을 최소화하고 음식을 쉽게 삼키게 하기 위해서는 목이 약간 앞으로 구부려져 있는 것이 좋은데, 음식을 제공해 주는 사람은 학생과 최대한 가깝게 앉아 학생의 옆 또는 뒤에서 지원할 수 있도록 한다(김영한 외, 2022 : 136).

79   2025 유아A-2

모범답안

2)
① 발판을 제공한다(또는 몸통을 지지할 수 있는 손잡이와 지지대를 설치한다).
② 하루 평균 3~5번의 소변이 같은 시간에 보이는 정도로 일정한 패턴이 나타나야 한다.
③ 규칙적인 계획표에 따라 변기에 앉는 경험을 하게 한다.

해설

2) ① 적절한 자세 잡기는 화장실 훈련에서 필수적인 요소이다. 골반과 엉덩이, 몸통근육의 자세 조절과 근육의 긴장도와 신체 정렬을 통한 안정성 확보는 화장실 훈련을 위해 지도되어야 한다. … (중략) … 화장실을 이용하는 데 필요한 자세를 지도하기 위해 자세 유지기기들을 활용할 수 있다. 개인의 특성에 따라 약간의 지지만을 지원해도 도울 수 있는 환경적인 수정 방법을 사용할 수도 있다. 예를 들어, 몸통을 지지할 수 있는 손잡이와 지지대, 다양한 의자 형태의 보조기기 사용은 신체의 정렬과 자세 지지에 도움이 된다. 변기가 높아 발이 바닥에 닿지 않는 학생에게는 발판을 제공하는 방법도 있다(박은혜 외, 2023: 400-401).

② 용변기술 준비도 평가에는 생활연령은 2세 이상인지, 기저귀의 마른 상태를 최소한 1~2시간 정도는 유지할 수 있는지 그리고 하루 평균 3~5번의 소변이 같은 시간에 보이는 정도로 일정한 패턴이 나타나는지를 파악하는 것이 포함된다. 이들 중 생활연령(발달연령), 기저귀 건조시간과 관련해서는 대화 내용에 포함되어 제시되어 있다.

③ 습관 형성 단계는 배변 패턴을 파악한 후 규칙적인 시간 계획에 따라 학생이 변기에 앉는 경험을 갖도록 지도하는 단계이다(김영한 외, 2022: 159).

Check Point

📝 용변기술 지도 단계

[1단계] 습관 만들기	• 1단계의 목적은 학생이 규칙적인 계획표에 따라 변기에 앉는 경험을 하게 하는 것이다. 　- 용변 패턴을 파악한 후 학생에게 시간에 맞춰 용변을 보도록 하는 것으로, 예측되는 시간 10분 전에 화장실에 가도록 하며 5분 동안 변기에 앉아 있도록 한다. • 훈련을 돕기 위한 환경 조절 방법은 학생의 습관 만들기에 도움이 된다. 아동용 변기를 이용하거나 느낌이 좋은 소재의 변기 커버 사용하기, 바닥에 미끄러지지 않은 논슬립 매트 깔아주기, 화장실 문을 제거하여 고립된 느낌을 완화해 주기 등이 있다. • 화장실에 가는 것을 꺼리거나 공포를 느끼는 학생들의 경우에는 강제로 실시하지 않는다.
[2단계] 스스로 화장실 사용 시도하기	• 화장실에 가야 할 필요성을 인식시키고 징후를 나타내도록 하는 단계이다. 　- 다리를 꼬거나, 얼굴을 찡그리거나, 구석으로 가는 등 화장실에 가고자 하는 학생의 행동 표현에 대해 민감한 관찰이 요구된다. 　- 학생의 표현 방법이 관찰되면 교사는 좀 더 긍정적이고 일반적으로 수용 가능한 표현을 할 수 있도록 물건, 사진, 단어들을 이용해서 화장실에 가고 싶다는 표현을 지도한다. 　- 용변 의사를 표현할 수 없는 경우는 AAC (📌 음성출력 의사소통 기기)를 활용하여 용변 의사를 표현할 수 있도록 지도한다. • 학생이 젖어 있다는 느낌을 받는 것을 방해하는 기저귀와 같은 것을 몸에서 제거하고, 입고 벗기 편한 속옷을 입도록 지도한다. 　- 처음에는 바지를 정기적으로 점검하며 마른 채로 있을 때에는 강화하고, 실수 시에는 관심이나 강화를 하지 않고 옷을 갈아입히는 등의 단계를 통해 훈련을 시작한다. • 학생이 용변을 보자마자 칭찬해 줌으로써 방광이 가득 찬 것과 배설하는 것의 관계를 인식하도록 돕는다.
[3단계] 독립적으로 화장실 사용하기	• 3단계의 목적은 화장실에 가야 한다는 것을 깨닫게 하고, 화장실에서 이루어지는 모든 과정을 스스로 해야 한다는 것을 알게 하는 것이다. • 변기에 앉아 있는 시간이 많을수록 배변할 확률이 높으나 학교에서는 자주 화장실에 갈 수 있는 여건이 안 되므로 시간당 10~15분 정도 화장실에 머물면서 훈련하는 것이 효과적이다. • 용변기술을 일반화하고 좀 더 숙달되게 하는 것이 중요하며, 낮 시간 동안에 이뤄지는 기술들이 점차로 밤 시간 동안에도 이뤄질 수 있도록 가정에서도 같이 시작한다.

출처 ▶ 박은혜 외(2023), 내용 요약정리

80 · 2025 유아A-5

모범답안

2)	① 다음 중 택 1 • 스스로 자세를 유지할 수 있도록 해준다(또는 독립성을 증진시킨다). • 앉아 있는 시간을 증가시켜 건강관리에 도움을 준다. ② 다음 중 택 1 • 은지의 신체 크기에 맞는 것을 선택하여야 한다. • 은지의 신체 크기에 맞춰 어깨끈과 골반벨트를 조절해 주어야 한다.

해설

2) 피더 시트의 장점, 유의점을 유추하기 위해 고려해야 할 [C]의 내용은 은지의 경우 근육에 힘이 없다는 점(즉, 근긴장도가 낮음), 외출할 때를 제외하고는 주로 어머니가 안고 있거나 누운 자세로 생활하고 있다는 점이다.
① 피더 시트를 사용하면 은지 어머니가 은지를 계속해서 안고 있지 않아도 되며 은지가 누운 자세로만 생활하지 않아도 된다는 장점을 유추할 수 있다.
② 피더 시트의 선택과 관련하여 피더 시트는 상품화되어 있기 때문에 신체의 크기에 맞는 것을 선택해야 한다는 점, 근 긴장도가 낮기 때문에 착석 시 몸에 맞게 벨트를 조절해 주어야 한다는 점이 유추 가능하다.
• 피더 시트는 상품화되어 있으며, 신체의 크기에 따라 선택하여 사용할 수 있다. 주로 근 긴장도가 낮은 학생에게 사용한다. 각도 조절용 받침대를 이용하여 각도 조절이 가능하며 학생의 신체 크기에 따라 선택하여 사용할 수 있다. 일상생활 중 편안함을 제공하기 위해 사용한다(박은혜 외, 2023 : 358-359).

Check Point

📝 피더 시트

대상	몸을 가누기 불편한 학생
기기 특징	• 의자와 등받침의 각도는 90°이고 엉덩이 고정 벨트는 45°로 H형 벨트로 고정 가능 • 세척이 가능하고 오물이 쉽게 닦임 • 인체의 곡선을 따라 만들어진 안쪽면은 허리와 엉덩이의 바른 자세를 가능하게 하며 골반의 안정성을 증가시키기 위해 밀림방지 시트로 되어 있음 • 받침대를 사용하면 30°에서 90° 사이의 어느 각도나 자유로이 유지시킬 수 있음
사용 방법	• 받침대에 자세지지용 의자 부착 • 착석 시킨 후 자세 정렬 • 벨트로 고정

출처 ▶ 경상남도특수교육원(2017 : 178)

81 · 2025 초등B-4

모범답안

1)	① 운동실조형 ② (까치발 서기나 보행을 하는 학생들의) 발목관절 구축을 예방하고 진행을 억제시키는 것이다.
2)	① 팔(또는 상지)은 신전되고 다리(또는 하지)는 굴곡된다. ② 외전대

해설

지문 돋보기

• 영희
 – 소뇌 손상: 운동실조형 뇌성마비의 원인
 – 머리가 흔들리는 등 운동 조절이 곤란함: 소뇌 손상으로 인해 나타나는 행동 특징
 – 기저면을 넓게 벌리고 팔을 바깥쪽으로 벌려 걸음: 운동실조형 뇌성마비의 보행 형태 특징
 – 조음이 불명확하고 말의 속도가 느림: 운동실조형 뇌성마비의 구어 산출 특성

• 민호
 – 대뇌피질 손상: 경직형 뇌성마비의 원인
 – 대칭성 긴장성 목반사: 원시반사의 잔존
 – 가위 모양 자세를 보임: 경직형 뇌성마비의 경우, 근육의 구축으로 다리가 서로 겹쳐지는 가위 모양의 자세를 보이고 이동이나 움직임의 범위에 한계를 보임
 – 단하지 보조기를 착용함: 보조기기(또는 보장구) 착용

1) ② 단하지 보조기는 아킬레스건의 단축으로 흔히 까치발 서기나 보행을 하는 아동들의 발목관절 구축을 예방하고 진행을 억제시킬 목적으로 가장 많이 사용한다(정동훈 외, 2018 : 41).
 • 단하지 보조기는 발과 발목관절의 정렬과 움직임을 조절시키는 것으로, 신체의 올바른 정렬을 유지하고, 발의 기형을 예방하고 교정하며, 발목관절에서 불수의 운동을 조정하고, 기립 및 보행의 증진 등을 목적으로 착용한다(박은혜 외, 2023 : 83-84).

2) ② 민호는 가위 모양 자세를 보이고 있으므로 외전대를 사용하여 겹쳐있는 다리가 바르게 정렬될 수 있도록 한다.

82　　2025 중등A-12

모범답안
- 부재발작

해설

지문 돋보기
- 하루에도 여러 번 짧은 시간 동안 발작 증세가 나타나요.: 발생 빈도 및 발작 지속시간
- 갑자기 하던 일을 멈추고 멍하게 응시하는 모습을 보일 때가 있어요. 그리고 눈을 깜빡거리거나 입술 경련도 나타나지요.: 발작 증상
- 이 증상은 경미하게 나타나기는 하지만: 발작 정도(강도)
- 전조 증상이 없이 갑자기 나타나기 때문에: 전조 증상의 동반 여부

[A] 부재발작은 '조금 나쁜'의 의미를 지닌 소발작이라고도 하는데, 주로 4~12세 사이에 시작하며, 약 40% 정도에서 가족력을 갖고 있다. 특징적으로 '멍한 상태'를 보이는 발작 증세가 5~15초 정도 지속되며, 많은 경우 하루에 수십 회씩 나타나기도 한다. 부재발작은 전조 없이 갑자기 나타나고, 보통 경련이 계속됨에 따라 학업성적이 떨어지게 된다(정동훈 외, 2018: 59).

83　　2025 중등B-6

모범답안
- ㉠ 긴장성 미로반사
- ㉣ 욕창 발생을 예방하기 위해서이다.

해설

㉠ 긴장성 미로반사(TLR)는 머리를 신전시키고 등을 대고 누워 있을 때에는 몸 전체에 신전근이 증가하고, 엎드려 누워 있는 경우에는 굴곡근의 긴장이 증가하는 반사이다. 머리가 신전되거나 앞으로 굴곡되지 않도록 머리의 위치를 중립에 두면 이 반사의 영향을 감소시킬 수 있으며, 앉은 자세에서 등받이를 뒤로 기울일 경우 이 반사가 나타나지 않도록 특히 주의해야 한다(박은혜 외, 2023: 314).

㉣ 학생 B는 머리와 몸통 조절의 어려움으로 자세 변경이 어렵다. 욕창은 휠체어나 침대에서 자신의 몸을 자유롭게 이동시키지 못할 때 발생한다.
- 욕창은 예방이 중요한데 누워 있을 때는 적어도 2시간마다, 휠체어에 앉아 있을 때는 30분마다 자세 변화를 주어야 한다. 그리고 압력 경감을 위한 쿠션을 사용하거나 단백질 등 균형 있는 영양섭취, 자주 발생하는 부위를 항상 청결하고 건조한 상태로 유지하는 것이 좋다(정동훈 외, 2018: 52).

김남진
KORSET 특수교육
기출분석 ❸

PART 10

건강장애아교육

KORea Special Education Teacher

01
2009 중등1-14

정답 ⑤

해설

ㄱ. 교육장 또는 교육감은 일반학교에서 통합교육을 받고 있는 특수교육대상자를 지원하기 위하여 일반학교 및 특수교육지원센터에 특수교육교원 및 특수교육 관련서비스 담당 인력을 배치하여 순회교육을 실시하여야 한다(「장애인 등에 대한 특수교육법」제25조 제1항).

ㄴ. 순회교육의 수업일수는 매 학년도 150일을 기준으로 하여 각급학교의 장이 정하되, 순회교육을 받는 특수교육대상자의 상태와 교육과정의 운영상 필요한 경우에는 지도·감독기관의 승인을 받아 30일의 범위에서 줄일 수 있다(「장애인 등에 대한 특수교육법 시행령」제20조 제2항).

ㄷ. 교육장 또는 교육감은 제3항에 따른 순회교육의 실시를 위하여 의료기관 및 복지시설 등에 학급을 설치·운영하는 등 필요한 조치를 강구하여야 한다(「장애인 등에 대한 특수교육법」제25조 제4항).

02
2011 초등1-6

정답 ③

해설

ㄱ. 창수의 학적은 병원학교에 두고 : 학적은 학생의 소속 학교에 두는 것을 원칙으로 하므로, 창수의 학적은 샛별초등학교에 두어야 한다.

ㄴ. 병원학교에서는 입급일로부터 14일 이내에 : 학생의 소속 학교에서는 매 학기 시작일 또는 배치일로부터 30일 이내에 개별화교육계획을 작성해야 한다.

- 개별화교육계획은 소속 학교가 주체가 되어 수립·실행되어야 한다.
- 건강장애 학생도 특수교육대상자이므로 개별화교육계획을 작성해야 한다. 현재는 소속 학교에서도 건강장애 학생에 대한 IEP를 작성하고 있으며, 병원학교에서도 병원학교 교사가 IEP를 별도로 작성하고 있다. 그러나 한 학생에 대한 IEP는 하나의 문서로 작성되도록 학생의 소속 학교와의 협의를 통해 공유하며, 학교 복귀 시 학생의 소속 학교에 전달될 수 있도록 한다(박은혜 외, 2023 : 149).

ㄷ. 수업 결손을 막기 위해 재량활동을 교과 재량활동으로 운영한다. : 병원학교에 입급할 경우 수업 결손을 막기 위해 병원학교에서 교과 수업뿐만 아니라 필요에 따라 화상 강의(원격 수업)도 제공한다. 또한 창수는 초등학생이기 때문에 재량활동을 창의적 재량활동으로 운영한다. 2010 개정 특수교육 교육과정에서부터는 재량활동과 특별활동이 통합되어 "창의적 체험활동"으로 운영되고 있다.

ㅁ. 학교복귀란 건강장애 학생이 장기 입원이나 장기 통원치료를 마치고 학교 교육을 받기 위해 학교로 돌아오는 것을 의미한다.

Check Point

✐ 2008 개정 특수학교 교육과정

① 2008 개정 특수학교 교육과정을 기준으로 국민 공통 기본 교육과정은 교과, 재량 활동, 특별 활동으로 편성하며, 재량 활동은 교과 재량 활동과 창의적 재량 활동으로 한다.

교과 재량 활동	중등학교의 선택 과목 학습과 국민 공통 기본 교과의 심화·보충 학습을 위한 것
창의적 재량 활동	학교의 독특한 교육적 필요, 학생의 요구 등에 따른 범교과 학습과 자기 주도적 학습, 체험 활동, 치료 지원 활동을 위한 것

② 초등학교의 재량 활동은 창의적 재량 활동으로 운영한다.

03   2011 중등1-39

정답 ③

해설

㉠ 학생 A가 3개월 이상 장기 입원 또는 통원 치료 중인 경우 건강장애를 지닌 특수교육 대상자로 선정된다.
- 「장애인 등에 대한 특수교육법 시행령」에서 건강장애 특수교육대상자의 선정 기준은 만성질환으로 인하여 3개월 이상의 장기입원 또는 통원치료 등 계속적인 의료적 지원이 필요하여 학교생활, 학업수행에 어려움이 있는 사람으로 규정되어 있다.

㉡ 「장애인 등에 대한 특수교육법 시행령」 제3조 의무교육의 비용 등에 근거하여 국가 또는 지방자치단체가 부담하여야 하는 비용은 입학금, 수업료, 교과용 도서대금 및 학교급식비로 한다.

㉢ 병원학교 배치 신청서는 병원학교에 직접 제출하지 않는다. 병원학교 입교 시에는 건강장애 선정 절차를 거치도록 하고 있기 때문에 건강장애 선정 신청서를 교육감 또는 교육장에게 제출하여야 한다.
- 건강장애 학생의 선정과 배치 과정은 다른 특수교육대상자와 동일하다. 만성질환을 가진 학생 중에서 장기치료로 인해 해당 학년의 진도를 따라가지 못하거나 유급 위기에 있는 등 학업 수행에 어려움이 있는 것으로 판단되는 학생에 한해 특수교육운영위원회에서 결정한다. 이때 만성질환은 장애인 증명서, 장애인 수첩, 진단서를 통해 확인한다.

Check Point

(1) 「장애인 등에 대한 특수교육법 시행령」 제3조(의무교육의 비용 등)

① 법 제3조 제3항에 따라 국가 또는 지방자치단체가 부담하여야 하는 비용은 입학금, 수업료, 교과용 도서대금 및 학교급식비로 한다.
② 국가 및 지방자치단체는 제1항의 비용 외에 학교운영 지원비, 통학비, 현장·체험학습비 등을 예산의 범위에서 부담하거나 보조할 수 있다.

(2) 「장애인 등에 대한 특수교육법」 제3조(의무교육 등)

① 특수교육대상자에 대하여는 「교육기본법」 제8조에도 불구하고 유치원·초등학교·중학교 및 고등학교 과정의 교육은 의무교육으로 하고, 제24조에 따른 전공과와 만 3세 미만의 장애영아교육은 무상으로 한다.
② 만 3세부터 만 17세까지의 특수교육대상자는 제1항에 따른 의무교육을 받을 권리를 가진다. 다만, 출석일수의 부족 등으로 인하여 진급 또는 졸업을 하지 못하거나, 제19조 제3항에 따라 취학의무를 유예하거나 면제받은 자가 다시 취학할 때의 그 학년이 취학의무를 면제 또는 유예받지 아니하고 계속 취학하였을 때의 학년과 차이가 있는 경우에는 그 해당 연수(年數)를 더한 연령까지 의무교육을 받을 권리를 가진다.
③ 제1항에 따른 의무교육 및 무상교육에 드는 비용은 대통령령으로 정하는 바에 따라 국가 또는 지방자치단체가 부담한다.

(3) 병원학교 입교 신청 절차

학생 (보호자)	• 필요 서류를 갖추어 소속 학교로 건강장애 학생 신청(병원학교로 직접 신청하지 않음) 1. 특수교육대상자 진단·평가 의뢰서 1부 2. 건강진단서 1부 3. 병원학교 입교신청서(또는 위탁교육신청서) 1부 등

⇩

소속 학교 (교사)	• 필요 서류를 갖추어 해당 교육청에 신청 • 입교를 희망하는 병원학교를 서류에 표시하여 제출 • 시·도교육청 서식에 따라 작성하고 관련 내용을 추가보완 • 서명이 들어간 관련 서류는 스캔하여 파일로 공문에 첨부, 제출

⇩

시·도 교육 (지원)청	• 건강장애 선정 결과 확정된 병원학교 입교 대상자 명단을 첨부하여 병원학교로 공문 발송 • 3개월 이상 외상적 부상 학생은 서류를 확인하여 기준에 적합하면 병원학교로 입교신청 공문 발송 • 만성질환 등 건강장애 선정이 확실시될 경우 교육감 또는 교육장이 병원학교에 우선 배치 공문 발송

⇩

병원학교	• 학부모나 학생에게 수업 기준 및 수업 방법에 대한 안내 • 병원학교 교육과정 안내 및 협의 • 학생 기초 정보 수집 및 개별화교육계획 작성 • 수업 진행 • 입교 승인은 교육청 공문으로 일괄함 • 병원학교 입교 후 소속 학교로 입교 관련 안내 (전화나 이메일 등) • 소속 학교로 월별 출석 현황 공문 발송

출처 ▶ 김정연(2020 : 247)

04 2012 초등1-6

정답 ②

해설

② 청색증이 심한 학생은 추위에 잘 적응하지 못하므로 추운 날씨에는 실외에서 하는 교육을 피하는 특별한 조치가 필요하다. 따라서 체육수업 장소를 운동장이 아닌 체육관 등 실내로 변경하는 등의 조치를 취하는 것이 바람직하다.
- 야외 수업 시 특수학급에 가서 다른 교과의 수업을 받도록 하는 교육적 조치는 최소제한환경에 위배되는 것이며, 통합교육의 맥락과도 맞지 않다.

③ 건강장애로 선정한 후 IEP를 수립하되 통신교육, 가정교육, 출석교육, 체험교육 등 교육 방법의 다양화를 통해 연간 수업일수를 확보한다. 건강장애 학생의 수업은 담임교사, 특수교사, 교사자원봉사단, 예비교사도우미제 등을 통해 가정을 방문하여 지도하거나 화상강의 시스템을 적극 활용하는 방안으로 운영되고 있다(교육부, 2017; 박은혜 외, 2013: 150 재인용).

④ 병원학교의 수업 참여를 출석으로 인정하고, 출석은 초등학생 1일 1시간 이상, 중학생 1일 2시간 이상을 최소 수업 시간으로 정하되, 1시간의 적정 수업 시간은 20분 이상을 기준으로 하여 학교 재량에 따라 융통성 있게 증감할 수 있다(김정연, 2020: 210).

Check Point

(1) 소아천식 학생을 위한 특수교육 지원

환경 조절	• 교사는 부모와 보건교육교사와 상의하여 음식을 통제하고 교실환경을 평가하여 자극을 줄인다. • 환경 조절만으로 증상을 줄이기가 충분하지 않다면 중재기술을 익히는 것도 중요하다. • 학생의 호흡을 관찰하고 자극이 될 수 있는 것은 학생 주위에서 제거하고 학생의 약물복용이 용이하도록 한다.
응급 상황 시 대처 계획	• 필요 시에는 위급한 상황을 대비하여 학교의 보건교육교사와 연계하여 응급 상황에 대한 계획을 수립한다. 계획서에는 아동의 상황에 대해 기록하고 부모에게는 상호 합의된 방법으로 정보가 제공되어야 한다. • 교사와 관련 전문가들은 이러한 긴급 상황에 대해 정해진 방법에 따라 적절하게 반응할 수 있어야 한다.
자기 관리	• 만성적 질환에 대한 치료는 아동 스스로가 적절하게 의료적인 처치를 조절할 수 있도록 하는 개인의 자율성 지도가 중요하다. • 의료 용구는 학교에 비치되어 있어야 하며 언제든지 쉽게 사용할 수 있어야 한다. • 아동이 현장학습 등으로 학교 외부로의 이동이 있을 경우 항상 의료물품도 함께 이동할 수 있도록 한다.

(2) 심장장애 학생을 위한 특수교육 지원

① 대부분의 학생은 일반학교에 다닐 수 있으며 모든 정상적인 활동을 할 수 있다. 하지만 청색증이 심한 학생은 추위에 잘 적응하지 못하므로 추운 날씨에는 실외에서 하는 교육을 피하는 특별한 조치가 필요하다.

② 호흡 곤란이 심한 학생은 힘들어할 경우 휴식을 취하도록 한다.

③ 상급 학교에 진학해서도 과격한 스포츠나 태권도, 유도 및 조정 등은 피하는 것이 바람직하나 적당량의 운동과 수영 등은 권할 만하다.

④ 힘든 운동을 제외한 운동, 즉 빠르게 걷기, 가볍게 달리기, 자전거 타기, 수영, 가벼운 등산, 계단 오르기 등의 유산소 운동은 도움이 된다.

(3) 신장장애 아동을 위한 특수교육 지원

① 정서적 적응을 위해 교사는 이들이 감정을 잘 표현하도록 도와주는 것이 중요하다.

② 피곤하지 않도록 활동량을 조절해야 하기 때문에 정상적으로 교과를 다 수행하기가 어렵다. 적당한 운동은 신장병에 도움이 되므로 무조건 배제하기보다는 체육시간에 학생의 상태를 고려하여 적절하게 참여할 수 있도록 도와준다.

③ 신장장애 학생의 경우 투석으로 인해서 커진 혈관 때문에 반팔 옷을 기피하는 경우도 많으므로 학생이 긴팔 교복을 입고자 할 경우 이에 대한 배려가 필요하다.

④ 신장장애가 있는 학생들은 교사나 친구들과 자신의 병에 대해서 편안하게 이야기하게 될 때 학교생활에 잘 적응하게 된다.

⑤ 질병으로 인한 한계를 인식하고 학교에서 언제 도움을 요청할 수 있는지에 대해서 배울 수 있도록 한다.

⑥ 학업 결손에 대한 부담과 걱정이 많으므로 이에 대한 적절한 지원이 필요하다.

(4) 소아암 학생을 위한 특수교육 지원

① 소아암에 걸린 학생의 반에 수두나 홍역에 걸린 학생이 있다면 소아암 학생의 부모에게 사전에 연락하고 학생이 등교했을 경우 그 학생과 접촉하지 않도록 해야 한다. 혹시라도 수두나 홍역을 앓고 있는 학생과 접촉한 경우에는 빨리 부모에게 알려 예방할 수 있도록 한다.

② 학교생활 중에 면역력이 약한 학생의 감염을 예방하기 위해 공동 컵을 사용하거나 생수를 마시지 않도록 하고 별도의 개인 컵과 보리차 등 끓인 물을 가지고 다니도록 한다.

③ 급식의 경우 균형 잡힌 식사는 투병할 수 있는 체력의 기반이 되기 때문에 일반적인 학교급식을 해도 괜찮다.

④ 백혈구 수치가 낮아 별도의 식이요법을 할 경우에는, 가정에서 준비해 온 식사와 간식 등을 다른 학생들이 잘 이해할 수 있도록 알려 준다.
⑤ 식사하기 전에는 반드시 손을 씻고 먹도록 주의를 준다.
⑥ 수업활동 참여에서는 힘든 운동과 과격하게 몸을 부딪치는 운동만 피하면 된다.
⑦ 상급 학교 진학을 위해 중학교나 고등학교 진학 원서를 작성할 때는 미리 부모님께 알리도록 한다.

(5) 소아당뇨 학생을 위한 특수교육 지원
① 학기 초 시간을 내어 학생(고학년 학생인 경우)이 직접, 또는 학생의 부모가 반 학생들에게 소아당뇨에 대한 간단한 소개와 함께 당뇨 학생을 도울 수 있는 방법에 대해 설명할 수 있는 시간을 마련해 준다면 학생의 병 관리 및 정신적인 안정에 도움이 된다.
② 수학여행, 현장학습 등과 같은 학교 행사들은 당뇨 학생들이 부모에 대한 의존에서 벗어나 당뇨병의 자기관리에 대한 필요성과 책임감을 가질 수 있는 좋은 기회로 이들이 반드시 참석할 수 있도록 해야 한다. 이런 기회를 통해 당뇨 학생들은 병 관리와 정상생활에 많은 자신감을 얻게 된다.
③ 당뇨병을 남에게 알리고 싶어 하지 않는 학생들의 경우 주사와 검사를 위해 조용한 장소를 제공해 주는 것과 같은 작은 배려만 있다면 크게 걱정할 일은 없다.
④ 당뇨 학생이 정기적인 병원 진료를 빠지지 않도록 하는 교사의 따뜻한 배려와 격려는 이들에게 큰 힘이 될 수 있다.
⑤ 점심시간이 늦어질 때에는 당뇨 학생이 제시간에 점심 식사를 할 수 있도록 하고, 또한 학교 급식 시 필요량 이상을 먹도록 요구당하거나 반대로 부족하지 않도록 해야 한다.
⑥ 반찬이 부족하여 식사량이 부족하면 혈당 조절문제가 생길 수 있으므로 당뇨 학생이 스스로 적정량을 식사하도록 지도한다.
⑦ 당뇨 학생 중에서는 다른 사람들에게 병이 알려지는 것을 꺼려 남의 눈에 띄지 않는 학교 화장실 같은 곳에서 인슐린 주사를 맞거나 혈당 검사를 하는 학생이 있다. 당뇨 학생이 주사와 검사를 위해 보건교육실을 자유롭게 이용하고 비밀이 유지되도록 해주는 것이 필요하다.
⑧ 교사는 수업 시간이나 학교 활동 중 저혈당이 생겼을 때의 응급조치 방법에 대해 미리 숙지해야 한다.

05 | 2013 중등1-8

정답 ②

해설
① 교육감은 장애 정도가 심하여 장·단기의 결석이 불가피한 특수교육대상자의 교육을 위하여 필요한 경우 순회교육을 실시하여야 한다.: 현재(주체: 교육부장관 또는 교육감)와 같이 개정된 것은 법률 제17494호(2020. 10. 20., 일부개정)부터이다.
② 교육장이나 교육감은 법 제25조 제1항에 따른 순회교육을 하기 위하여 순회교육을 받는 특수교육대상자의 능력, 장애 정도 등을 고려하여 순회교육계획을 작성·운영하여야 한다(「장애인 등에 대한 특수교육법 시행령」 제20조 제1항).

Check Point

「장애인 등에 대한 특수교육법」 제25조(순회교육 등)
① 교육장 또는 교육감은 일반학교에서 통합교육을 받고 있는 특수교육대상자를 지원하기 위하여 일반학교 및 특수교육지원센터에 특수교육교원 및 특수교육 관련서비스 담당 인력을 배치하여 순회교육을 실시하여야 한다.
② 교육감은 장애정도가 심하여 장·단기의 결석이 불가피한 특수교육대상자의 교육을 위하여 필요한 경우 순회교육을 실시하여야 한다.
③ 교육감은 이동이나 운동 기능의 심한 장애로 인하여 각급학교에서 교육을 받기 곤란하거나 불가능하여 복지시설·의료기관 또는 가정 등에 거주하는 특수교육대상자의 교육을 위하여 필요한 경우 순회교육을 실시하여야 한다.
④ 교육장 또는 교육감은 제3항에 따른 순회교육의 실시를 위하여 의료기관 및 복지시설 등에 학급을 설치·운영하는 등 필요한 조치를 강구하여야 한다.
⑤ 국가 또는 지방자치단체는 제4항에 따라 학급이 설치·운영 중인 의료기관 및 복지시설 등에 대하여 국립 또는 공립 특수교육기관 수준의 교육이 이루어질 수 있도록 대통령령으로 정하는 바에 따라 행정적·재정적 지원을 할 수 있다.
⑥ 제1항부터 제4항까지의 규정에 따른 순회교육의 수업일수 등 순회교육의 운영에 필요한 사항은 대통령령으로 정한다.

06 — 2017 초등A-3

모범답안

4) (갑작스런 천식발작을 일으켜 의사소통 능력을 상실하는 경우 도움을 요청하는 그리고 응급조치 방법에 대한 내용이 적힌) 도움요청 카드를 이용하여 도움을 요청하도록 한다.

07 — 2017 중등A-5

모범답안

⊙	신장장애
ⓒ	각급학교의 장, 매 학년도 150일

해설

지문 돋보기

- 소변검사에서 단백뇨와 혈뇨가 나와서 이 질병을 발견하게 되었는데: 단백뇨와 혈뇨가 나오는 것은 사구체신염의 대표적인 증상에 해당하기 때문에 사구체신염이 의심되기는 하지만 단언할 수는 없음. 왜냐하면 소변에서 단백이나 피가 섞여 나오는 경우 또는 몸이 붓거나 소변 보는 횟수가 줄어든 경우는 신장질환을 의심할 수 있는 일반적인 증상이기는 하지만 혈뇨와 단백뇨가 검출된 원인에 대해서는 명확히 제시되어 있지 않기 때문임(합병증인 경우에도 나타날 수 있는 현상임). 따라서 신장 기능에 이상이 있음을 언급하고 있다고 보는 것이 타당함. 구체적인 기간이 언급되지 않았기 때문에 '만성'이라고 할 수도 없음
- 지금은 혈액 투석을 하고 있습니다. 그리고 더 심해지면 이식수술을 해야 한다고 걱정을 많이 하고 있어요. 식이요법도 해야 하고, 수분과 염분 섭취량을 조절해야 합니다.: 신장의 기능이 상당히 좋지 않아서 신대체요법까지 병행해야 함을 의미

⊙ 신장기능의 이상으로 인해 식이요법은 물론 신대체요법에 의한 치료를 받아야 하는 신장장애에 대해 언급하고 있다.
  - 「장애인복지법 시행령」(대통령령 제33382호) 제2조 제1항 별표에서는 신장장애인을 "신장의 기능장애로 인하여 혈액투석이나 복막투석을 지속적으로 받아야 하거나 신장기능의 영속적인 장애로 인하여 일상생활에 상당한 제약을 받는 사람"으로 정의하고 있다.

ⓒ 순회교육의 수업일수는 매 학년도 150일을 기준으로 하여 각급학교의 장이 정하되, 순회교육을 받는 특수교육대상자의 상태와 교육과정의 운영상 필요한 경우에는 지도·감독기관의 승인을 받아 30일의 범위에서 줄일 수 있다.

Check Point

◪ 신장장애의 종류(원인)

사구체신염	신장의 여과 부위인 사구체에 염증 반응이 생겨 발생하는 신장질환을 총칭하는 말
신증후군	심한 단백뇨(1일 3.5g 이상)의 지속적인 배설, 저알부민혈증(혈청 알부민치 3.0g/dL 이하), 고지혈증, 전신부종 등 4대 증상 및 증후가 복합된 증후군
급성신부전	신기능이 갑작스럽게 상실되는 것으로, 하루 소변량이 400mL 이하이면 신장 기능 상실을 의미
급성신우신염	요로 감염으로 인한 신장의 세균 감염
신장결석	신장에서 형성된 작은 입자가 신장 내부나 요도에 존재하는 질환

08 — 2018 초등A-1

모범답안

3) 순회교육

해설

3) 건강장애 학생을 위한 교육적 지원 유형에는 병원학교, 원격수업, 순회교육이 있다. 이 중 학생이 입원한 병원에는 병원학교가 없으며 원격수업은 원격수업기관에서 운영한다.

09　2018 중등A-4

모범답안

㉠	2시간 이상
㉡	출석확인서(또는 수업확인증명서)
㉢	학업성적관리

Check Point

∅ 병원학교 학사관리

① 병원학교에서의 학적은 학생의 소속 학교에 두고 출석확인서를 소속 학교에 통보하여 출결을 처리한다.
② 출석확인서는 해당 교육청에서 발급하며 학생 1일 적정 교육시수는 초등학생 1시간 이상, 중고등학생은 2시간 이상을 1일 최소 수업시수로 한다. 이때 1단위시간은 최소 20분으로 한다.
　• 정규교사 미배치 병원학교의 경우 수업확인증명서 발급을 통해 수업으로 인정한다.
③ 학력평가는 원 소속 학교에서 처리하되, 학업성취도 평가 시 가능하면 학생의 평가 당일 소속 학교 출석을 권장하며, 건강상의 이유로 출석이 곤란한 경우에는 병원학교 담당교사와 소속 학교 담임 간의 협의를 통해 가정이나 병원에서 평가할 수도 있다.
　• 직접평가가 불가능한 경우에는 학교장이 당해 학교의 '학업성적관리규정'에 의거하여 성적을 결정한다.
④ 병원학교 교육과정 운영을 위해 배치된 특수교사 외 인근 학교 교사자원봉사단, 예비교사도우미 등의 방문교육, 사이버 가정학습 서비스, 화상강의 시스템을 적극 활용하도록 하고 있다.

10　2019 중등A-8

모범답안

㉡	부작용

11　2020 중등A-12

모범답안

• ㉡ 다음 중 택 1
　- 건강장애 선정의 직접적인 원인이 된 질병이 완치된 경우에 취소할 수 있다.
　- 소속 학교로 복귀하여 정상적인 출석을 하는 경우에 취소할 수 있다.
　- 소속 학교에서 휴학 또는 자퇴를 하고자 하는 경우에 취소할 수 있다.
• ㉢ 소아당뇨(또는 제1형 당뇨)
　㉣ 사탕이나 초콜릿 등을 먹을 수 있도록 허용하기(또는 오렌지 주스나 소다 같은 당이 많이 함유된 음식을 섭취할 수 있도록 허용하기)

해설

㉡ • 건강장애 학생으로 선정된 학생이라도 몇 가지 사유에 해당할 경우 선정 취소가 가능하다.
　- 첫째, 건강장애 선정의 직접적인 원인이 된 질병이 완치된 경우이다.
　- 둘째, 소속 학교로 복귀하여 정상적인 출석을 하는 경우이다. 치료 또는 진단을 위해 월 1~2회 외래 치료하는 경우도 포함된다.
　- 셋째, 소속 학교에서 휴학 또는 자퇴를 하고자 하는 경우이다.
• 특수교육 대상자는 의무교육 대상자이므로 선정 취소를 한 후 필요한 학적 처리를 해야 한다. 건강장애 선정을 취소하려면 특수교육 대상자(건강장애) 선정·배치 취소 신청서와 특수교육 대상자 선정·배치 취소 동의서(학부모용)를 제출해야 한다(박은혜 외, 2018: 133).
㉢ 당뇨란 인슐린이 부족하거나 기능에 이상이 발생하는 질환으로서 몸에 섭취된 당분이 잘 사용되지 못하고 혈액 속을 떠돌다가 소변으로 배설되는 것이다. 특히, 어린 연령에 발병하는 소아당뇨는 성인의 당뇨와는 발병 원인, 치료 등에서 명백한 차이가 있다. 일생 동안 인슐린 주사를 계속해서 맞아야 하므로 과거에는 '인슐린 의존성 당뇨병'이라고 하였으나, 현재는 제1형 당뇨로 불린다(박은혜 외, 2018: 127).

Check Point

(1) 당뇨의 유형

당뇨는 몇 가지 다른 유형으로 나누어진다. 이것은 1형 당뇨, 2형 당뇨, 비전형 당뇨, 이차성 당뇨, 그 밖에 임신성 당뇨와 신생아 당뇨 등이 있다(박은혜 외, 2012: 534-535).

제1형 당뇨	• 제1형 당뇨는 대개 소아 당뇨와 인슐린 의존형 당뇨로 알려져 있다. • 인슐린 의존형인 제1형 당뇨는 체내에서 혈당을 조절하는 인슐린이 거의 분비되지 않아 인슐린 주사에 의존해야 하는 경우를 말한다.
제2형 당뇨	• 제2형 당뇨는 성인 당뇨 혹은 인슐린 비의존형 당뇨라고 불린다. • 제2형 당뇨는 주로 성인에게만 발병하는 것으로 알려져 왔다.
비전형적 당뇨	• 비전형적 당뇨는 주로 아프리카나 아시아계 사람에게서 발견된다. • 제1형과 제2형 당뇨의 구분이 어려운 비전형적 당뇨는 특발적(원인 불명) 1형 당뇨, 혹은 1.5형 당뇨로 불린다.
이차성 당뇨	• 낭포성 섬유증과 같은 다른 질병이나 선천적 풍진과 같은 감염, 갑상선 호르몬 등의 약물 유발로 발병하는 당뇨를 말한다. • 이차성 당뇨는 다운증후군과 같은 특정한 유전적 이상과 관련된 당뇨를 포함한다.

(2) 제1형 당뇨의 특징

① 고혈당증
  ㉠ 고혈당증은 혈중 당의 수치가 과도하게 높게 나타나는 증상이며, 인슐린의 부족으로 혈당이 올라가는 당뇨의 초기 증상이다.
  ㉡ 일반적으로 고혈당증의 증상으로는 다뇨, 다음, 다식의 세 가지 특징이 나타난다.
    • 다뇨증은 제일 먼저 나타나는 증상으로 소변량이 많아지는 것이다. 인체가 혈액에서 과도한 포도당 수치를 감지하면 소변의 노폐물을 통해 포도당을 방출하여 포도당의 양을 줄이게 된다.
    • 두 번째로 나타나는 증상인 과도한 수분 섭취다. 소변이 과도하게 배출되면서 갈증을 느끼고 탈수 증상을 막기 위해 과도한 수분을 섭취하게 된다.
    • 세 번째 증상은 소변을 통해 소모된 열량을 보충하기 위해 음식을 과도하게 섭취하게 되는 증상을 말한다. 그 밖의 증상으로 체중 감소, 피로감, 의욕 상실이 나타난다.

② 케톤산증
  ㉠ 만약 세 가지 일반적 증상이 진단되고 치료되지 않는다면 케톤산증(ketoacidosis)이 나타난다.
  ㉡ 케톤산증이란 혈중에 케톤체가 축적되어 산증이 나타내는 상태를 말한다. 세포에서 부족한 포도당을 보충하기 위해 간에서 포도당을 분해할 때 부산물로 산성의 케톤을 생산하게 되는데, 이때 케톤이 축적되면 케톤산증의 증상이 나타난다.
  ㉢ 케톤산증의 초기 증상은 복통, 구역질, 구토 등이며, 이때 소모된 수분을 보충할 능력이 떨어져 탈수증이 가속화된다. 케톤산증이 진행되면 쿠스마울 호흡(Kussmaul respirations)이라고 부르는 가쁘고 깊은 호흡을 하고, 호흡을 할 때 입에서 아세톤 냄새를 풍기며 신경인지 능력이 훼손된다.

출처 ▶ Heller et al.(2012: 538-539)

(3) 고혈당과 저혈당

유형	증상	원인	처치
고혈당증과 케톤산증	• 혈당 수준이 높게 나타남 • 증상이 서서히 나타남 • 고혈당증: 다뇨증, 다음, 다식, 피로와 허약 • 케톤산증: 구토, 구취, 가쁘고 깊은 호흡, 주의집중 문제와 혼란, 당뇨성 혼수	• 인슐린 부족 • 질병, 상해, 심리적 스트레스 등	• 인슐린 투여 • 치료 이행
저혈당증	• 포도당의 수치 저하 • 증상이 빠르게 나타남 • 경도 저혈당증: 땀, 발작, 허기, 두통, 어지럼증과 현기증, 행동 변화 • 중도 저혈당증: 발작과 당뇨성 혼수	• 인슐린 과다 • 식사 시간 지연, 심한 운동	• 포도당 섭취 • 치료 이행

출처 ▶ 박은혜 외(2012: 546)

12 2021 중등B-9

모범답안

- ㉠ 입술로 기계의 입구를 막아 공기가 새지 않도록 한 후 최대한 빠르고 힘차게 숨을 내뱉었을 때의 수치를 매일 아침과 저녁에 측정하도록 한다.
- ㉢, 천식발작이 나타나면 즉시 조치를 취하도록 도와주어야 하기 때문이다.
- ㉣, 누운 자세보다는 옆으로 누운 자세 또는 앉은 자세를 취하도록 하는 것이 더 바람직하기 때문이다.

해설

㉠ 학생 K는 지속성 경도 천식 증상이 있기 때문에 증상이 악화되는 것을 막기 위해서는 매일 매일의 천식 증상 완화를 살펴볼 필요가 있다.
 - 천식의 상태를 객관적으로 평가하기 위해 최대호기량측정기를 이용한 측정 방법이 사용되며, 하루에 2회 측정한다. 이러한 결과를 바탕으로 약물의 효과를 평가하며 약물의 사용량을 조절한다. 최대 호기를 매일 2회씩 그래프로 기록하여 개인에 따른 질병의 경향을 파악하고 점검하도록 지도하는 것이 필요하다(Heller et al., 2012: 521).

㉡ 천식이 있는 학생을 위해서는 HEPA 필터를 사용하여 교실이나 가정의 유발인자를 제거해 주어야 한다. 그 밖에 환경에 대한 예방책으로는 집먼지 진드기 방지용 이불이나 특수 베개 커버, HEPA 필터가 있는 청소기 등을 사용하는 것이 도움이 된다. 먼지가 천식의 유발인자인 경우에는 먼지가 쌓이기 쉬운 커튼이나 블라인드, 주름이 있는 전등 갓, 카펫 등을 최대한 제거해준다. 꽃가루에 노출되는 것이 유발인자라면 꽃가루가 많은 시간 동안에는 외출을 줄이거나 창문을 닫고, 잔디를 자주 깎아 주어 꽃가루가 발생하지 않도록 한다. 곰팡이가 유발인자인 경우에는 화장실 청소를 철저히 한 후 습기를 없애고 건조한다. 천식의 유발인자와 환경 간의 상호작용을 잘 파악하여 환경을 적합화해주는 것이 증상을 예방할 수 있다(Heller et al., 2012: 524).

㉢ 천식발작은 개인에 따라 그 정도와 유형이 다양하게 나타난다. 천식발작을 시작하면 기침, 쌕쌕거리는 숨소리, 짧은 호흡, 호흡 곤란 등이 나타나고, 숨쉴 때 코를 벌렁거리거나 입술 또는 손톱 아래가 푸르스름한 색을 띠게 된다. 호흡이 짧기 때문에 숨을 쉬거나 말하는 것이 어렵다(Heller et al., 2012: 522).

㉣ 누운 자세보다는 옆으로 누운 자세를 취하는 것이 호흡에 도움이 된다.

- 벽에 기대서서 고개를 숙인 자세, 옆으로 누운 자세, 약간 무릎을 벌리고 팔꿈치에 기대어 앞으로 숙인 자세, 베개를 껴안듯이 앞으로 몸을 숙이는 자세도 호흡하기 편한 자세이다(김정연, 2020: 122).

Check Point

(1) 최대호기유속량 측정기(최대호기량 측정기) 사용법
① 바늘을 '0'에 오게 한다.
② 바로 선 자세에서 입을 벌리고 숨을 깊게 들이마신다.
③ 입술로 기계의 입구를 막아 공기가 새지 않도록 한 후 최대한 빠르고 힘차게 숨을 내뱉는다.
④ 바늘이 움직인 곳의 수치를 읽는다(①~④의 과정을 2회 더 반복한다. 정확한 측정값을 위해 1분 간격으로 3회 반복한다).
⑤ 가장 높은 수치를 기록한다.

(2) 지속성 경도 천식(동 경증 지속성 천식)
① 경증 천식 환자란 폐기능이 정상(정상치의 80% 이상)이면서 증상이 드물게 발생하는 경우를 뜻한다.
② 세계천식기구(GINA)의 중증도 분류에 따르면 경증 천식은 간헐성 천식과 지속성 경도 천식을 포함한다.
③ 지속성 경도 천식은 폐기능이 정상치의 80% 이상이면서 천명, 기침, 호흡곤란 등의 천식 증상이 일주일에 1~6번 발생하거나, 야간 천식 증상이 한 달에 2~3번 발생하는 경우를 뜻한다.

출처 ▶ 이병재(2008: S625)

초등학교 학령기 학생의 정도에 따른 천식의 분류

구분	증상	약 처방	폐 기능	활동
간헐성 천식	• 주 2회 이상 발작되지 않음 • 야간 수면성 천식이 월 2회 이상 발작되지 않음	주 2일 이하	기류의 제한 정도가 정상과 경도 사이	거의 제한 없음
지속성 경도 천식	• 주 2회 이상 나타남 • 야간 수면성 천식이 월 3~4회 나타남	주 2일 이상 (매일은 아님)	경도의 기류 제한	약간의 제한이 있음
지속성 중등도 천식	• 천식의 증상이 매일 나타남 • 야간 수면성 천식이 주 1회 발작됨	매일	두 가지 범주 이상에서의 기류의 폐색이 나타남	다소 제한이 있음
지속성 중도 천식	• 낮 동안에 천식의 증상이 항상 나타남 • 때로는 매일 밤 나타나기도 함	하루에 수차례	모든 범위에서 기류의 폐색이 나타남	극도로 제한됨

출처 ▶ Heller et al.(2012: 516)

13 · 2022 중등B-9

모범답안
- ㉠ 다음 중 택 1
  - 원격수업
  - 순회교육
- ㉡ 다음 중 택 1
  - 장애인증명서
  - 장애인 수첩
  - 진단서
- ㉢, 학생 H의 학적은 원소속 학교에 둔다.
  ㉤, 적절한 신체활동과 체육활동을 할 수 있도록 한다.

해설
교육 지원) 건강장애 학생은 현재 소속된 일반학교의 학급에 그대로 배치되며, 교육은 특수학급이나 병원학교, 가정에서의 원격수업이나 순회교육을 이용할 수 있다. 건강장애 학생으로 선정되면 주된 수업의 형태는 병원학교, 원격수업, 순회교육을 이용할 수 있다(김정연, 2020 : 244).
- 교육부장관 또는 교육감은 장·단기 결석이 불가피한 특수교육대상자의 교육을 위하여 필요한 경우 순회교육 또는 원격수업을 실시하여야 한다(법률 제17494호 「장애인 등에 대한 특수교육법」 제25조 제2항).

㉡ 건강장애 학생의 선정은 「장애인 등에 대한 특수교육법 시행규칙」 제2조(장애의 조기발견 등) 제1항에 따른 특수교육대상자 선별검사 및 진단·평가를 별도로 실시하지 않는다. 만성질환을 가진 학생 중에서 장기치료로 인해 해당 학년의 진도를 따라가지 못하거나 유급 위기 등에 있는 등 학업 수행에 어려움이 있는 것으로 판단되는 학생에 한해 특수교육운영위원회에서 결정한다. 이때 만성질환은 장애인증명서, 장애인 수첩, 혹은 진단서를 통해 확인한다(김정연, 2020 : 239).

㉤ 소아암 학생에게 운동은 매우 필요하다. 1주일에 5일 이상 적어도 60분 정도의 중등도 또는 강한 운동이 필요하다(김정연, 2020 : 65).

14 · 2023 초등B-6

모범답안
1) 3개월

15 · 2023 중등B-7

모범답안
- ⓑ, 외상성 부상 학생은 3개월 이상 치료를 요하더라도 건강장애로 진단받을 수 없습니다.
  ⓔ, 원격 수업을 받고 있는 건강장애 학생의 학적은 학생의 소속 학교입니다.
- ㉠ 학업성적관리위원회
- ㉡ 학교장이 해당학교의 학업성적관리규정에 의거하여 성적을 결정한다.

해설
ⓑ 외상성 부상 학생이란 건강장애 선정대상은 아니지만 3개월 이상의 치료를 필요로 하는 화상, 교통사고 등의 심각한 외상적 부상으로 불가피하게 장기결석이 예상되는 학생을 말한다(김정연, 2020 : 243). 건강장애로 진단받을 수는 없으나 건강장애 학생에 준하는 교육지원을 받을 수는 있다. 즉 외상적 부상 학생은 해당 치료기간에 한해 건강장애 학생들의 교육지원인 병원학교와 원격수업을 이용할 수 있으며, 해당 기관 이용일수를 출석으로 인정하고 있다.

㉠ 병원학교 및 원격수업 등 정보통신매체를 이용하여 수업을 받는 건강장애 학생의 평가는 평가 당일 소속 학교에 출석함을 원칙으로 하며, 부득이한 경우 소속 학교 학업성적관리위원회의 결정에 따른다(교육부 훈령 195호 별지 제8호).

㉡ 건강상의 이유로 (시험을 위한) 출석이 곤란한 경우 병원학교 담당교사와 소속 학교 담임교사 간 협의를 통해 가정이나 병원에서 평가를 할 수 있다고 규정하고 있다. 직접 평가가 불가능한 경우에는 학교장이 당해 학교의 '학업성적관리 규정'에 따라 성적을 결정한다(김정연, 2020 : 256).

16 2024 중등A-2

모범답안

㉠	심장장애
㉡	개별화된 학습

해설

㉠ 특수교사의 발화 내용 중 "부정맥이 있고 청색증이 심하므로 추운 날씨에 야외 활동이나 야외 수업은 피해야 하고, 호흡이 곤란한 경우에는 휴식을 취하도록 지도해야" 한다는 것은 심장장애에 대한 단서가 된다.
- 부정맥은 심장의 박동이 고르지 않고 불규칙하게 뛰는 상태로 맥박의 리듬이 빨라졌다가 늦어졌다가 하는 불규칙한 상태를 말한다(김정연, 2020 : 93).
- 신생아나 영유아에게 선천성 심장 질환으로 인한 청색증이 나타나면 매우 위험하며, 즉각적인 처치가 필요한 응급상황이기 때문에 빠른 진단과 치료가 필요하다(김정연, 2020 : 94).

㉡ 병원학교는 만성질환을 치료하기 위해 학업을 중단하고 있는 건강장애 학생의 교육을 지원하기 위한 제도이다. 학생들의 학업 연속성 유지 및 학습권 보장과 개별화된 학습지원, 심리정서적 지원 등을 통해 학교생활 적응을 도모하고 삶에 대한 희망과 용기를 심어 주어 치료 효과를 증진하기 위한 목적으로 운영하고 있다(교육과학기술부, 2010 : 김정연, 2020 재인용).

17 2025 중등B-2

모범답안

㉠	원격수업
[A]	소아당뇨(또는 제1형 당뇨)

해설

지문 돋보기

- 초·중·고 건강장애 학생이 컴퓨터나 휴대 단말기를 사용하여 탑재된 콘텐츠를 통해 학습하거나 실시간 양방향으로 수업에 참여하는 것 : 원격수업의 개념
- 학생 C는 인슐린이 절대적으로 부족하므로 인슐린 주사가 꼭 필요해요. : 고혈당증
- 경도 저혈당 증상은 몸에서 땀이 조금씩 나기 시작하고, 가끔 몸이 흔들리며, 허기와 두통, 현기증과 어지럼증 등이 나타나는 것이에요. : 저혈당증의 증상

㉠ 건강장애 학생을 위한 교육 지원 유형에는 병원학교, 순회교육, 원격수업이 있다.
- 교육부장관 또는 교육감은 장·단기 결석이 불가피한 특수교육대상자의 교육을 위하여 필요한 경우 순회교육 또는 원격수업을 실시하여야 한다(「장애인 등에 대한 특수교육법」 제25조 제2항).

MEMO

김남진
KORSET 특수교육 기출분석 ❸   모범답안 및 해설

초판인쇄 | 2025. 4. 10. **초판발행** | 2025. 4. 15. **편저자** | 김남진
발행인 | 박 용 **발행처** | (주) 박문각출판 **등록** | 2015년 4월 29일 제2019-000137호
주소 | 06654 서울특별시 서초구 효령로 283 서경 B/D **팩스** | (02) 584-2927
전화 | 교재 주문 (02) 6466-7202, 동영상 문의 (02) 6466-7201

저자와의 협의하에 인지생략

이 책의 무단 전재 또는 복제 행위는 저작권법 제136조에 의거, 5년 이하의 징역 또는 5,000만 원 이하의 벌금에 처하거나 이를 병과할 수 있습니다.

ISBN 979-11-7262-769-0 / ISBN 979-11-7262-767-6(세트)
정가 21,000원(분권 포함)